日本版救急蘇生ガイドライン2020に基づく

新生児蘇生法 インストラクターマニュアル

第5版

■監修　日本周産期・新生児医学会
新生児蘇生法委員会委員長
細野茂春

MEDICAL VIEW

本書では，厳密な指示・副作用・投薬スケジュール等について記載されていますが，これらは変更される可能性があります。本書で言及されている薬品については，製品に添付されている製造者による情報を十分にご参照ください。

日本周産期・新生児医学会の“新生児蘇生法”の情報は，適宜，アップデートされます。最新情報は，下記のホームページをご参照ください。
日本周産期・新生児医学会　https://www.jspnm.com/
日本周産期・新生児医学会 新生児蘇生法普及事業　https://www.ncpr.jp/

The Instructor Manual of Neonatal Cardio-Pulmonary Resuscitation Based on JRC Guidelines 2020
(ISBN978-4-7583-2126-6 C3047)
Editor: HOSONO Shigeharu

2021. 5. 20 5th ed.

Medical View Co., Ltd.
2-30 Ichigayahonmuracho, Shinjyukuku, Tokyo, 162-0845, Japan
E-mail ed @ medicalview.co.jp

NCPR普及事業における本書の意義

日本周産期・新生児医学会では日本版新生児蘇生法(Neonatal Cardio-Pulmonary Resuscitation；NCPR)普及事業を2007年7月から開始しました。主たる活動は，出生時に子宮内環境から子宮外環境への移行，すなわち“呼吸循環の確立”が遅れる新生児に対して，いかにして効果的な心肺蘇生法を行うかを学んで頂くことを目的とした「新生児蘇生法(NCPR)講習会」の開催とそのための教材作成，そしてその講習会を行うインストラクターの養成にあります。

学会公認インストラクターは，2020年12月末現在で4,705名(専門コースインストラクター3,007名，一次コースインストラクター1,698名)となり，5年前と比較して439名増加しました。その結果，新型コロナウイルス感染症流行前の2019年までは，講習会開催実績および受講者数とも右肩上がりの伸びを示していました。新規インストラクターの養成およびインストラクターの質の向上のため，全国22カ所のトレーニングサイトにおいてインストラクター養成およびインストラクターフォローアップ講習会を開催し，アクティブなインストラクターを増やす目的で，2016年からはインストラクター養成講習会の受講資格を，Aコース認定後2回以上のインストラクター補助の実績(うち1回以上はAコース補助)とインストラクターの推薦を要すると変更いたしました。また，2020年からはインストラクターの更新要件として，3年間に3回以上の実績を必要とすることとしました。

講習会で推奨している日本蘇生協議会(JRC)蘇生ガイドラインに基づいた新生児蘇生法テキストは，国際蘇生連絡委員会(International Liaison Committee on Resuscitation)で作成されたConsensus on Science with Treatment Recommendation(CoSTR)に基づいて，日本周産期・新生児医学会 新生児蘇生法委員会が中心となり作成し，日本蘇生協議会で承認を受けたものです。本書は，公認インストラクターが講習会を開催するにあたり，必要な知識を盛り込んだ内容となっています。インストラクターとして最新の新生児蘇生に関する知識を受講者に正しく伝える教科書にとどまらず，インストラクターとしての技術および態度も併せて習得できるよう工夫されています。

この事業の最終的な目標は，「新生児仮死の予後を改善すること」にあります。それを達成するために，「すべての分娩に質の高い新生児蘇生を直ちに開始できる人員が立ち会うことのできる体制を整備するための人材育成」が事業の重要な柱になっています。分娩は全国津々浦々の施設で行われています。そのため，最終的には各施設に1名以上のインストラクターが在籍し，そのインストラクターに施設内で講習会を開催していただけるのが理想です。

インストラクターに特別な能力は必要なく，本書を参考に系統的知識を身につけ実践でスキルを磨くことで，自信をもってインストラクションできるようになります。そうはいっても，インストラクションをしていくうえでは，いろいろな問題がでてくると思います。今回のガイドラインの改訂にあわせて現場のインストラクターの声を集約して，よりわかりやすく，実践的なインストラクターマニュアルの作成を目指してきました。

本書に書かれている教育論は新生児蘇生法の教育にとどまらず，幅広く日常の人材育成にも応用できる成人教育論を基盤としています。インストラクターの皆様には，是非とも講習会ならびに日常の診療のなかで，広くご活用いただければ幸いです。

日本周産期・新生児医学会 新生児蘇生法委員会　委員長
国際蘇生連絡委員会　Neonatal Life Support Task Force
日本蘇生協議会　理事
細野茂春

NCPR普及事業におけるトレーニングサイトの役割

出生時に子宮外生活に必要な呼吸循環動態の移行が順調に進行しない事例は，全出産の約15％にみられ，約5％が人工呼吸をはじめとする積極的な新生児心肺蘇生法処置を受けなければ死亡するか，重篤な障害を残すとされています。一方では，マスク＆バッグを用いた人工呼吸のみで蘇生に成功し，胸骨圧迫による心臓マッサージまでを加えれば，基礎疾患がない事例の大部分が蘇生できると報告されています。

そこで，新生児蘇生技術の習得に向け，日本周産期・新生児医学会 新生児蘇生法（Neonatal Cardiopulmonary Resuscitation；NCPR）普及事業が2007年度から開始され，講習会が始まりました。

しかし当初は，インストラクターコースの受講は東京，大阪の会場と，日本周産期・新生児医学会学術集会や日本新生児成育医学会学術集会に併設したインストラクターコース講習会でしか受講できませんでした。それゆえ，インストラクター養成数は限られていました。また，地方の受講者は旅費や宿泊費が必要であり，中央と地方の格差がうまれておりました。

そこで，地方にもインストラクター養成コースを開催するトレーニングサイトを，徐々に開設していったのです。現在，北海道，東北（岩手，宮城），関東〔東京（3か所），茨城，埼玉，千葉，神奈川〕，新潟，長野，石川，愛知（2か所），京都，大阪（2か所），兵庫，広島，香川，鹿児島の22か所のトレーニングサイトを中心に，インストラクターコース，フォローアップコース，スキルアップコースなどが積極的に行われています。

2020年12月現在，全国で3,007名のインストラクターが認定され，各種コース修了者は，67,643名にまで増加しました。

また，離島プロジェクトとして，各地の離島（沖縄本島，石垣島，宮古島，奄美大島，種子島，沖永良部島，隠岐の島，五島列島など）において，インストラクターコース，スキルアップコースを新生児蘇生法委員会直轄で行っています。

このように，トレーニングサイトの活躍により新生児蘇生法が全国に普及することで，重症仮死の赤ちゃんの予後が改善されることを願っております。

日本周産期・新生児医学会 新生児蘇生法委員会　副委員長
トレーニングサイト運営小委員会　委員長
茨　聡

目次

執筆者一覧

●監　修

細野　茂春　日本周産期・新生児医学会 新生児蘇生法委員会 委員長

●執　筆（掲載順）

細野　茂春　自治医科大学附属さいたま医療センター周産期科新生児部門 教授
茨　　　聡　鹿児島市立病院総合周産期母子医療センター センター長／新生児内科 部長
木下　大介　京都第一赤十字病院新生児科 副部長
大橋　　敦　関西医科大学小児科学講座 准教授
山本　正仁　長浜赤十字病院新生児科 部長
嶋岡　　鋼　国際医療福祉大学塩谷病院小児科 副部長・講師
安田　真之　香川大学医学部附属病院卒後臨床研修センター 准教授
荒堀　仁美　大阪大学大学院医学系研究科小児科学 助教
草川　　功　聖路加国際病院小児科 医長
水本　　洋　公益財団法人田附興風会医学研究所北野病院小児科未熟児・新生児部門 部長
甘利昭一郎　国立成育医療研究センター周産期・母性診療センター新生児科
北野　裕之　石川県立中央病院総合母子医療センター 部長（新生児科）（新生児科長）
岩永甲午郎　京都大学大学院医学研究科発達小児科学 助教
杉浦　崇浩　豊橋市民病院小児科（新生児）第二部長
宮園　弥生　筑波大学医学医療系小児科 准教授
小西　恵理　淀川キリスト教病院小児科 副部長
諫山　哲哉　国立成育医療研究センター周産期・母性診療センター新生児科 診療部長
柳　　貴英　滋賀医科大学医学部小児科学講座 学内講師
加藤　丈典　豊橋市民病院小児科（新生児）第三部長

（執筆順）

第4版 監修・執筆者

- 監　修　　細野茂春
- 執　筆　　細野茂春，茨　聡，長野伸彦，島袋林秀，草川　功，水本　洋，杉浦崇浩，嶋岡　鋼，齋藤　誠，寺澤大祐，野村雅子，加藤丈典，北野裕之

第3版 監修・執筆者

- 監　修　　田村正徳
- マニュアル改訂ワーキンググループ　　正岡直樹
- 執　筆　　田村正徳，茨　聡，嶋岡　鋼，中野玲二，正岡直樹，和田雅樹，島袋林秀，草川　功，水本　洋，杉浦崇浩，細野茂春

オンラインでの動画視聴方法

本書の内容に関連した動画をメジカルビュー社のホームページでストリーミング配信しております。動画解説と関連のある箇所にはQRコードを表示しております。下記の手順でご利用ください(下記はPCで表示した場合の画面です。スマートフォンで見た場合の画面とは異なります)。

※動画配信は本書刊行から一定期間経過後に終了いたしますので，あらかじめご了承ください。

1 下記URLにアクセスします。
https://www.medicalview.co.jp/movies/

スマートフォンやタブレット端末では，QRコードから**3**のパスワード入力画面にアクセス可能です。その際はQRコードリーダーのブラウザではなく，SafariやChrome，標準ブラウザでご覧ください。

2 表示されたページの本書タイトルそばにある「動画視聴ページ」ボタンをクリックします。

3 パスワード入力画面が表示されますので，利用規約に同意していただき，下記のパスワードを半角で入力します。

73657588

4 本書の動画視聴ページが表示されますので，視聴したい動画のサムネイルをクリックすると動画が再生されます。

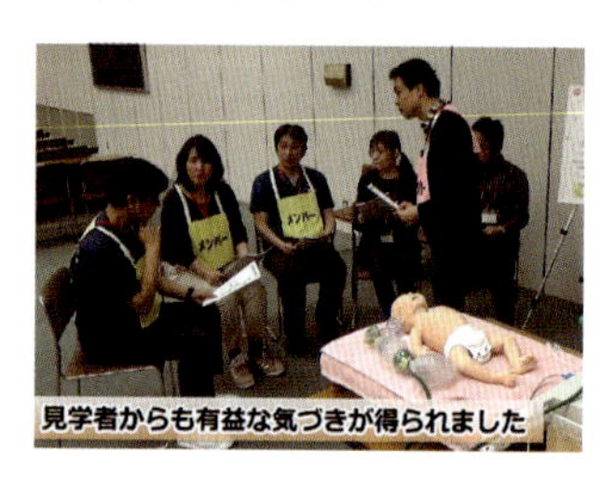

動作環境

※下記は2021年3月1日時点での動作環境で，予告なく変更となる場合がございます。

※PCの場合は2.0Mbps以上の，タブレットの場合はWiFiやLTE等の高速で安定したインターネット接続をご使用ください。

※通信料はお客様のご負担となります。

Windows
OS：Windows 10/8.1(JavaScriptが動作すること)
ブラウザ：Edge最新バージョン
Chrome/Firefox最新バージョン

Macintosh
OS：10.15～10.8(JavaScriptが動作すること)
ブラウザ：Safari・Chrome・Firefox最新バージョン

スマートフォン，タブレット端末
iOS端末での視聴は問題ありません。Android端末の場合，端末の種類やブラウザアプリによっては正常に視聴できない場合があります。
QRコードは(株)デンソーウェーブの登録商標です。

動画一覧

I よりよいインストラクションのために

1 望ましいNCPRのインストラクターとは

新生児仮死の赤ちゃんの予後を改善するためには，新生児蘇生の現場で効果的な新生児蘇生法（NCPR）を実践できる医療従事者を育成する必要があり，NCPRインストラクターの果たす役割は重要です。今回，インストラクターマニュアル改訂を前に，望ましいインストラクターの行動・態度の明確な記述と評価項目リストを作成するためのワーキンググループ（以下，WG）が立ち上げられました。本項では，よりよいインストラクションを行うために望ましいインストラクターのコンセプトについて概説します。

望ましいインストラクターのコンセプト

共有すべきビジョンと価値観

NCPRインストラクターは人材育成の担い手として家族・医療従事者・社会から期待され続けており，以下の3つのビジョンと価値観とをもつことが望まれています。

①すべての分娩に質の担保された標準的な新生児蘇生が提供されるように普及活動を行う
②受講者が実臨床で効果的な新生児蘇生が実践できるように意識して講習を行う
③赤ちゃんの未来を守る人材を育成するというやりがいと責任感を共有する

NCPRインストラクターは，基盤であるこのようなビジョンと価値観を共有したうえで，新生児蘇生実施者を育成するに十分な能力要件（コンピテンシー）を身につけることが望まれています（図1）。

インストラクターに求められるコンピテンシー

WGでは，NCPRインストラクターに必要なコンピテンシーを25項目挙げ，それらを8つの下位カテゴリーに分類し，最終的に3つのカテゴリー（「Ⅰ：NCPRインストラクターに求められる行動および態度」「Ⅱ：NCPR講習における指導方略」「Ⅲ：NCPR講習会の運営」）に収束させました（表1）。

図1　NCPRインストラクターコンピテンシーの構造

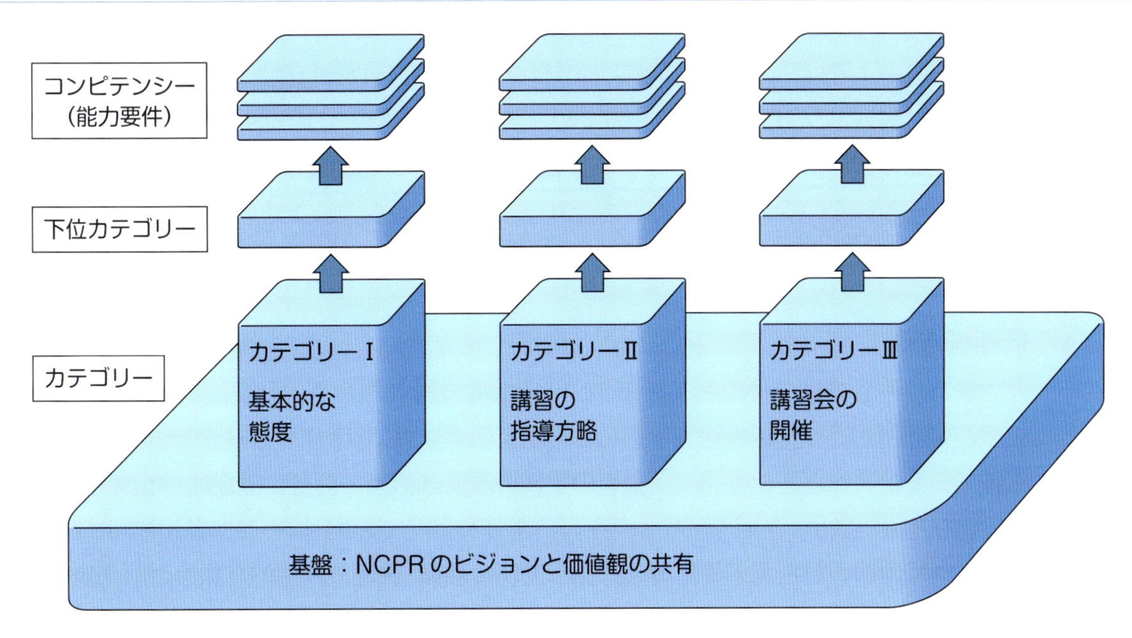

表1　NCPRインストラクターに求められる25項目のコンピテンシー

カテゴリー(Category)	下位カテゴリー(Subcategory)	能力要件(Competencies)	評価表	コメント
Ⅰ：NCPRインストラクターに求められる行動および態度	成人教育についての理解と実践	Ⅰ-1　受講者の背景，立場や希望を尊重する Ⅰ-2　指導の個別化，効率化に努める Ⅰ-3　安全な学習の場を作り，学びを促進する	1) 2)	
	NCPRインストラクターとしての規範	Ⅰ-4　すべての受講者に対して公正である Ⅰ-5　講習中の倫理的正しさを保つ Ⅰ-6　NCPRの知識や指導の方法を常に磨いておく	3) 4)	
Ⅱ：NCPR講習における指導方略	講義	Ⅱ-1　双方向性の講習を行う Ⅱ-2　正確な知識を正しい用語で伝える		
	手技トレーニング	Ⅱ-3　デモンストレーションを正確に行う Ⅱ-4　受講者の手技を適切に観察・評価する Ⅱ-5　効果的な指導方略で適切に指導する Ⅱ-6　フィードバックを適切に行う	5) 6) 7) 8)	
	シナリオトレーニング	Ⅱ-7　シナリオに必要な情報提示を適切に行う Ⅱ-8　受講者の行動を適切に観察・評価する Ⅱ-9　振り返りが効果的に行われるよう支援する Ⅱ-10　補助教材を適切に準備・使用する	9) 10) 11) 12)	
Ⅲ：NCPR講習会の運営	講習の準備	Ⅲ-1　公認講習会に必要な申請を行う Ⅲ-2　受講予定者に開催要項を連絡し事前学習を促す Ⅲ-3　講習に必要な機材の事前チェックを行う Ⅲ-4　講習に適した会場を選び設営する		
	講習の開催	Ⅲ-5　講習時間が適正になるように調整する Ⅲ-6　学習の環境について配慮する Ⅲ-7　講習中のトラブルに対し速やかに対応する		
	講習終了後の行動	Ⅲ-8　講習終了後，速やかに実施報告を行う Ⅲ-9　インストラクター自己評価を行い，次回の実践につなげる		

NCPR インストラクターとしての3つのビジョンと価値観
すべての分娩に質の担保された標準的な新生児蘇生が提供されるように普及活動を行う
受講者が実臨床で効果的な新生児蘇生が実践できるように意識して講習を行う
赤ちゃんの未来を守る人材を育成するというやりがいと責任感を共有する

行動および態度

カテゴリーⅠでは,「NCPRインストラクターに求められる行動および態度」として,「成人教育についての理解と実践」のため,受講者の背景・立場や希望の尊重,指導の個別化・効率化,安全な学習の場を作ることによる学びを促進します。「NCPRインストラクターとしての規範」のためには,すべての受講者への公正性,倫理的正しさの保持,NCPRの知識や指導方法の研鑽を行います。

指導方略

カテゴリーⅡでは,「NCPR講習における指導方略」として,「よりよい講義」のため,双方向性の講習,正確な知識を正しい用語で伝えます。「手技トレーニング」のため,正確なデモンストレーション,受講者の手技の適切な観察・評価,効果的な指導方略での適切な指導,適切なフィードバックを行います。「シナリオトレーニング」のためには,必要な情報の適切な提示,受講者の行動の適切な観察・評価,効果的な振り返りの支援,補助機材の適切な準備・使用が必要です。

講習会の運営

カテゴリーⅢでは,「NCPR講習会の運営」として,「講習の準備」のため,公認講習会に必要な申請,開催事項の連絡と事前学習の促し,機材の事前確認,適切な会場の設営を行います。「講習の開催」のためには,講習時間の適正化,学習環境への配慮,トラブルに対する速やかな対応が必要です。「講習終了後の行動」のため,速やかな実施報告,インストラクター事項評価と次回への実践への課題をもつことが望まれます。

以上,WGにおいて考案した望ましいインストラクターのコンセプトについて概説しました。上記のコンセプトを基にして,各人が「望ましいインストラクターとは?」という自問自答を続け,新生児蘇生の現場において,一人でも多くの医療従事者が効果的な新生児蘇生法(NCPR)を実践できるように支援していくことが求められます。

(木下 大介)

NCPRインストラクターに必要な能力の評価とその目的

インストラクター養成コース(Iコース)資格取得者がよりよいインストラクションを行うために,新たに導入した「Iコースにおける評価」について概説します。

インストラクターの質とは?

インストラクターの質を明確に定義するために,まずはWGでインストラクターに求められる要素について検討しました。WGメンバー内で合計105の理想のインストラクター像を挙げ,禁忌事項,最低基準についても検討し,それらを表2のように分類し,最終的に「25項目のコンピテンシー」(表1)を抽出しました。最終的に,この25項目の要件を満たすことで,インストラクターの質を担保できると考えました。

表2　理想のNCPRインストラクター像

基本的態度	受講者中心　公平性　自己研鑽　知識　手技　倫理
講習の方法方略(スキル)	1)講義方略　2)手技方略　3)シナリオ方略 4)コミュニケーション　5)気づき支援
講習会の企画実行マネージメント	1)講習会実行
	2)環境調整
評価	1)受講者評価　2)自身の評価(メタ認知)
ビジョンの共有	1)意義　2)普及について

Iコースにおける評価の導入について

インストラクターの質向上のためには，前述のように，インストラクターに求められる行動・態度を明確にし，評価項目を設定し導入することが必要と考えました。評価項目を明文化することにより，Iコース開催時における指導者(クオリティーマネージャー；QM)の受講者への評価が客観的になり，その評価が受講者自身のフィードバックに役立てることを可能とします。WGでは評価項目導入の目的として，以下の3点を挙げました。

①客観的な評価項目を立案し，受講者に対する評価のばらつきを減少させ，コースにおける評価の標準化に役立てる

今までは，Iコース資格の合否判定の基準が明確にされておらず，経験豊富なQMでも合否判定に苦慮する機会が少なくありませんでした。客観的な評価項目を作成することで，QMが評価すべき項目が明確となり，受講者の評価が標準化されます。

②評価項目を受講者に提示することで，講習，評価，合否判定の公正性を保つ

今までは，受講者に評価される項目は提示されていませんでした。評価される項目が提示されることで，受講者はどのような点が評価されるのかを知り，十分な事前学習が行え，合否判定に際して公正性が担保できます。

③講習終了後，合否判定とともに受講者への形成的評価をフィードバックし，その後の継続的な活動〔専門コース(Aコース)，一次コース(Bコース)，病院前コース(Pコース)，スキルアップコース(Sコース)などの講習会開催〕や，継続学習〔フォローアップコース(Fコース)参加など〕への動機付けとする

今までは，受講者に詳細な評価結果がフィードバックされていませんでした。受講者が自身のインストラクションの評価を受けることにより，不合格であった場合は改善すべき点が明確になります。合格であった場合も，形成的評価のフィードバックを受けることで，さらなる向上につなげることが可能となります。

上記について詳説した資料「インストラクター養成コースにおける評価導入について」(p.148，付録資料1)をIコース開催時に配付します。また，スキルアップ(S)コースの開催に主眼を置いた「Sコースインストラクタースキルのポイント解説」「スキルトレーニングポイント表」「シナリオトレーニングポイント表」(p.156，p.161，付録資料4，5)

も作成しました。

Iコースにおける評価項目について

25項目のコンピテンシー(表1)をインストラクター資格取得時に必要な12項目に限定し，評価表とフィードバックシートを作成しました(p.154，p.155，付録資料2，3)。評価表は，「インストラクターとしての望ましい態度」「手技トレーニングの指導」「シナリオトレーニングの指導」の3領域に分け，各4項目，計12項目について「努力が必要：最低限の能力要件に達していない」，「できている：現段階で最低限の能力要件はクリアしている」，「優秀：特に優れたやり方で指導を行っている」の3段階で評価することとしました。フィードバックシートは，レーダーチャートとコメント欄で構成され，評価表の結果を反映させています(図2)。

以上が，Iコースにおける評価導入の目的と評価項目の概要です。
インストラクターの質が向上することで，A・B・P・Sコースの受講者がよりよい新生児蘇生を実践でき，仮死で出生した新生児の予後改善に貢献できるので，各インストラクターは常に「質」を意識しながら講習会に臨んでほしいと思います。

（大橋　敦）

Iコース・Fコースにおける評価の実際

皆さんの日常の業務で，研修医や後輩の指導をする場面があると思いますが，そこでは適切な評価ができているでしょうか？ 「この人は大丈夫？ 危ない？」という主観的な評価になっていないでしょうか？ その場で，口頭で良いか悪いかを述べるだけで，記録に残しているでしょうか？ また，知識や技術の評価に偏ってしまい，態度やプロフェッショナリズムの評価が疎かになっていないでしょうか？
NCPRのIコース・Fコースは，1日で教育，指導，評価(形成的評価・総括的評価)，フィードバックを共有するコースです。これらのコースを通じて受講者は短所を改善し，長所を伸ばせるような評価・フィードバックを共有し，日本全国どこのIコース・Fコースを受講したとしても一定レベルの質のインストラクターが誕生し，成長することを目指しています。ひいてはそのインストラクターが指導する受講者が，NCPRを実践できるようになり，1人でも多くの赤ちゃんを助けてほしいと願っています。ここでIコース・Fコース受講者は，どのような基準で評価されているのかを知ることで，学習し，修得すべきことが明確になります。また，コースに合格したということは，全国基準の一定レベル以上のインストラクションスキルが身についているということの証明になるでしょう。
そこで，この重要な「評価」を，誰が行っても偏りなくできるよう，フィードバックしやすい評価表とフィードバックシートを開発しました。フィードバックシートは，レーダーチャートとコメント欄からなります(p.163，付録資料6)。
以下にIコースにおける評価の実際について概説します。

図2　NCPRインストラクター養成コース：フィードバックシート

NCPR インストラクター養成コース　フィードバックシート

受講者氏名＿＿＿＿＿＿＿＿さん　　受講年月日＿＿年＿＿月＿＿日

1-4　インストラクターとしての態度　　5-8 手技トレーニングの指導　　9-12　シナリオトレーニングの指導

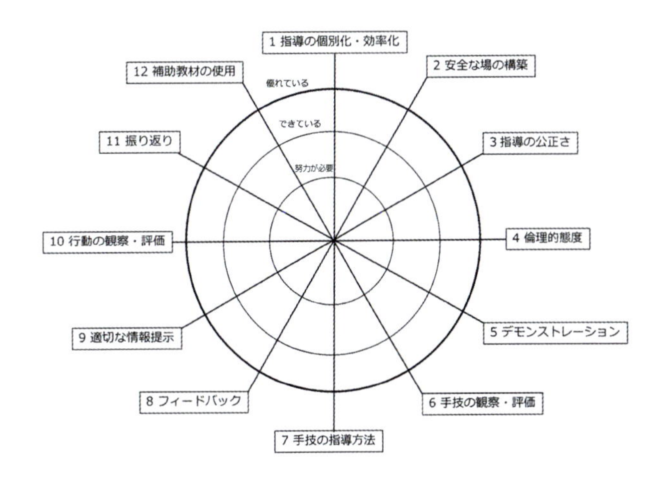

評価コメント＿＿＿＿＿＿＿＿＿＿＿＿＿＿＿＿＿＿＿＿

評価者氏名＿＿＿＿＿＿＿＿＿＿

評価の項目

評価は，「領域Ａ：インストラクターとしての態度」「領域Ｂ：手技トレーニングの指導」「領域Ｃ：シナリオトレーニングの指導」の3領域に分け，各4項目，合計12項目について行います。

【領域Ａ】NCPRインストラクターに求められる望ましい態度について評価します。

1) 受講者の背景，立場や希望を踏まえ，指導の個別化，効率化に努める

受講者はさまざまな背景（職種，経験年数，所属施設など）をもっています。それぞれの背景を尊重し，それぞれのレベルに合わせて指導をする必要があります。

2) 安全な学習の場を作り学習を促進する

安全な学習の場を提供することは，インストラクターの重要な役割の一つです。講習会の場では失敗が許容され，失敗から学ぶことができることを明確に伝えることで，受講者の心理的負担を軽減し，学習を促進することが可能となります。また，心理的な圧迫で過度の緊張をしないように気を配る必要があります。

3)すべての受講者に対して公正である

受講者それぞれの背景を尊重しつつも，公正に講習を行う必要があります。いわゆる“えこひいき”や特別扱いなどの行為は講習会の公正性を欠き，講習会の信頼度をおとしめることになります。

4)講習中の倫理的正しさを保つ

NCPRの理念から逸脱するような発言や行為は慎むべきです。また，インストラクター自らが経験した蘇生に関するエピソードは講習を印象深いものにしますが，個人情報の取り扱いには注意しなくてはなりません。テキストや文献のコピーを安易に受講者に渡すなど，著作権の侵害にあたるようなことも慎むべきです。

【領域B】「手技トレーニングでの指導方略」について評価を行います。

5)デモンストレーションを正確に行う

インストラクターはNCPRに関する手技のすべてを正しく身につけ，必要に応じてデモンストレーションができるようにしておく必要があります。また，NCPRの手技に関する知識も正確であるべきで，受講者から質問があり自分の職務範囲外であったり回答に困ったりするような場合は，経験の豊かなインストラクターなどに回答を依頼し，不正確な回答は避けなければなりません。

6)受講者の手技を適切に観察・評価する

受講者の手技を丁寧に観察し，どこが悪いのか，なぜうまくいかないのかなどを適切に評価すべきです。

7)受講者に合わせた方法で手技完成に導く

例えば初学者に人工呼吸を指導する際，マスクの選択，マスクの当て方，バッグをもむ圧力や回数など，いろいろなステップを1つずつ，段階的にトレーニングすると効果的です(スモールステップ法)。その一方で，ほとんど手技が完成している受講者には，ワンポイントアドバイスでよいかもしれません。受講者のレベルに合わせて指導方法をうまく使い分けるべきでしょう。

8)フィードバックを適切なタイミングで行う

手技ができているのかできていないのか，できていなければそれはどこなのか，どう改善したらよいのかを，その場で直ちにフィードバックする必要があります。1人の受講者に与えられた練習の時間は限られています。間違った手技は早めに修正し，正しい手技を繰り返し練習してもらう必要があります。

【領域C】「シナリオトレーニングでの指導方略」について評価を行います。

9)情報提示を適切に行う

シナリオ実習で大切なことは，受講者が望んだタイミングで情報が提示できるかどうかです。聴診器を胸に当てた瞬間に心拍を提示できる，呼吸の状態を聞かれたら，もしくは呼吸の状態を観察しているようであれば適切に呼吸の状態を表現できる，などです。

そのためには講習開始前に，インストラクターが児の状態をどのように提示するかオリエンテーションをしておくことが必要です。

10) 受講者の行動を適切に観察・評価する

受講者の動きや思考を妨げないタイミングで情報を提示するためには，受講者をよく観察することが必要です。受講者が緊張のあまり頭が真っ白になって行動できないでいるようならヒントを与えたり，適切な行動ができていればジェスチャーやうなずきで承認したりすることで，シナリオがスムーズに動くことをしばしば経験します。また，受講者を観察することでどの程度知識や技術があるのかを把握し，指導に結びつけることができるでしょう。

11) 振り返りが効果的に行われるよう支援する

成人学習において，受講者本人が「気づく」ことはとても重要なポイントです。正しい答えを教えるのではなく，適切な質問を投げかけることにより，気づきをうながせるでしょう。正解を教えると受講者は自身に何が足りないのか気づかずに終わってしまいます。適切な質問とは，「受講者自身が正解を導き出せるように，誘導・サポートする」質問です[1)]。オープンクエスチョンとクローズドクエスチョンを織り交ぜ，考えるための沈黙の時間などをうまく利用し，ディスカッションを進めましょう。

12) 補助教材を適切に準備・使用する

公認テキスト，アルゴリズム図，心拍を表現するためのメトロノーム，モニタを表示するアプリケーションなどは，シナリオ実習において有効な学習支援ツールとなります。デブリーフィング時に，公認テキストの参照ページを明示することにより，事前学習と関連付けされ，事後学習にも役立つでしょう。

（山本正仁）

参考文献

1） 入江聰五郎：第12章　指導者養成．志賀　隆（監修）．実践シミュレーション教育　医学教育における原理と応用．p114-25，メディカル・サイエンス・インターナショナル，2014．

2 現場で活きるNCPRのために

シミュレーショントレーニングを実際の現場での新生児蘇生で役立てるためには，どのように講習を行ったらよいでしょうか？　これまでNCPRは，より良いシミュレーション基盤型トレーニングのあり方を模索してきましたが，いまだに新生児蘇生法講習と実際の臨床の間にはギャップが存在しています。しかし，インストラクターの行動や振る舞いにより，学習効果を格段に上げ，実際の臨床につながるような学びにすることは可能であると考えています。ここではいくつかのヒントをお伝えしたいと思います。

受講者をよく観察し受講者に対応する

受講者を中心に考え，講習を組み立てることは，学習効果を上げるためにとても大切なことです。そのためには受講者をよく観察し，どのような助けが必要か，常に考えている必要があります。NCPRの講習では，それぞれの受講者の職種や経験，その熟達度はさまざまですので，すべての受講者に対して画一的な方法で指導しては，介入が過剰となったり，不足となったりします。受講者を観察して，何ができるのか，何ができないのか，何に自信があって，何が不安なのか，を把握してそれぞれに合わせた講習を進められると，より効率の良い実践的な講習となります。

適切なタイミングでのわかりやすい情報提供と工夫をする

●的確な情報提示

多くの場合，講習会で使われる新生児蘇生モデルは，自己心拍もなければ自発呼吸もありません。シミュレーションを行うためには，その「赤ちゃん人形」にインストラクターが適切なバイタルサインを付与し，生まれたばかりの赤ちゃんがそこにいるように見せる必要があります。インストラクターが提示するバイタルサインが，シミュレーションの進み方を決めます。バイタルサインの出し方でシミュレーションが止まったり滞ったりしますので，シミュレーションの流れを予測し，次に提示すべき情報をあらかじめ準備しておく必要があります。シナリオ実習のなかでは，**受講者が必要としているタイミングで，必要な情報を適切に提示するよう心がけましょう。**例えば，受講者が赤ちゃんの胸に聴診器を当てていないのに聞こえるはずのない心拍を言ってしまう，などの失敗は多く見られます。実際ではありえないことを，シナリオ実習のなかではやってしまいがちです。受講者の行動をよく観察し，的確な情報提示を心がけてください。

情報提示のしかたとシナリオの臨場感

シナリオのスピード感を維持するために，評価時（おおむね30秒間隔でしょうか）の受講者からの質問を待たずに，インストラクターが積極的に情報を提供する方法もあります。例えば，シナリオ中のSpO_2について考えてみましょう。実際の蘇生現場では，パルスオキシメータが装着された場合には連続してモニタリングができます（心電図も同様です）。シミュレーションの際に，30秒ごとの評価時の受講者からの質問を待たずに，シナリオが動いている最中に「SpO_2は○○%です」と受講者に伝えることで臨場感を演出できるかもしれません。そのほかにも，実際の蘇生の現場では的確な人工呼吸が行われ，30秒後の評価前に赤ちゃんが泣き出すこともあるでしょう。人工呼吸の途中で「赤ちゃんが泣き出しました」と受講者に声をかけ，自発呼吸が始まったことを伝えてもいいでしょう。**シナリオの際に実臨床を思わせるような工夫をすることは，シミュレーションを生き生きとさせ**，現場での実践につながることでしょう。

シミュレーションの利点，欠点を知ること

シミュレーションは，新生児蘇生モデルを使用した「擬似」トレーニングです。高機能シミュレーターやテクノロジーの導入により，シミュレーションは，現実の蘇生環境を現実に近いレベルで再現することが可能となってきてはいますが，それでもなお，シミュレーションは新生児蘇生のすべてを学ぶための万能なツールではありません。高機能シミュレーターなどを使用しない一般的な講習会では，実際の現場の状況と異なり，現実味が不足することがあります。その一方で，生命の危険のないところでゆっくりと反復しながら，時間をかけてトレーニングすることができるという利点があります。**シミュレーションの特徴を知り，短所を補い，長所を利用して講習を進めていく**ことが効果の高い学習を生みます。インストラクターの立ち振る舞いによっては，シミュレーションはとても効果の高い学び方となる，ということを理解して講習に臨んでください。

実際の臨床でのトレーニング参加への働きかけ

講習会に参加しNCPRを学んだだけで，新生児蘇生が完璧にできるようになるわけではありません。臨床の現場で実際に経験を積むことがとても重要です。生命を扱う医療者にとって，医療現場での実践トレーニング（On the Job Training ；OJT ）は重要な項目です。NCPRは実際の症例のなかで蘇生を成功させることを目標としています。自らの手技が児の予後を左右するという心理的なストレス下での正確に質の高い蘇生を行うこと，予期せぬ突発的な事態に対応すること，ご家族に対して配慮すること，などは現場での実践でしか学ぶことができない要素です。**OJTと継続トレーニングの必要性について受講者に伝えてください。**講習を講習のままで終わらせないために，実際の赤ちゃんを救うことが目的であることを受講者に伝えることもインストラクターの重要な役目です。

（嶋岡　鋼）

Ⅱ 講習の実際

1 NCPR各コースの概略

NCPR講習会には，新規修了認定取得を目的とした受講対象者別の3つのコースと修了認定者向けの1つのコースがあります。新規修了認定取得を目的としたNCPR講習会には，専門性の高い周産期医療関係のスタッフを対象とした「専門」コース：アドバンスコース（Aコースと略す），一次医療機関のスタッフや学生を主な対象とした「一次」コース：ベーシックコース（Bコースと略す），救急救命士・救急隊員・消防吏員等，救急隊に特化した，「病院前」コース：プレホスピタルコース（Pコースと略す）の3つのコースがあります。そしてA・Bコース修了認定を取得した方の蘇生技術の質の維持・向上を目的とした復習コースであるスキルアップコース（Sコースと略す）があります。Pコース修了認定を取得した方の復習コースは検討中です。

A・Bコースは『日本版救急蘇生ガイドライン2020に基づく 新生児蘇生法テキスト 第4版』を，Pコースでは『病院前新生児蘇生法テキスト』等の推奨テキストによる事前学習を必要とします。A・B・Pコースの講習会はプレテスト，学会が作成した教材による講義，基本手技実習，シナリオ実習，ポストテストからなります。ポストテストで合否判定を行い，合格者は修了認定申請をすることにより修了認定者として登録されます。Sコースの講習会は，A・Bコースと同様に，規定スライド教材による講義・基本手技実習・シナリオ実習で構成されるコースですが，テストはありません。「自己チェックシート」を用いて，受講者自らが手技やアルゴリズムを再確認し，振り返りを行います。修了認定の更新をするためのコースでもあります。

専門コースインストラクター（Iインストラクター）はA・B・P・Sコースを，一次コースインストラクター（Jインストラクター）はB・Sコースを開催することができます。

Aコース概要

Aコースは気管挿管，薬物投与を含めた「臨床知識編」「実技編」で構成される，高度な新生児蘇生法を習得するためのコースです。周産期医療機関の医師・看護師・助産師等を主な対象者としています。

受講者数：1ブース8名以内の受講者（1ブースに1名以上のインストラクターを配置）

※ 学習効果からは1ブース6名以内を推奨

講習時間：標準5時間（1ブース8名時）

Bコース概要

Bコースは気管挿管，薬物投与を除く「臨床知識編」「実技編」で構成される，基本的な新生児蘇生法を習得するためのコースです。一般の医師・看護師・助産師・初期研修医・医学生・看護および助産学生等を主な対象者としています。

受講者数：1ブース10名以内の受講者（1ブースに1名以上のインストラクターを配置）

※ 学習効果からは1ブース8名以内を推奨

講習時間：標準3時間（1ブース10名時）

Pコース概要

Pコースは「臨床知識編」「実技編」で構成され，医療施設外での出生を想定した新生児蘇生法を習得するためのコースです。救急救命士・救急隊員・消防吏員等を主な対象者としています。

受講者数：1ブース8名以内の受講者（1ブースに1名以上のインストラクターを配置）

※ 学習効果からは1ブース6名以内を推奨

講習時間：標準3時間（1ブース8名時）

Sコース概要

Sコースは「蘇生技術の質の維持」を目的とし「講義」「基本手技実習」「シナリオ実習」で構成された，A・Bコース修了認定取得者のための復習コースです*。

※ 有効期限内の修了認定者でなければSコースの受講資格はありません。

※ I・Jインストラクターの受講も可能です。

受講者数：1ブース6名以内の受講者（1ブースに1名以上のインストラクターを配置）

講習時間：標準3時間（1ブース6名時）

*Pコース修了認定取得者のための復習コースは現在検討中です。

（細野茂春）

Ⅱ 講習の実際

2 専門コース（Aコース），一次コース（Bコース）
A・Bコースの位置付けとその意義

A・Bコースは，周産期医療関係者が最初に受講するコースです。新生児蘇生法講習会の目的は，「すべての分娩に新生児蘇生法を習得した医療スタッフが新生児の担当者として立ち会うことができる体制」の構築です。ここでの“新生児蘇生法を習得した医療スタッフ”とは，人工呼吸が必要であると判断した場合は，出生から60秒以内に有効な人工呼吸を開始するためのアルゴリズムの理解と，有効な人工呼吸と胸骨圧迫の手技を修得した医療スタッフを指します。特に重要なのは前者の有効な人工呼吸の手技の修得で，A・Bコースの到達目標になります。A・Bコースとも「プレテスト」「講義」「基本手技実習」「シナリオ実習」「ポストテスト」の5部構成になっています。

インストラクター資格を取得するには，Aコースの認定を得たうえでインストラクター養成講習会を受講します。そのため，インストラクターは受講者層や地域のインストラクター育成のニーズに合わせて，A・Bコースどちらのコースを開催するか決定するのが望ましいでしょう。

講習会受講に際しては，推奨テキストによる事前学習を求めています。事前学習の理解度を測定するのがプレテストであり，インストラクターは受講者一人ひとりの弱点を知るとともに参加者全体の弱点を把握し，講義後のプレテストの解説を行います。「講義」では，今回の参加者の理解度の評価はできていませんが，ベテランのインストラクターは「講義」で一般的に問題となる点を強調します。「基本手技実習」では，ブリーフィングで行うべき点を含めプレテストで理解度が低かった点を考慮して解説し，受講者に蘇生器具の準備と作動状況の確認，実際の手技として確実に有効な人工呼吸と胸骨圧迫の手技を身につけてもらう，すなわち人工呼吸では有効な人工呼吸の評価法と，有効な人工呼吸が行われていない場合の修正方法を修得してもらう必要があります。「シナリオ実習」では「基本手技実習」と同様に，シナリオを通して個人個人の知識と手技の確認を行い，アルゴリズムに沿った評価と有効な介入を修得できることが目標です。

2007年から日本周産期・新生児医学会で認定制度が開始され，現在では修了認定資格の有無は，周産期医療従事者の必須の資格と考えられてきています。そのためインストラクターは，この講習会を通して受講者を合格に導くだけでなく，継続学習の重要性を伝えることもミッションの一つと考え，本テキストを参考にして，よりよい講習会，すなわち受講者の知識・技術・態度の修得をサポートし，受講者にとって満足度が高い講習会運営を行う必要があります。

（細野茂春）

2 専門コース（Aコース），一次コース（Bコース）効果的な講義について

インターネット通信販売サイトAmazonで「プレゼンテーション　本」と検索すると，検索結果は7,000以上あります（2020年12月末）。この事実からわかるように，職種を問わず人前で話をすることに難しさを感じている人は多数存在し，解決してくれるゴールドスタンダードは存在しないということです。インストラクターの皆さんが講義をすることに難しさを感じることは，とても自然です。

そもそも，講義はなぜインストラクターがしないといけないのでしょうか。講義ビデオを作成し，全国に流すことで講義の質を均一化することはできます。しかし，受講者の立場から言えばどうでしょう。やはり，生身のインストラクターが受講者の反応を見ながらする講義よりは退屈でしょう。また，新生児医療に携わっている仲間と共に勉強することで学習効果が上がることが期待できます。なによりも講義をすることでインストラクターの復習となり，より密度の濃い実習も提供できることになります。このようにさまざまな理由に基づき，現在のところはインストラクターによるライブ講義をするルールとなっています。

皆さんが今まで受講してきた講習会における講義はいかがだったでしょうか。また，それらと学生時代の講義と比べるといかがだったでしょうか。NCPR講習会の構成は，大きく，講義と実習から成り立っています。その根底には成人学習論に基づいた制度設計がなされています。それは受験勉強のように誰かと競って勉強するのではなく，受講者各々のキャリアアップ，スキルアップを目的に学習する仕組みです。この視点から考えると，NCPR講習会の講義のほうが集中できた，眠くならなかった，という人が多いのではないでしょうか。つまり皆さんがインストラクターとして講義をする対象は，ほとんどが自らの意思で，自身の自由時間を割いて講習会に参加してくる，やる気に満ちた受講者です。講義を行う立場から考えますと，こんな嬉しいことはありません。皆さんはどこで講義をしても，ホームグラウンドが準備されていますので，安心して講義に取り組んでいただける環境は整っています。

しかし，インストラクターの皆さんのなかでも，今回初めて講義をすることになったインストラクターから，日頃より講義に慣れているインストラクターまでさまざまです。ここでは，これから講義に取り組んでいただくインストラクター向けの基本的事項から，行っている講義をさらにブラッシュアップできるいくつかのコツについてご紹介します。

初めて講義を行う，または講義を苦手と感じているインストラクター

聴衆が何人であれ，特に人前で何か話をしないといけないというのはいつでも緊張するものです。それが初めて行う講義であれば，なおさらその緊張度は高まっていきます。ここではまず，講義を行ううえでの「緊張」について考えてみたいと思います。

緊張対策

講義前より心臓がバクバクし，手に汗を握り，声も裏返り，などと想像すると悪夢のような時間になるかもしれません。そもそも，緊張することは悪いことなのでしょうか。

緊張とパフォーマンスについて行われた有名な研修に，ヤーキーズ・ドットソンの法則(Yerkes-Dodson law)があります[1)]。図1に示すように，複雑なタスクを課した場合には，緊張の強度が弱すぎても強すぎてもパフォーマンスは上昇しません。ある一定の**適度な緊張下で最大のパフォーマンスを発揮する**ことが知られています。本来はマウスに対して，限定的な条件(タスクとペナルティを与え，成果をチェックする)で報告された研究ですが，多くの心理学的説明に使用されています。つまり，講義を行う前にある程度の範囲で，「緊張するな，嫌だな」というのは，良いパフォーマンスを発揮することに対して，とても正しい反応です。このことを客観的に自己評価していただくと，適度な緊張感のより良い講義となるでしょう。

では，過度な緊張感を和らげる方法はあるのでしょうか。アップル創業者のスティーブ・ジョブズ(Steve Jobs)氏，ソフトバンク会長の孫正義氏，トヨタ自動車社長の豊田章男氏など，卓越したスピーチ技術をもっている人々の共通する回答は，「**何度も練習する**」です。そんな身も蓋もない，と思われるかも知れませんが，さまざまなスピーチに対する参考本，指南書にも，講義やスピーチのように「他人に対してメッセージを届ける」ということには，唯一無二のスタンダードはなく，話し手が十分に自信をもつことができるまで繰り返し練習することが，根本的な解決法とされています。

図1　ヤーキーズ・ドットソンの法則(Yerkes-Dodson law)

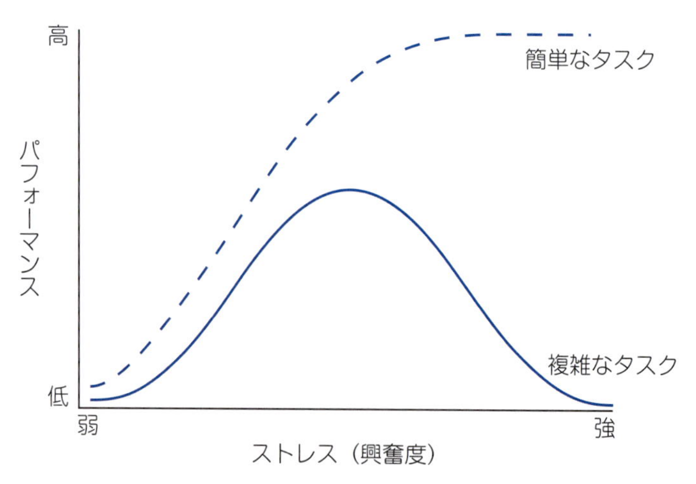

(参考文献2より一部改変)

とは言え，「練習しなさい」だけでは初めての講義に際してあまりに不親切と思いますので，いくつか具体的に対策可能な内容をご紹介します。

自信があるように振る舞う（パワーポーズ）

社会心理学者のエイミー・カディ（Amy Cuddy）がTEDトークで提唱し，話題になりました。パワーポーズ（米国のヒーロー・ヒロインにみられる腰に手を当てた仁王立ちポーズ；図2）を2分間するだけで，体内のホルモンレベルにおいて支配性ホルモンと関係するテストステロンを増加させ，ストレス性ホルモンであるコルチゾールを減少させる効果があるとされます。いきなり受講者の前で行うのはむしろ緊張するかと思いますので，講義の少し前に，控え室等の目立たない場所で行うとよいでしょう。彼女の説によれば，「自分にパワーがある」と言い聞かせることで結果その通りになる，「**フリをしてやり過ごすのではなく，フリを本物に**」する魔法のポーズです。

身だしなみ

整った身なりは，自分自身を安心させることに役立つとされています。NCPR講習会では必要以上にフォーマルな服装は必要ありませんが，きちんとした身なりは自分に自信をもたせることが知られています。

会　場

できるだけ会場の設営もしくは下見を行いましょう。会場の雰囲気に慣れると緊張も和らぎます。また，講義中の明るさ，温度，換気にも気を配りましょう。インストラクター，受講者とも心地よく感じる環境を準備することで集中力も高まり，充実した講義になります。

図2　パワーポーズ

深い呼吸

緊張していると感じるときには，お腹の底のほうから呼吸するイメージで深くゆったりした呼吸をするとよいとされます。同時に，発声する際にもお腹の底から声を出すことで，低く通りやすい声になります。低い声は自信があるように見えます。講義中は起立したほうが深い呼吸がしやすくなります。

味方を見つける

NCPR講習会は，自発的な成人向けの講習会です。つまり，受講者のモチベーションが高いことが特徴です。私もさまざまな講習会で講義をしましたが，必ず会場には講義に対して大きく頷いてくれたり，表情豊かに反応してくれたりする受講者が必ずおられます。緊張している間は，まずそれらの圧倒的に味方になってくれる受講者に向かって講義をするつもりで話しましょう。それにより段々と調子が出てきます。どうしても心配で，必要でしたら初めから顔見知りの受講者に対して，講義中には大きくリアクションを取ってもらうようお願いしておくことも有効です。そのためにも，講義中は受講者のほうを見ながら行うことをお勧めします。

講義のコツ（初級編）

時間厳守

NCPR講習会で，時間管理はインストラクターの業務の一つになります。もちろん講義の時間も管理の対象となります。特にAコースの講義では1時間以上あり，時間配分を行わないといけません。時間調整のコツを2点お示しいたします。

●スライドの内容は全部話さない

NCPRのホームページにはAコースの講義例文が準備されています。とはいえ，すべての原稿を読むだけでは単調になりますし，流暢に読めないと時間が不足する可能性があります。NCPR講習会の内容はすべて，テキスト内に記載してありますので，**重要なスライドと時間短縮が必要な際にある程度，省略可能なスライドを決めておく**と気が楽です。また，どこに重点を置いて講義するかは，受講者の理解度に差があるためプレテスト等を活用します。不正解が多いところを丁寧に，みんなが正答している部分は「みなさん，できていましたね」という確認程度に話すことでメリハリをつけることができます。

●説明は「結論」から

まず，話そうとするスライドの結論（一番大切な点）から話すようにしてみましょう。スライドのゴールを最初に示すことで，受講者が迷子にならないですみます。そのために，起承転結ではなく**結論→理由**（→可能なら事例）**の順**がよいとされます。大事なことは最後に「結論」を繰り返してもよいです。特に，時間が足りない傾向のあるインストラクターには有効な方法です。

図3　講義例：気管挿管に必要な物品

①ラリンゲアルマスク（LM）
②蘇生用フェースマスク
③流量膨張式バッグ（マノメーター付）
④自己膨張式バッグ（閉鎖式酸素リザーバー付）
⑤気管チューブ（内径2.5mm，3mm，3.5mm）とスタイレット
⑥呼気 CO_2 検出器
⑦栄養チューブ
⑧新生児用喉頭鏡（直型）
⑨新生児用聴診器
⑩吸引カテーテル（6，8，10Fr）とバルブシリンジ
⑪ゴム式吸引器球

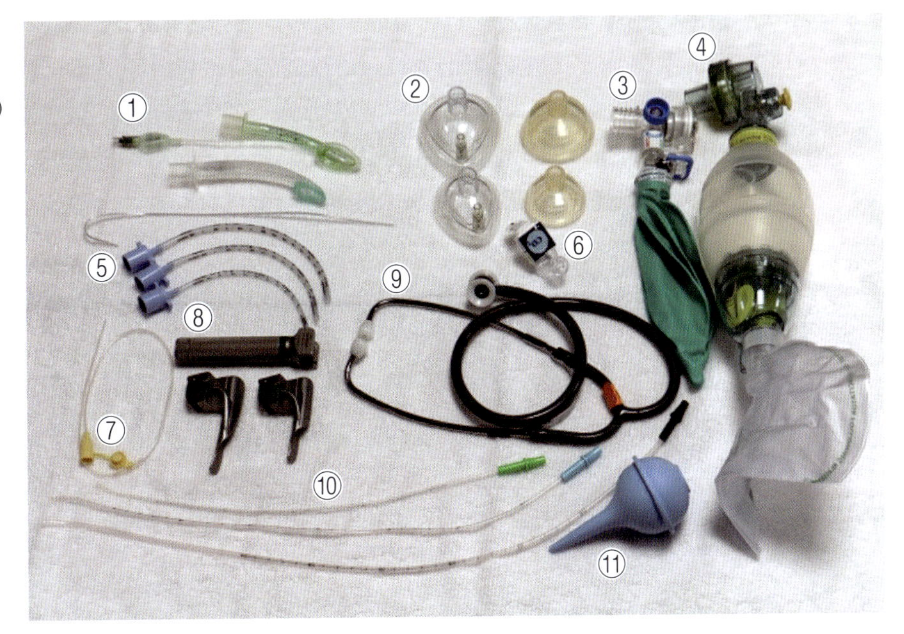

【講義例】気管挿管に必要な物品（図3）

時間があるとき：「気管挿管を安全に行うにはご覧のような物品が必要です。絶対に必要なのは喉頭鏡，気管チューブ，マスク，バッグ，聴診器，吸引できるものになります。気管チューブ固定用のテープもあったほうがよいですよね。また，いくつか見慣れないものがあるかもしれません（ラリンゲアルマスク，呼気 CO_2 検出器を指す）。これは，後ほどご説明します。」（30秒ほど）

時間がないとき：「気管挿管に必要な物品を示します。後ほど実習で触って確認しましょう」。（10秒）

体調管理に気をつける（寝不足，食べ過ぎなど）

米国のビジネスコミュニケーションスキルで有名なデール・カーネギー（Dale Carnegie；「D.カーネギー話し方入門」）によると，聴衆を惹きつける人と，惹きつけない人の違いとして，「**聴衆はエネルギー，元気が満ち溢れている人の周りに群がる**」とされています。つまり，エネルギーを鈍化するような寝不足や直前の過食は避け，元気いっぱいで受講者に向かうように体調管理をしましょう。

講義のコツ（ステップアップ編）

笑　顔

米国の心理学者アルバート・メラビアン（Albert Mehrabian）によって1971年に発表された，「**7-38-55ルール**」とよばれる法則があります。この法則は特定の条件下での研究ではありますが，コミュニケーションを取るときには，受け取る情報を100と

すると，相手から発せられる言語の内容である「言語情報」から7%，声のトーンや口調，大きさ，話す速さなどの「聴覚情報」から38%，そして相手のジェスチャーや視線，表情といった「視覚情報」から55%もの情報を得ているそうです。つまり，話し方や内容以上の情報を人の見た目より受け取っていることになります。つまり，**「何を話すか」と同等以上に「どう話すか」が重要**で，ポジティブな印象を与える「笑顔」で受講者にメッセージを届けることで，内容が受け取られやすくなります。

スピーチの始め方，終わり方

講義の第一声は，最初の雰囲気を作るうえで非常に大切です。スピーチ対策の参考書により多少内容は異なりますが，いくつかコツが存在します。話し始めでスムーズに入ると，その後の展開もうまくいくことが多いので，最初の言葉は決めておくとよいでしょう。覚えられるか心配はいりません，前置きは短いほどよいとされています。

■良くない例
- お詫び，言い訳から始める（聞く人も気分が高揚しません）
- 自己紹介から始める（少し堅苦しいですね）
- ユーモアから入る（比較的難易度が高いので鉄板ネタがない限りやめておく）

◎おすすめ例
- 具体例を話す（「私も先週バッグマスクが必要な蘇生に立ち会いました。皆さんもいつ遭遇するのか，ドキドキしますよね。そこで，……」）
- 質問から入る（「新生児蘇生に立ち会うときに緊張してしまう人おられますか？……（間）……本日の講習で不安が解消できるよう一緒に勉強しましょう」）

などはいかがでしょうか。講義をするインストラクターのキャラクターが出るとよりよいですね。

スピーチ（講義）は最後の一言が最も印象に残るといわれます。そこで，終わり方もできれば気をつけたい項目です。「以上で講義は終了です」だけでは少し素っ気ないですね。NCPR講習会は実習ありきの講習会ですので，実習に向かってポジティブな一言を添えていただくと良い印象で講義を終了できます。

◎おすすめ例
- 「さて，お待たせしました。今，学習したことを体に馴染ませましょう」
- 「長い時間，静かにしてくれてありがとうございます。これから実習ではどんどん声を出していきましょう！」

など，実習へ向けてエールを付け加えるのはいかがでしょう。

口　調

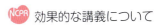

上手な話し方の秘訣として強調されているのは，話の内容をどう届けるかであり，つまるところコミュニケーションであると考えられています。しかし，そこにも技術的なコツは存在します。ここでは4つほどご紹介します。

- 重要な言葉を強調する（他を軽く話す）
- 重要なポイントは少し低い声で話す
- 重要なポイントはゆっくり話す
- 重要なポイントの前後で間をおく

特に**「間」は重要**です。講義をしていると，どうしても「えー」とか「あー」とか，つなぎの発声を入れてしまいがちです。この音は受講者からすると不必要な雑音でしかありません。そこにコンマ何秒だけでも「間」をおくことで，講義の雰囲気が1ランクとアップしますので，ぜひトライしてみてください。

ポインター

講義の際にポインターを使われると思いますが，いくつか注意事項があります。まず持ち方は腰の前で，しっかりと固定して持ちます。マイクから手を離せるようなら両手で持つ場合もあります。スクリーンを指し示す場合，画面上を動かしてはいけません。重要な点を1点指し示すことが有効です。ポインターの動きが多かったり，固定が不十分でグラグラ動いたりすると，受講者は動きに気を取られて集中力を失います。使用前に十分に慣れておくとよいでしょう。

同じスライドを用いて，同じ講義を行っているつもりでも，毎回，雰囲気が異なるのが講義の醍醐味です。スピーチに絶対法則はないとされますが，根気良い練習，上達したイメージをもつこと，「何を話すか」ではなく**「どう話すか」**という基本的なポリシーがなにより大切です。シミュレーションと同様に，講義も失敗しても心配ありません。ぜひ，どんどん挑戦して下さい。

（安田真之）

参考文献・図書

1） Yerkes RM, Dodson JD: The relation of strength of stimulus to rapidity of habit-formation. Journal of Comparative Neurology and Psychology 1908; 18: 459-482.

2） Diamond DM, Campbell AM, Park CR, et al: The Temporal Dynamics Model of Emotional Memory Processing: A Synthesis on the Neurobiological Basis of Stress-Induced Amnesia, Flashbulb and Traumatic Memories, and the Yerkes-Dodson Law. Neural Plast. 2007; 33: doi: 10.1155/2007/60803.（Published online）

3） D・カーネギー：市野安雄 訳. カーネギー話し方入門（文庫版）. 創元社，2016

4） 岡本純子：世界最高の話し方―1000人以上の社長・企業幹部の話し方を変えた!「伝説の家庭教師」が教える門外不出の50のルール. 東洋経済新報社，2020.

5） Mehrabian A: Silent messages. Belmont, California, Wadsworth Publishing Company, 1971.

6） 黒木登志夫：知的文章とプレゼンテーション―日本語の場合，英語の場合. 中公新書, 2011.

2 専門コース（Aコース），一次コース（Bコース）NCPRアルゴリズムの考え方

インストラクターには，「すべての分娩において質の担保された新生児蘇生が行われるように，**受講者が現場で実践できること**を意識して講習会を行い，蘇生法を普及していく」使命があります。つまり，インストラクターの役割は受講者が講習会の内容を**理解するだけではなく**，それを自身のものとして身につけて**実践できるようサポートすること**であり，その結果，新生児の予後が改善されるのです。

アルゴリズム[1]（図1）の十分な理解とその実践は，新生児蘇生の基本です。講義のなかでもステップごとに詳しく説明されますが，はじめてシナリオ演習を行うと「今，蘇生のどの段階か」を受講者がわからなくなって立ち止まったり，振り返りでアルゴリズムを指さしながら確認して初めて間違いに気づいたりするようなことも珍しくありません。多くの受講者が「まだ頭に入っていない」と発言し，丸暗記をしさえすれば，あるいは蘇生室に貼ってあるアルゴリズムを見れば，蘇生がうまくいくであろうと考えます。しかしながら，文字数もステップも多く，丸暗記をするにはかなりの労力を要するうえに，いざ蘇生が必要な児が出生したら焦ってしまい，思い出すのも難しいでしょう。

受講者がなかなかアルゴリズムを自分のものにできないのは，上から順番に各ステップの評価方法や手技を詳細に覚えようとしているからかもしれません。旅行に行くときに，家から順に，駅で切符を購入→電車に乗る→駅で降りて特急に乗り換える，などと順を追って考えることは最終的には必要なことではありますが，まずは地図を見て目的地を確認し，それから経路と方法，そしてチケットの購入方法や利用方法の確認をしていくのではないでしょうか（図2）。つまり，まずは全体像を把握し，救命と安定化の流れを理解して重要なポイントを押さえてから各ステップの手技を確実なものとするとわかりやすくなるのです。これは，理解しているはずのインストラクターにも言えることで，シナリオ演習で情報を呈示しながら受講者をよく観察して適切な介入をするためには，まず自身が初学者にわかりやすく伝えることができるくらいまで十分に理解しておく必要があります。本項では，まずは全体像を把握して，次に流れと重要ポイントを説明しながら，アルゴリズムの意味，考え方について述べていきます（先に図3～8を見てから本文を読んでいただくとよいかもしれません）。

図1　2020年版　NCPR　アルゴリズム

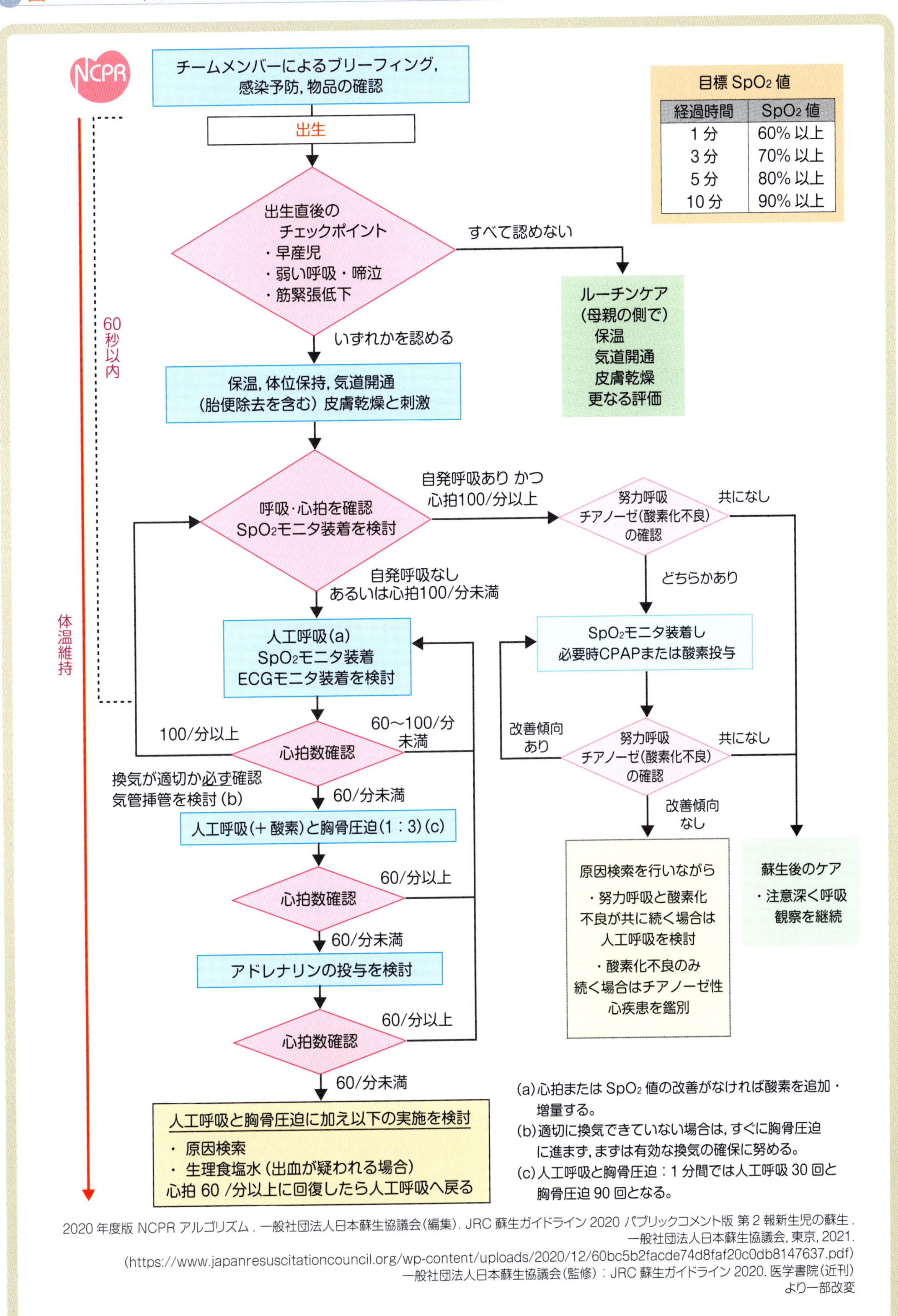

2020 年度版 NCPR アルゴリズム. 一般社団法人日本蘇生協議会(編集). JRC 蘇生ガイドライン 2020 パブリックコメント版 第 2 報新生児の蘇生. 一般社団法人日本蘇生協議会, 東京, 2021.
(https://www.japanresuscitationcouncil.org/wp-content/uploads/2020/12/60bc5b2facde74d8faf20c0db8147637.pdf)
一般社団法人日本蘇生協議会(監修)：JRC 蘇生ガイドライン 2020. 医学書院(近刊)
より一部改変

図2　アルゴリズムのとらえ方　イメージ

アルゴリズムのとらえ方は旅行の段取りと似ています。万全な準備とポイントを押さえることで，トラブルのない安全な旅が可能となります。

①出発目的地の確認
⇒ 全体像の把握

②経路の確認
⇒ 救命と安定化の流れの理解とポイントの把握

③各交通機関利用方法の確認
⇒ 各ステップの手技の取得

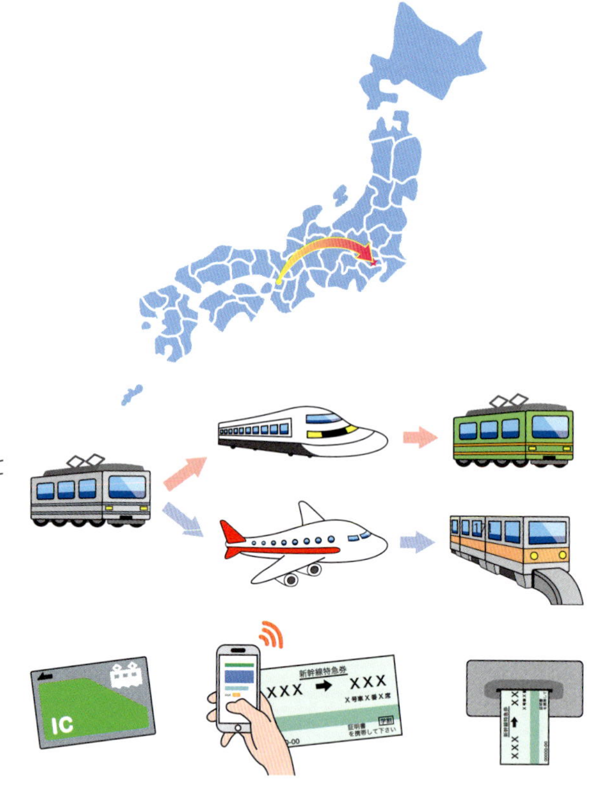

1 アルゴリズムの基本構造

以下に，まず理解したいアルゴリズムの基本構造を示します。実は，これだけ（特に下記の表の部分）を理解するだけでアルゴリズムをあまり見なくても受講者は行動できるようになり，初心者インストラクターもシナリオ集を見ずに，受講者をしっかり観察できるようになります。

- 評価と行動が交互に配置
- 救命と安定化の2つの流れ：刺激後の自発呼吸有無
- **60秒以内に人工呼吸 ⇐ 最重要ポイント**
- 各ステップで30秒ごとに評価

人工呼吸開始後の評価と行動

	心拍	呼吸	行動
1	≧100	あり	安定化 ⇒ 努力呼吸と酸素化不良評価
2	＜60	－	手技確認 ＋ より高度なステップへ
3	1と2以外 すなわち （60≦心拍＜100 か 心拍≧100　呼吸なし）		人工呼吸のみ継続

- はじめは空気 ⇒ 胸骨圧迫で酸素 ⇒ 右手のSpO_2値を見ながら酸素濃度を調節
- 努力呼吸と酸素化不良が消失すれば経過観察

2 全体像の把握（図3）

2020年版アルゴリズム（図1）は2015年版アルゴリズムと比較して本質的な変更はありません。図3に，「出生」以外のボックス内の文字を削除したアルゴリズムを示します。水色の長方形のボックス は「行動（介入）」を，ピンク色の菱形のボックス は「評価」を意味しています。また，黄色いボックス は「原因検索」と「さらなる治療の検討」，緑のボックス は「経過観察」を意味しています。

上から下へ 行動 と 評価 は交互に配置されており，つまり，評価に基づいてなんらかの行動（介入）を行ったら，「その結果，改善したのか」を評価して次のステップに進むようになっています。初期処置後は，おおむね**30秒ごとに評価**をしていくことを意識します。

また，アルゴリズムの左には，体温維持の赤い矢印があります。蘇生中は体温維持に努め，適時に体温測定を行います。

図3　全体像：配色と意味

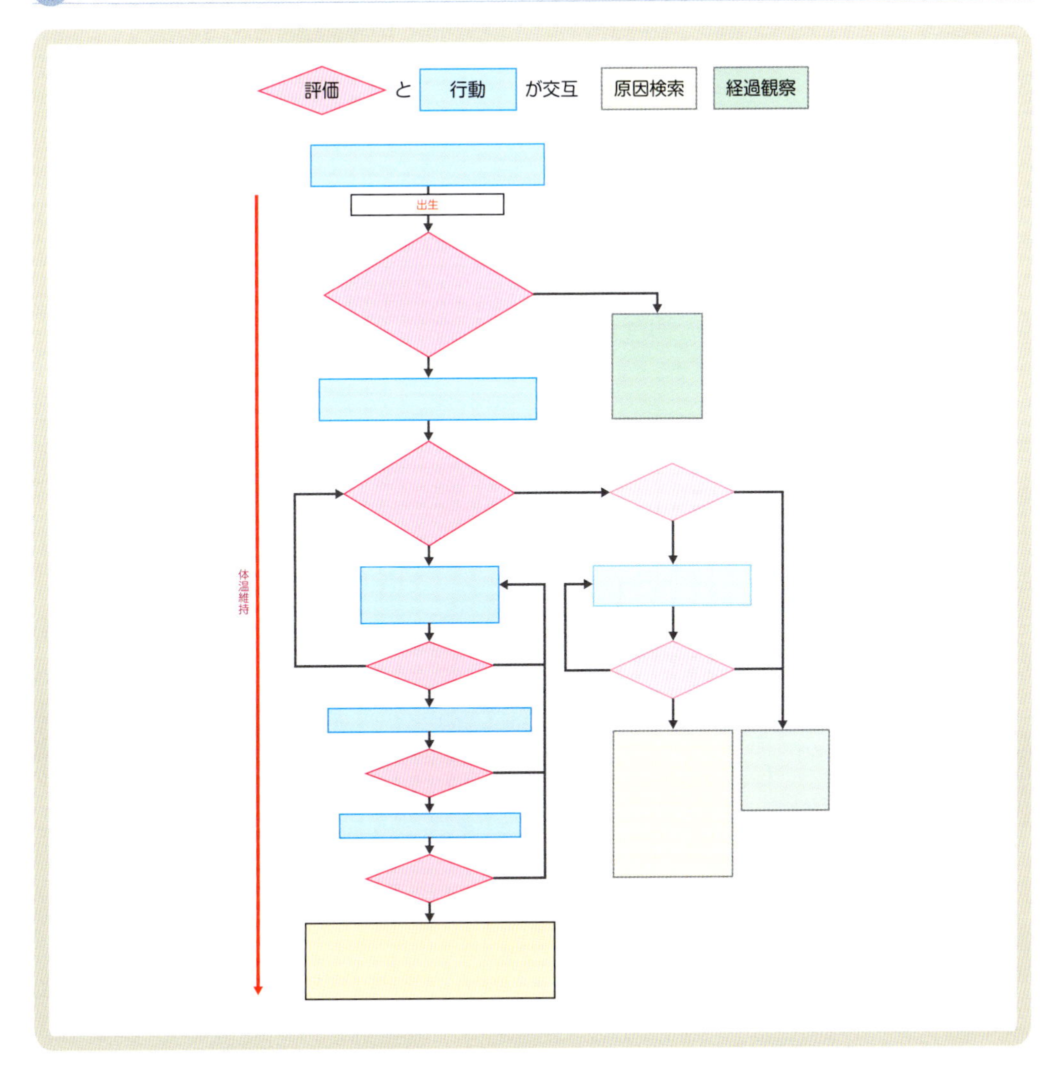

3　2つの流れ（図4）

アルゴリズムの初期処置以降には，大きく「救命」と「安定化」の2つの流れがあります。2020年版アルゴリズムにおいては，CoSTR 2020[2]と同様に救命の流れが直線的に配置されました。このことで，最も重要な人工呼吸・胸骨圧迫に進む救命の流れがより強調されました。

救命と安定化の流れの**分岐点は**2015年版と変わりなく，初期処置での**刺激後に自発呼吸が出現したか**，つまり，出生時の無呼吸が一次性無呼吸か二次性無呼吸かによって判断します[3]（図5）。

図4　救命と安定化の流れ

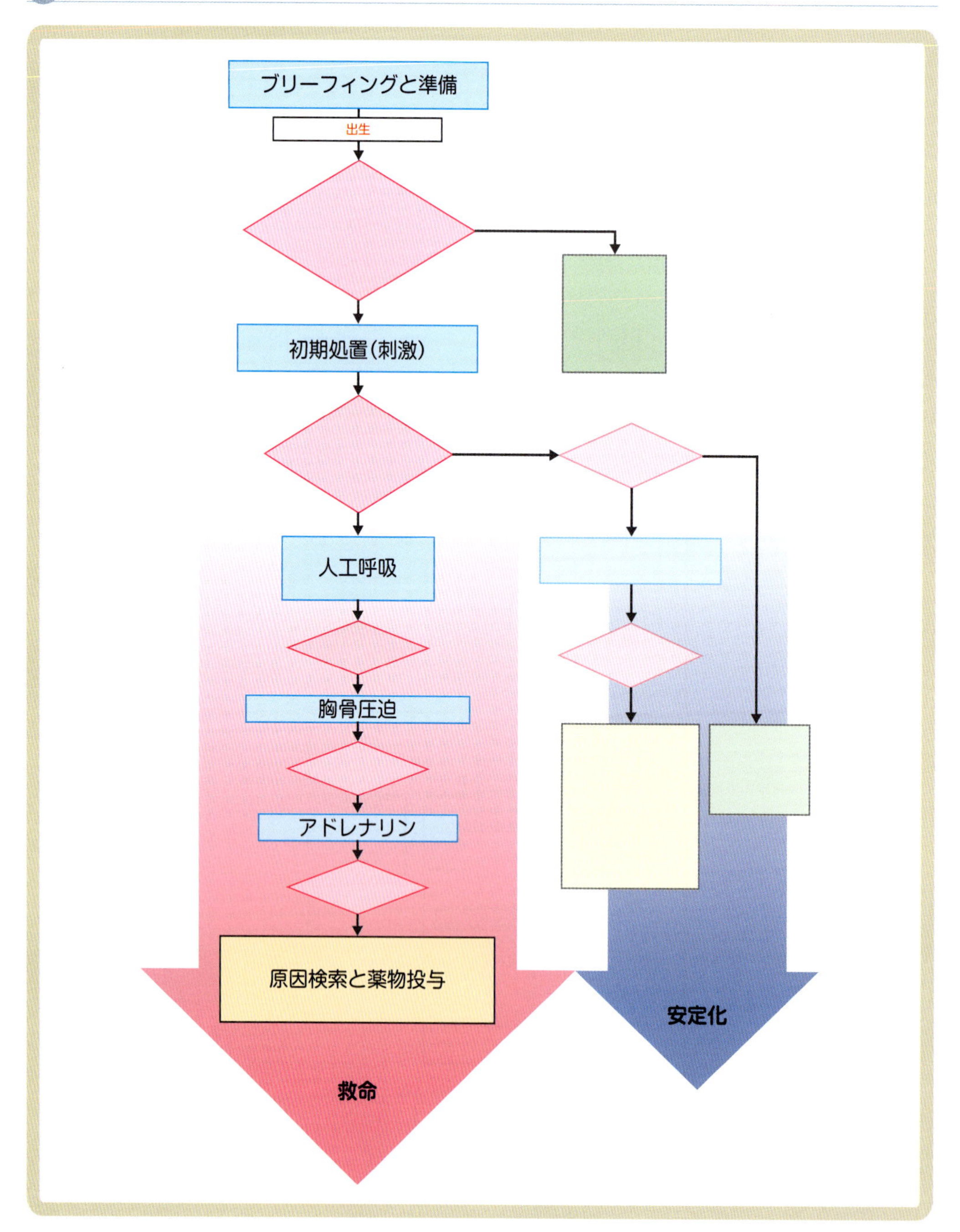

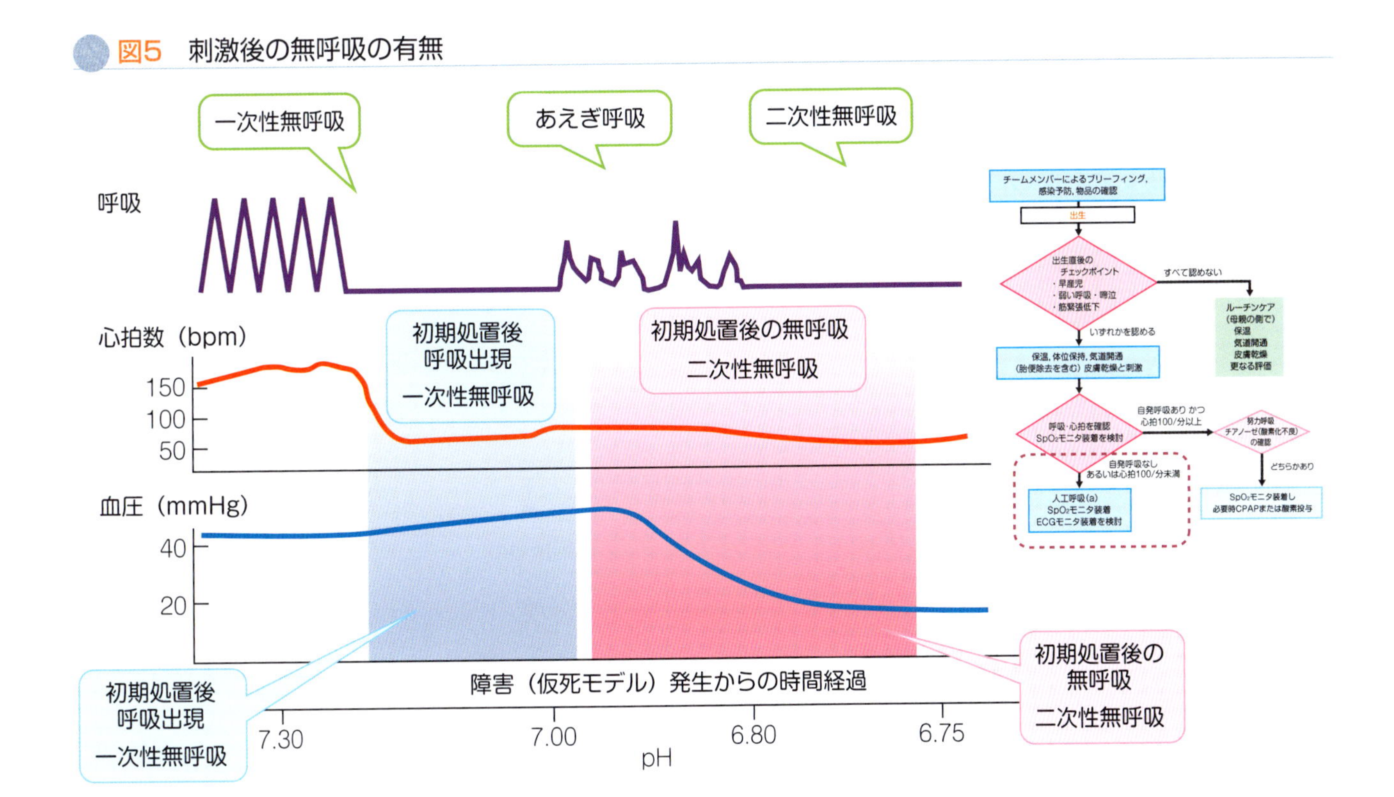

図5　刺激後の無呼吸の有無

4　救命の流れ（図6）

①最重要ポイント

アルゴリズムでの最重要ポイントが**遅延なき有効な人工呼吸**であることは，2020年版でも変わりはありません。講義でもシナリオ演習においても，遅延なき有効な人工呼吸こそ最も重要な「新生児蘇生の幹」である[3]ことを伝えましょう。人工呼吸は**生後60秒以内に**開始しますが，これは児が蘇生台に到着してからの時間ではなく，児が娩出されてからの時間です。蘇生台到着時にすでに数十秒経過している場合でも，落ち着いて速やかに初期処置を行った後で評価します。なお，初期処置が終了すれば，60秒程度経過していなくても呼吸・心拍の評価のステップに進んでかまいません。

新生児仮死の90％は人工呼吸までの手技で救命できるため，蘇生者が人工呼吸を確実に実施できることが重要です。人工呼吸のポイントを表1に示します[5]。在胎35週以降の児は，空気で1分間に40～60回のペースで胸郭の動きを確認しながら，十分な圧力をかけて加圧します。

有効な人工呼吸ができているかは，胸郭の動きを視認するとともに，心拍が増加するかを確認します。皮膚色やSpO_2値の改善は，徐脈などの循環状態が改善されてから末梢循環が改善されていくために，心拍の増加より遅れます。

図6　救命の流れ

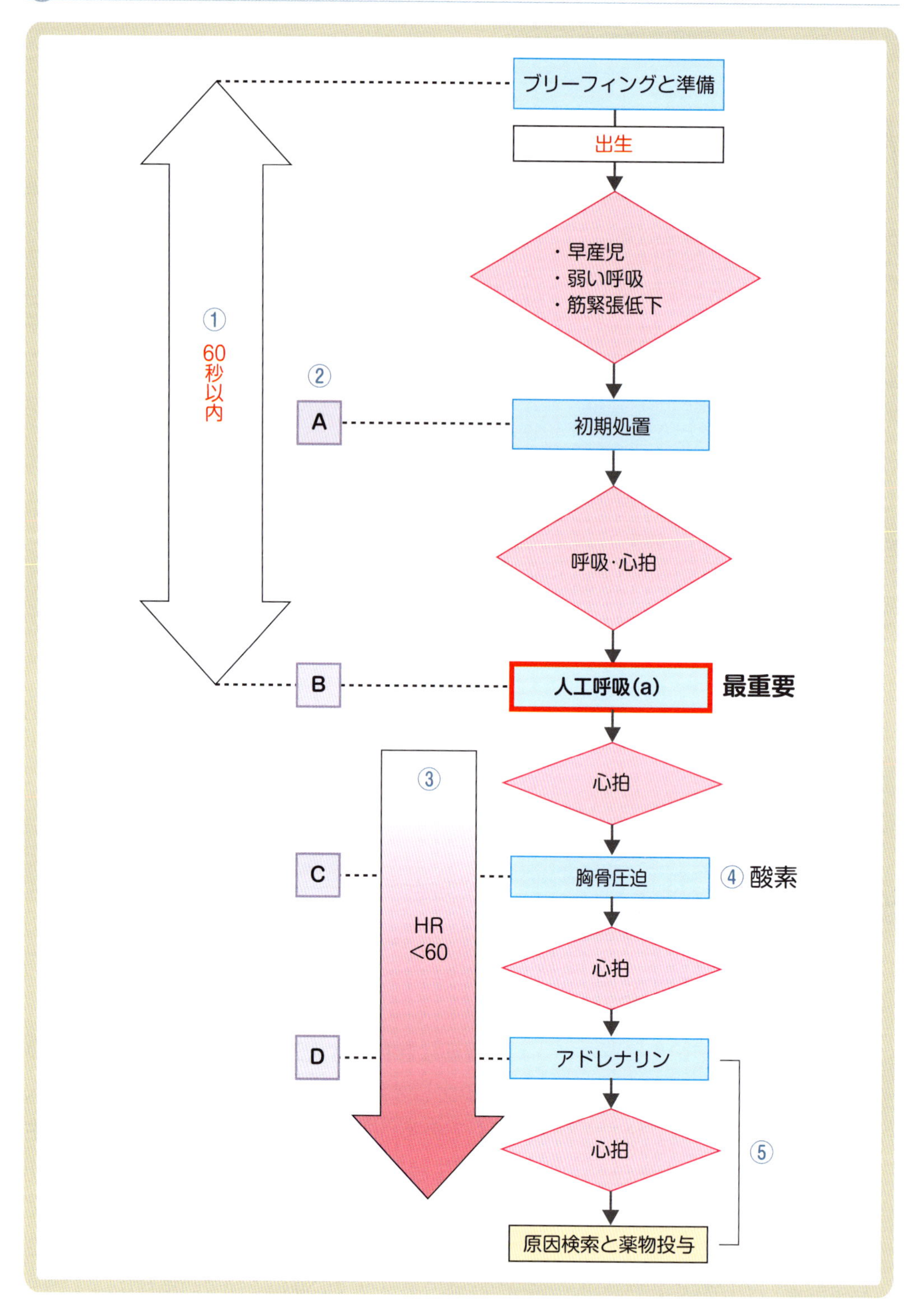

②救命のABCD

救命の流れのなかでは，初期処置のステップでA：Airway(気道確保)，人工呼吸でB：Breathing(呼吸)，胸骨圧迫でC：Circulation(循環)，アドレナリン以降のステップでD：Drug(薬物投与)，という流れになっています。

表1　人工呼吸のポイント

最重要ポイント	**60秒以内に開始**	新生児仮死の90%は人工呼吸までの手技で救命可能
回数	1分間	**40～60回**
開始時酸素濃度	≧在胎35週	**21%**
	<在胎35週	21～30%
圧	初期	30cmH_2O程度(早産児では20～25cmH_2O)
	維持	胸郭が動く最小限の圧(20cmH_2O程度)
効果判定	観察	**胸郭の動き**
	バイタルサイン	**心拍増加**→SpO_2改善
	検知器	二酸化炭素検出器等
手技改善のポイント	体位 (S) Sniffing Position	肩枕の位置確認 頭の向き確認
	マスク (M) Mask	サイズ確認 密着確認，ICクランプ法
	気道 (A) Airway	分泌物吸引 必要なら口を開けて
	圧 (P) Pressure	初期は十分な圧 バッグ破損，チューブはずれ，流量不十分
	次のステップ	必要時はLM，気管挿管

LM；Laryngeal mask：ラリンゲアルマスク

③人工呼吸～胸骨圧迫～アドレナリン：心拍60/分未満が続くとき（手技の確認と改善ポイント）

人工呼吸開始後の評価で，有効な人工呼吸や胸骨圧迫をしているにもかかわらず**心拍が60/分未満が続くときは，より高度なステップへ**と進みます。ただし，次のステップに進む前に，それまで行われていた人工呼吸や胸骨圧迫や薬物投与の手技が適切に行われているかを自身で確認する必要があり，インストラクターは受講者が手技の確認と改善ができるようにサポートします。

特に人工呼吸の手技改善は重要で，胸郭の動きや心拍の増加がみられない場合は，3つの解決ステップを確認してもらいます（p.56参照）。つまり，スニッフィングポジション(S)，マスクの密着(M)，気道(分泌物)(A)，十分な圧力(P)（SMAP；表1）を順に確認して，確実に行えるようにしましょう。それでも有効な換気ができない場合は，ラリンゲアルマスク(Laryngeal mask；LM)挿入や気管挿管を行います。LMは医師以外のスタッフでも使用可能で，比較的容易に挿入できます。小児科医が24時間常駐しておらず，日ごろ滅多に蘇生を行う機会のない施設にこそ常備しておき[5)]，手技実習でもシミュレーションしておくとよいでしょう。

胸骨圧迫の手技改善では，胸郭前後径の1/3程度がへこむようにしっかり圧迫し，元の位置まで戻すが皮膚から指は離さず，2秒1サイクルで酸素を用いた人工呼吸と連動しているかを確認します（表2）。有効な胸骨圧迫が行われると，SpO_2モニタ上で脈波を確認できます。

循環血液増量薬の投与は蘇生に反応せず出血が疑われる児に行い，アドレナリンに先行して行うものではないことから，アドレナリン投与が黄色ボックスから独立しました[1]。アドレナリン投与時は，気管内投与より**静脈内投与が推奨**され[2]，早急な静脈路確保を目指します。しかし，静脈路確保と薬物準備の間も**人工呼吸（酸素）と胸骨圧迫の手を止めてはいけません。**シナリオ演習では静脈路確保中の胸骨圧迫を，両母指法から2本指法に変更することを忘れやすいので注意します。

アドレナリン投与時は，人工呼吸と胸骨圧迫を中断していないか，静脈路の漏出がないか，投与量や投与速度は適切か，気管内投与の場合は食道挿管ではないかを確認します（表3）。

④酸素投与

在胎35週以降の児の場合，人工呼吸開始時の**酸素濃度は21%**ですが，**胸骨圧迫開始時に酸素**を使用します。2015年版講習会シナリオ実習で酸素投与開始を忘れることが多く，2020年版アルゴリズムに追記されました。しかし，忘れやすいポイントですので，「胸骨圧迫が必要＝低酸素状態」であることから酸素投与が推奨されているということを，受講者自らが認識できるようにしましょう。

⑤アドレナリン投与～原因検索＋薬物投与

●原因検索

有効な蘇生を行っているにもかかわらず，アドレナリン投与後も心拍が60/分未満が続くときは，原因検索を行います。出血による循環血液量の減少や重度のアシドーシス，ショック，緊張性気胸，肺低形成，先天性横隔膜ヘルニア，重症の先天性心疾患などの重症疾患ではないかを鑑別していく必要があります。

●薬物投与

出血が疑われるときには，生理食塩水10mL/kgを5～10分で静脈内投与します。その後の評価でも心拍60/分未満が続くとき，**アドレナリンを3～5分おきに追加投与**します。気管内投与後に静脈路が確保された場合は，投与間隔にかかわらず，静脈路確

表2　胸骨圧迫時の改善ポイント

比率	胸骨圧迫3：人工呼吸1
回数	2秒1サイクル
圧迫部位	胸骨の下1／3
圧迫深度	胸郭前後径の1／3
圧迫解除	元の位置まで戻す 指を離さず
人工呼吸	酸素使用

表3　アドレナリン投与時の改善ポイント

●人工呼吸（酸素）＋胸骨圧迫は続ける		
静脈内投与	優先	
	投与経路	漏出有無チェック
	投与量	10倍希釈0.1～0.3mL/kg
	投与速度	急速投与
	追加投与	3～5分ごと
気管内投与	静脈路確保を目指す	
	投与経路	食道挿管，予定外抜管チェック
	投与量	10倍希釈0.5～1.0mL/kg
	投与速度	急速投与
	追加投与	気管内なら3～5分ごと 静脈路確保でき次第すぐに投与

保時点で投与します。Aコースなどではじめてシナリオ実習をする場合には，時間的制約もあり，アドレナリン追加投与まで行うシナリオはほとんどできないと思われますが，Sコースでのシナリオ演習でシミュレーションを行うことを検討してもよいでしょう。

5 救命から安定化の流れへ（図7）

⑥胸骨圧迫＋人工呼吸（酸素），アドレナリン投与後の評価

胸骨圧迫中は，心電図や脈波が乱れ，また聴診もできないので，心拍の評価ができません。そのため，心拍の評価中は胸骨圧迫を中止しますが，人工呼吸は継続したまま行います。受講者のなかには，人工呼吸も同時に中止して心拍の評価を行う人もいるので注意しましょう。

図7 救命から安定化へ

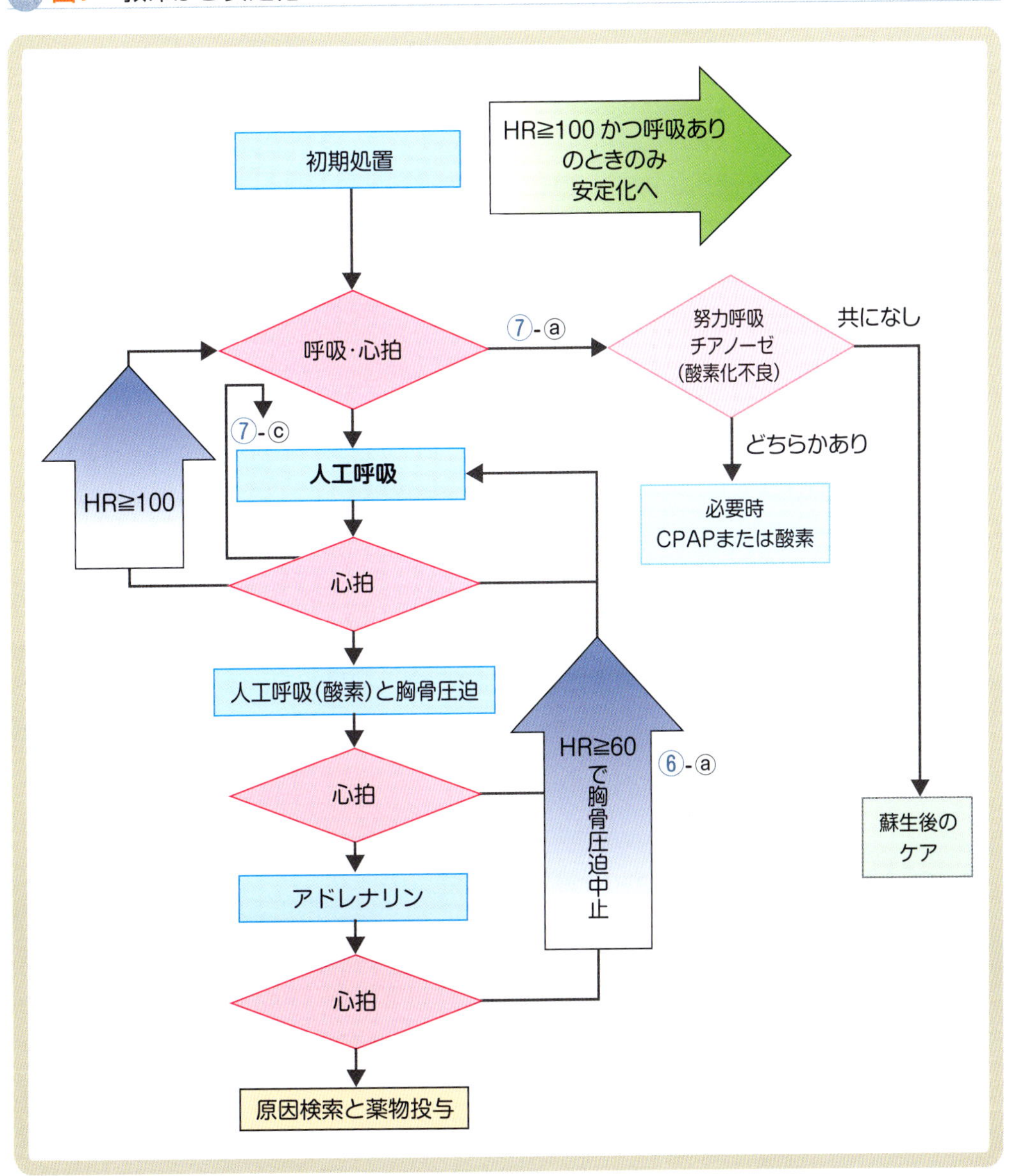

ⓐ**心拍60/分以上：胸骨圧迫を中止**する。酸素濃度はSpO_2値により調整する
ⓑ心拍60/分未満：次のステップに進み，より高度な介入を行う

⑦人工呼吸(単独)後の評価

ⓐ心拍100/分以上自発呼吸あり：**心拍も呼吸もよいときのみ安定化の流れへ**
ⓑ心拍60/分未満：手技確認＋胸骨圧迫のステップへ
ⓒ上記以外は人工呼吸のみ継続
1. 心拍が60/分以上100/分未満：徐脈が続くので人工呼吸継続(酸素使用を考慮)
2. 心拍100/分以上かつ自発呼吸なし：呼吸がないので人工呼吸継続
「心拍100/分以上かつ自発呼吸あり」でなければ，安定化に進めません。

6 安定化の流れ（図8）

⑧努力呼吸，チアノーゼ(酸素化不良)のどちらかあり

自発呼吸があり，かつ，心拍100/分以上であれば，さらに努力呼吸と中心性チアノーゼ(酸素化不良)を確認します。2015年版では「共にあり」のときにCPAPまたは酸素投与を行い，いずれかのみある場合でも蘇生後のケアのなかで鑑別していましたが，2020年版(図1)ではCoSTR 2020に合わせて，**どちらかある場合に病態に合わせて経過観察または治療を選択**することになりました。2020年より以前に認定を受けたインストラクターは，混同しないように注意しましょう。

⑨酸素化不良

2020年版(図1)では，チアノーゼの後に「(酸素化不良)」が追加されました。チアノーゼはヘモグロビン値により出現する酸素飽和度が異なり(多血ではチアノーゼが出やすい)，また視診での判断にばらつきがあります。**酸素化不良は**，アルゴリズム内に記載された**目標SpO_2値未満**の場合で客観的な指標となります。安定化の流れではSpO_2モニタを装着し，値表示前は中心性チアノーゼの有無で判断できるように情報呈示をします。

⑩必要時 CPAPまたは酸素投与

努力呼吸またはチアノーゼ(酸素化不良)のどちらかがある場合，SpO_2モニタを装着しますが，すべての症例でCPAPまたは酸素投与を行うわけではありません。努力呼吸があるときなど，必要時にCPAPまたは酸素投与を行います。

「必要時」の解釈が難しいという意見があるかもしれませんが，例えば，早産児で初期処置のステップに進んだがしっかり啼泣している児や，初期処置の刺激後に自発呼吸が出現した正期産児など，努力呼吸を認めず中心性チアノーゼを認める場合に直ちに酸素投与を行う必要はないことを説明しましょう。

図8　安定化の流れ

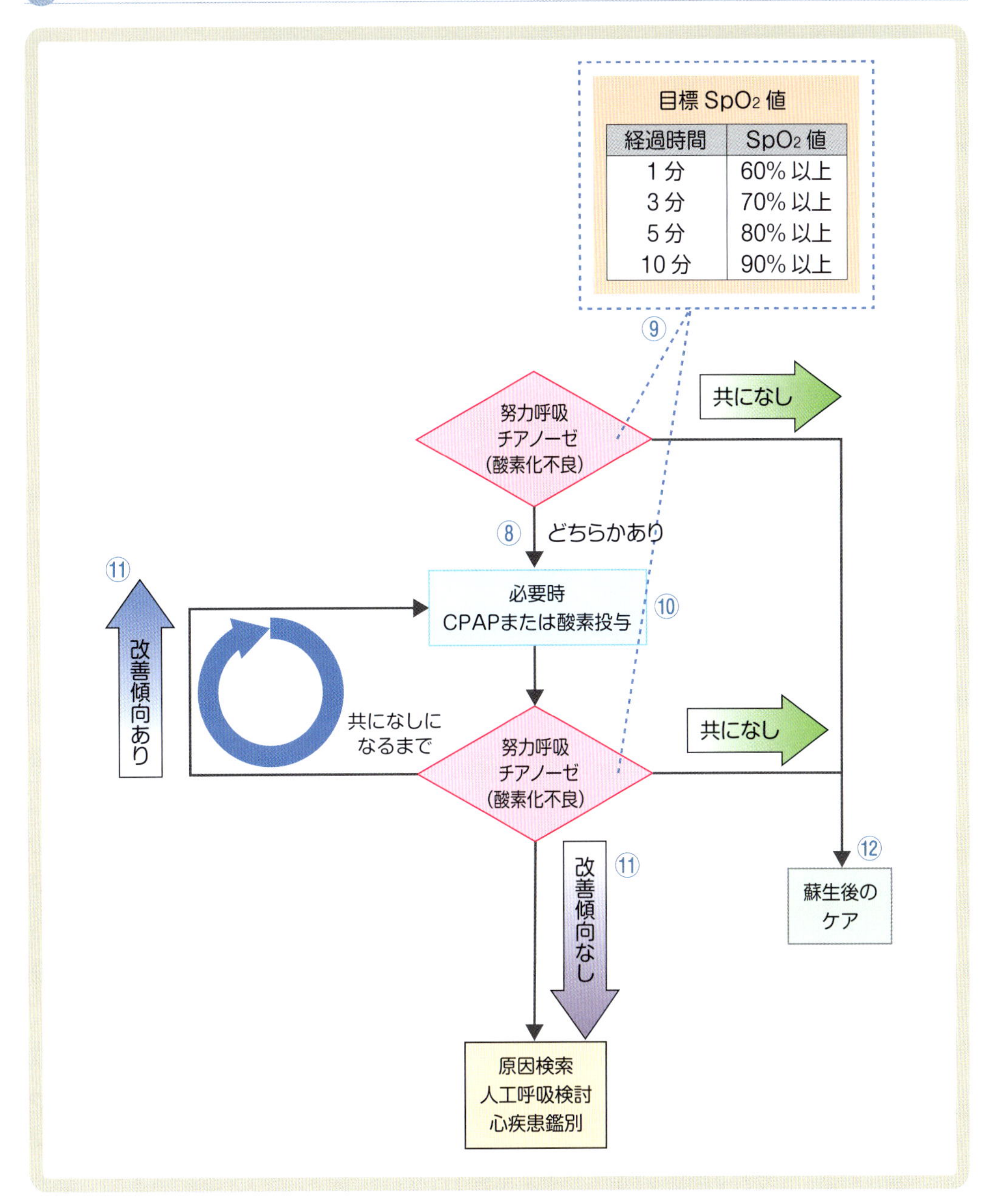

⑪改善傾向の有無

SpO_2モニタを装着し，必要時にCPAPまたは酸素投与を開始して30秒後に評価します。アルゴリズム内には記載がありませんが，呼吸と心拍の評価と，努力呼吸とチアノーゼ(酸素化不良)の評価を行います。シナリオ演習中にアルゴリズムを見て，呼吸と心拍の確認を忘れてしまうことが多いので注意しましょう。

努力呼吸とチアノーゼ(酸素化不良)のいずれかが残存していても，改善傾向があれば，引き続き必要時にCPAPまたは酸素投与を行い，ともに消失するまで30秒ごとに評価を繰り返します。

改善傾向がなく努力呼吸が続く場合は，CPAPまたは酸素投与を継続しながら人工呼吸を検討しますが，酸素化不良のみ続く場合は漫然と酸素投与を続けるのではなく，チアノーゼ性心疾患を鑑別する必要があります(表4)。

表4　改善傾向の有無チェックのポイント

努力呼吸	チアノーゼ（酸素化不良）	行動
なし	なし	蘇生後のケア：経過観察
あり	あり	CPAPまたは酸素投与を継続 人工呼吸を検討
あり	なし	
なし	あり	チアノーゼ性心疾患を鑑別

⑫蘇生後のケア

2020年版アルゴリズムでは，努力呼吸と酸素化不良がともに認められない場合のみ，蘇生後のケアのステップに進みます。ただし，出生後早期は子宮内生活から子宮外生活への移行期であるため，注意深く呼吸観察を継続する必要があります[1)]。

7　ブリーフィングとデブリーフィング

まず，「ブリーフィング」と「デブリーフィング」という言葉を受講者が聞き慣れていない場合，しっかりと意味を理解していないかもしれないので，あらかじめ確認しておくとよいでしょう。ブリーフィングとは「簡潔な事前打ち合わせ」，つまり，出生前に簡潔に周産期情報を共有し，起こりうるリスクを想定して蘇生の流れや必要物品の確認をして役割分担をしておくことです。デブリーフィングは「振り返り」，つまり，蘇生後に何がうまくいき，何がうまくいかなかったのかを振り返って気付き，それをチームで共有して次に生かしていくことです。

ブリーフィングまたはデブリーフィングが，児およびスタッフの短期的な臨床成績およびパフォーマンスのアウトカムを改善する可能性があり，また蘇生物品の確認や感染予防の準備を含めたブリーフィングが重要であることから，2020年版アルゴリズムにブリーフィングが追加されました[1)]。実際の立ち会いやシナリオ実習時でも，当然，機器や物品の準備を行い，チームメンバーで役割分担を確認していますが，アルゴリズム上に記載されたことでブリーフィングを忘れずに実施することができるようになりました。

一方で，デブリーフィングはアルゴリズム内には記載されていませんが，講習会でのシミュレーション後だけでなく，実際の分娩立ち会い後も毎回，短時間でもいいのでチームで振り返ることが大切です。特に重症例や判断に苦慮した症例は，構造化されたデブリーフィングを行うことが必要です。そこに至るまでの経過を振り返り，原因検索ができたかなどを考えます。なお，デブリーフィングは個人の行動を評価する場ではなく，チーム全体として気付いたことを共有して今後に活かす場であることを伝えましょう。

NCPRアルゴリズムは，新生児蘇生の熟練度にかかわらず，新生児の状態を評価して必要な介入ができる，新生児仮死の予後を改善するための手法・技法です。インストラクターは，分娩に立ち会うすべての医療スタッフが知識を身につけるだけではなく，実践できるようにインストラクションする必要があります。望ましいインストラクターになるためには，5年ごとの改訂で変更があった箇所だけをアップデートするのではなく，改めて新生児蘇生法テキストやインストラクターマニュアルを読み込んで，知識を確実なものとしたうえで，自らのインストラクションを振り返り，常にインストラクターとしての質の維持向上に努めるべきであると考えます。

（荒堀仁美）

文献

1） 新生児の蘇生（NCPR）作業部会：JRC蘇生ガイドライン2020オンライン版．第4章 新生児の蘇生（NCPR）https://www.japanresuscitationcouncil.org/wp-content/uploads/2020/12/60bc5b2facde74d8faf20c0db8147637.pdf（2021年2月1日最終アクセス）
2） Wyckoff MH, Wyllie J, Aziz K, et al: Neonatal Life Support: 2020 International Consensus on Cardiopulmonary Resuscitation and Emergency Cardiovascular Care Science With Treatment Recommendations. Circulation 2020; 142: S185-221.
3） 島袋林秀：NCPRアルゴリズムの考え方．細野茂春（監修）.：新生児蘇生法インストラクターマニュアル，p29-40，メジカルビュー社，2016.
4） 荒堀仁美：【産婦人科医が身につけたい新生児の診察法】総論 出生直後の診かた．周産期医学 2018; 48: 916-21.
5） 水本洋：【これでわかる 新生児呼吸管理】呼吸管理の実際 非侵襲的呼吸療法 ラリンゲアルマスク．周産期医学 2019; 49: 418-21.

2 専門コース（Aコース），一次コース（Bコース）基本手技実習

基本手技実習は，基本手技を確実に行えるようになることが目的ですが，実際の講習時間内にこの目的をすべて達成するのは不可能なことです。そのため，実際の講習では，それぞれの受講者の技術レベルを把握し，各人の目標を個別に設定し指導することが必要となります。いいかえれば，**『職場に戻った受講者が基本手技の基礎を知り，日常的に技術向上を目指すモチベーションを持ち続けるようになる』ことが講習の目的**なのです。ただし，講習中には個人目標をクリアすることだけでなく，**いざというときに正しい手技の最終形をイメージできるように示すことも重要な目的である**ことを忘れてはいけません。

1 基本手技実習の構成

基本手技実習は，通常，以下のような構成となっています。

①物品の確認
②ルーチンケア
③蘇生の初期処置
④人工呼吸，CPAP，人工呼吸の手技の改善
⑤胸骨圧迫
⑥気管挿管
⑦薬物投与（臍静脈路確保）

そして，それぞれの正しい知識と手技を確認・実演しますが，①～⑤はすべての受講者を対象とし，⑥以下は受講者の立場（職種・経験など）に合った内容を選択しましょう。

2 基本手技実習のポイント

基本手技実習においては，次の5つの項目が指導のポイントとなります。

指導のポイント

①アイスブレイク
②受講者の把握（観察）
③スモールステップ
④ファシリテーション
⑤ほめる

①アイスブレイク

基本手技実習は，講習会においてグループに分かれた最初の講習となるので，まずはインストラクター，受講者の簡単な自己紹介ならびにアイスブレイクを行い受講者の緊張をほぐします。

短い講習時間のなかでアイスブレイクだけに時間を費やすことはできないので，受講者とのやり取りのなかで，実習内容の「①物品の確認」をアイスブレイクと兼ねるなどの工夫が必要です。例えば，

『吸引チューブはどんなものを使っていますか？』
『蘇生バッグは自己膨張式ですか？ 流量膨張式ですか？』

などの質問を織り交ぜながら，それぞれの施設背景や，話しぶりなども感じながら「①物品の確認」を進めるやり方です。

このように物品紹介と自己紹介あるいはアイスブレイクを兼ねて行うと時間の節約になるだけでなく，受講者の背景，知識，経験などを把握するのに有用です。物品説明は，最初は名称と使用目的程度の確認にとどめ，後のアルゴリズムに沿って説明する際に，より詳しい説明を随時行う方法をとってもいいでしょう。

②受講者の把握（観察）

受講者が，別々の施設からの参加者である場合には，それぞれのバックグラウンド（職種，経験年数，施設規模，施設設備など）を把握する必要があり，自己紹介のなかでお互いを知りあうように流れをつくらなければなりません。普段使用している物品を聞くことによっても，その施設がどのような状況であるのかを垣間見ることができます。

また，受講者の技量はさまざまであり，単に本人に経験を問うよりも，実際にその人の手技を観察することが重要です。正しい結果を出すためには何が問題なのか，何に不安を感じているのか，周囲の受講者はどう思っているのか，など，いろいろなことを観察します。物品の扱い方を観察するだけでも，その慣れ具合などから受講者の経験を推察することができるのです。

③スモールステップ

受講者には，実習中に常に言葉かけを心掛け，言葉でわかりにくいときには手取り足取りの教え方も必要となります。また，いわゆる手本となる正しい手技を見せることも有用です。いずれにしろ，受講者のレベルに合わせて，一度に完成形を目指すのではなく，段階を追って一つずつ（スモールステップ）指導することを心掛けねばなりません。

④ファシリテーション

講習会では，単に知識・情報を提供し，正しい答えを教える（teach）のではなく，正しい答えに至る過程・方法を教える（facilitation）ことを心がけなければなりません。

具体的には，直接的に誤りそのものを指摘するのではなく，間接的な質問をすることで本人に誤りの気付きを促す方法です。

⑤ほめる

実習のパフォーマンスがたとえ全体的に不十分でも，うまくいった部分を一つでも見つけてほめることが重要です。そのうえで，改善すべき点を気付かせる介入をし，その気付きにより改善されれば，そのうえで最後にもう一度ほめることも有効です（サンドイッチ法）。

ただ，ほめるだけでは何も変わらない場合もあり，誤りを直接指摘し，細かく修正を指示し，そして改善を求める場合も少なくありません。こんな場合にも，最後には少しほめることで終わりたいものです。

3 基本手技実習の実際

基本手技実習は，①使用する医療機器の理解，②アルゴリズムに準じた基本手技の技術，③アルゴリズムの正しい理解，の3つが大きな指導内容になります。実習において，最も重要なのは受講者の技術レベル・臨床経験レベルにあった指導を行うことですが，**どんな受講者に対しても最低目標は正確なバッグマスクによる人工呼吸の知識と技術を身につけること**です。

実際の指導の流れは，アルゴリズムを示しながら，その都度に評価・行動を確認し，実技指導を行うことになります。この際，技術の確認方法としては，前述したように実習者本人に自己確認を促す方法，他の実習者に意見を述べてもらう方法，インストラクターが直接気付いたことを指摘する方法などいくつかありますが，受講者の技量，性格，立場などを考慮して，受講者が落ち込むことなく前向きになれるように，これらの方法のなかから選択して確認，指導しなければなりません。

基本手技実習のコツ

①代理的経験：うまい人の手技について皆で議論し，お互いが知識を深めます。
②遂行行動の達成：手技実習では，やはり受講者自らの成功体験が重要であり，たとえ完全ではなくても，一部分でも成功したことを認める姿勢が大切です。
③言語的説得：良い点をほめ，改善すべき点を示し，またほめます。
④情動的喚起：適度な緊張感を乗り越えると，自信になります。

◆準備から初期処置

蘇生の準備

物品の説明と重なる部分が多くありますが，受講者全員で蘇生に必要な物品の解説を交えながら準備をすると，時間の節約にもなります。

出生時の評価

出生時の評価として，①**早産児かどうか**，②**呼吸**，③**筋緊張**の3点が挙げられていますが，①早産児かどうかは出生前から判明している場合が多いので，**実際の出生時には，②呼吸，③筋緊張の2点を評価する**ことになります。

アルゴリズム上では3項目でも，実際は2項目である場合が多いことを受講者にも伝え，理解を促すことも重要です。

一方，もし早産児であることがわかっていれば，他の評価は関係なく，基本的には蘇生の初期処置に進むことになります。

ルーチンケア

出生時の評価ですべて問題がなければ，ルーチンケアに進みます。しかし，実際の現場では，**このルーチンケアに進んだ後に「蘇生の初期処置」に再び戻る場合もあり，ルーチンケアに進んだからといっても児の状態は変化しうることを忘れず，「更なる評価」が必要なことを伝えるのが重要**です。

また，**ルーチンケアは，内容的には「蘇生の初期処置」と変わらない**ことも強調しておきましょう。

蘇生の初期処置

保温，体位，気道開通(胎便吸引を含む)，刺激の4つの処置からなります。それぞれの手技を1人あるいは2～3人の受講者に実際に行ってもらい，その手技内容を確認しながら指導します。

●保　温

まず，出生した児を，乾いたタオルで顔，体全体の水分を拭き取ります。**顔を拭く際には，鼻腔，口腔に分泌物などを逆に押し込まない**ように十分気を付けます。**この拭く操作によって，体からの気化熱による体温の喪失を最少にとどめることができます**。なお，濡れたタオルは児から外し，新しい乾いたタオルを使うようにしますが，この時点で気を付けることは処置の「優しさ」に尽きます。

●体　位

児を蘇生台に載せるときには，頭が術者側になるようにします。そして，児が呼吸をしやすい体位を取らせます。基本的には**仰臥位で，首をやや伸ばし，下顎がちょうど垂直になるくらいまで頸部を伸展した気道確保の体位**です。

気道確保には肩枕の使用が推奨されていますが，**肩枕を入れることで，その高さによっては頸部が過伸展になる危険があることも注意しなければなりません**。肩枕の高さについては，物品の準備の際に十分説明をしておきましょう。その際に，単にインストラクターから話をするのではなく，各施設ではどのようなもので，どのくらいの高さで使用しているのかを受講者に話してもらうほうが，お互いの理解が深まり，肩枕に対する共通の認識をもちやすくなります。

図1　吸引の仕方

a：良い例
カテーテルの先端から5cmくらいのところを持ち，児の頬部などに自分の手の一部を当てながらカテーテルを進めて吸引を行う。

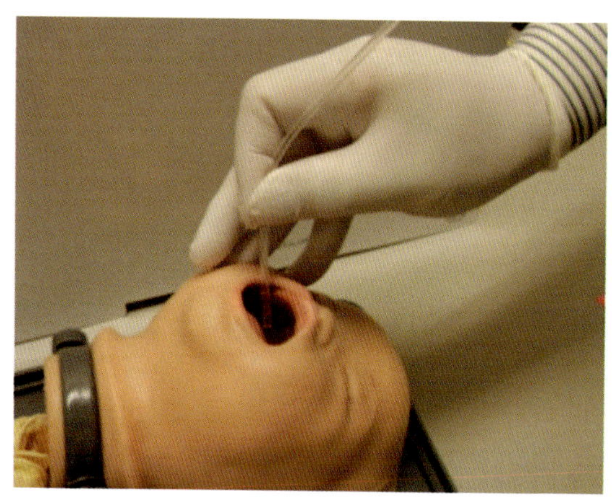

b：悪い例
先端から10cmくらいのところを持ち，遠くから口腔に入れようとしている。この場合だと，児が動くとカテーテルの先が不安定となり，長さ調整もしにくくなりやすい。

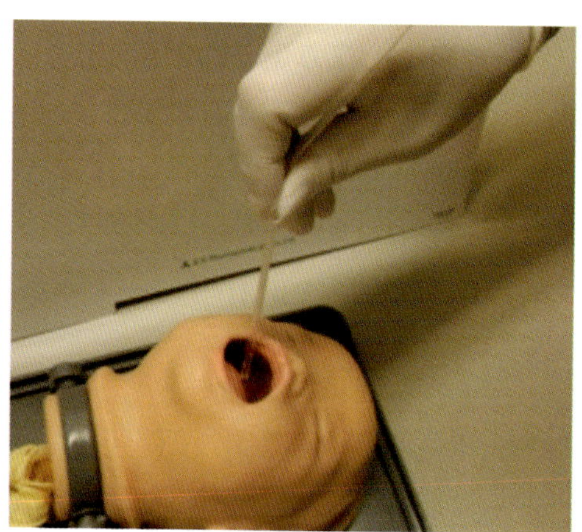

吸　引

吸引は口，鼻の順番に行い，優しく必要最小限に行います。乱暴にカテーテルを挿入して粘膜を傷付け，出血や浮腫をきたさないように，また，咽頭深くにカテーテルを入れることによって嘔吐反射や，迷走神経反射刺激による徐脈を起こさないように注意を要します。

吸引時のカテーテルの持ち方，口，鼻への挿入の仕方で，その経験度，熟達度がわかります。カテーテルの先端から5cm 位のところを持ち，児の頬部などに自分の手の一部を当てながらカテーテルを進めて吸引を行う人（図1a），先端から 10cm 位のところを持ち，遠くから鼻腔に入れようとする人（図1b）など注意深く観察します。後者が初心者に多いことはいうまでもありません。

呼吸刺激

①背部を擦り上げる，②足底を叩く，と2つの方法が推奨されているので，これらの2 つの方法に統一するように指導します。ただし，背部を殿部から頭部に向かって擦り上げるのか，逆に頭部から殿部に向かって擦るのか，足底を手のひらで叩くのか，指で弾くのかなどは特に決まりはないので，そのときの状況で判断します。

いずれにしろ，児に負担がかからないように優しく，速やかに，効果をみながら行うように指導します。また，**臨床の現場では，すでに泣いているのに刺激をし続けるなど，児の観察を忘れてしまうこともあるので注意が必要**です。

蘇生の初期処置後の評価

蘇生の初期処置を開始し，乾燥によるタオルなどの刺激，吸引処置などを行うと，一次性無呼吸ならばなんらかの反応をみせ，呼吸運動が始まる場合がほとんどです。その場合は，一通りの処置が終わった時点で，呼吸と心拍の評価を行います。

一方，蘇生の初期処置が行っても反応が思わしくないと考えられたとき，すなわち二次性無呼吸が疑われるときは，その時点で呼吸と心拍の評価を行います。いずれの評価においても，心拍（100/分未満），無呼吸（あえぎ呼吸を含む）を判断し，この**心拍と呼**

吸の評価が「救命の流れ」に進むのか，「安定化の流れ」に進むかの重要な分岐点になります。

心拍の評価

心拍の評価は胸部の聴診によって行うことになっています。臍帯拍動触知による評価より，聴診の場合には聞いている本人だけが聞き入ってしまい，周りにその結果を伝え忘れてしまう場合が多いので注意しなければなりません。蘇生台をトントンと叩く，声で心拍を『ドッドッドッ』などと言うなど，具体的な方法を示すことも有用です。

「心拍100/分」というのは，アルゴリズムの分岐点として最も重要な数字であることを認識するよう指導しましょう。

呼吸の評価

「無呼吸あるいは,あえぎ呼吸の場合」といっても,瞬間的に判断することは困難です。蘇生の初期処置を行っている最中に有効な呼吸運動，すなわち啼泣が始まっていれば判断は容易ですが，蘇生の初期処置を，順を追って進めても，胸郭の動きがはっきりしない場合，あるいは，あえいでいるような呼吸の場合には無呼吸とみなして人工呼吸へと進みましょう。

もし，児が元気だった場合に，誤って人工呼吸を行ってしまっても，児が反応して啼泣し始める，手足をよく動かすなどの時点で即座に中止すれば大きな問題ではありません。**躊躇して蘇生が遅れるより，疑わしきはまず人工呼吸による蘇生を始め，その後に再評価することを強調しましょう。**

◆救命の流れ

心拍100/分未満，あるいは，無呼吸(あえぎ呼吸)と判断されれば「救命の流れ」に進みます。

人工呼吸による蘇生

蘇生の初期処置が終わったときには,呼吸と心拍を評価し,**無呼吸(あえぎ呼吸を含む)の場合，あるいは心拍が100/分未満の場合には直ちに人工呼吸を開始する**ことになっています。

このとき，出生から遅くとも60秒以内に人工呼吸を始めることを強調してください。その後は約30秒ごとの心拍と呼吸の評価により，必要に応じて胸骨圧迫，薬物投与へと進みます。

効果的な人工呼吸ができているかの確認は，胸郭の動き，心拍の上昇，胸部を中心とした皮膚色の改善などが重要な指標となります。実習では，効果判定，および効果的ではなかったときの修正の仕方を確実に指導しましょう。また，人工呼吸の際には，後述するパルスオキシメータの装着を忘れてはいけません。

ICクランプ法

マスクの大きさは眼球を圧迫せず,顎先が出ない大きさで,きっちりと鼻と口をカバーできるものを使用します。人差し指と親指でつくる“C”でマスク全体を顔面に密着させるように押さえ，中指でつくる“I”では，下顎の骨の部分を軽く引き上げるように持ち上げます。この際，喉頭の軟部組織を圧迫しないよう下顎に気を付けねばなりません。手が小さく，うまく下顎を持ち上げられない場合もありますが，下顎を持ち上げることにとらわれず，正しい姿勢のなかで，マスクを密着させることに集中してもらうことが大切です。

プラスチック製マスクとラテックス製マスク

マスクにはラテックスによる一体成型のマスクタイプと，プラスチックの枠に膨らまして弾力性をもたせるクッション部分の付いたマスクタイプの大きく2つに分けられます。

ラテックス一体成型のマスクはやや硬く，児にフィットさせようとして力が入りすぎるとマスクが折れ曲がってしまいリークが発生しやすいので注意を要します（図2）。一方，**クッション部分の付いたマスクの場合は**，十分に膨らんでいないと単なるプラスチックの枠が児に直接当たってしまうこととなり，十分なフィットが得られないので，**必ず事前にクッション部分を膨らまし，リークがないことを確認しておかなければなりません**（図3）。

図2　ラテックス製マスクの持ち方

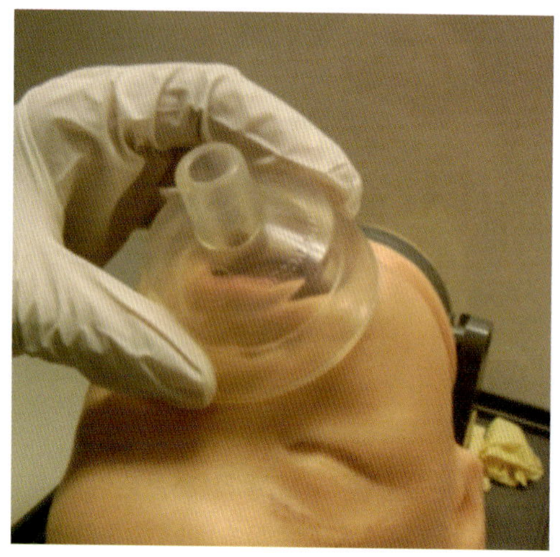

a：良い例
マスク全体を柔らかく押し付けている。

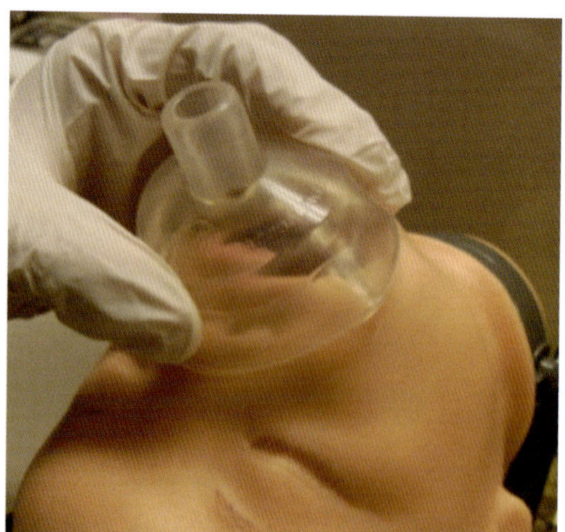

b：悪い例
マスクを持つ手に力が入り，折り曲げてしまっている。

図3 プラスチック製マスクの状態

a：十分に膨らんだマスク

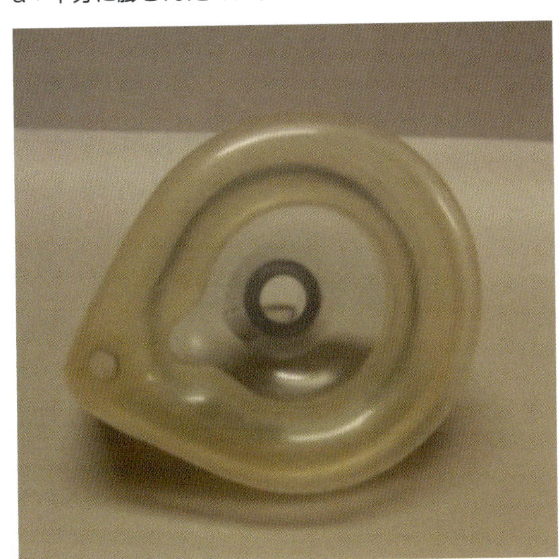

b：空気の不十分なマスク

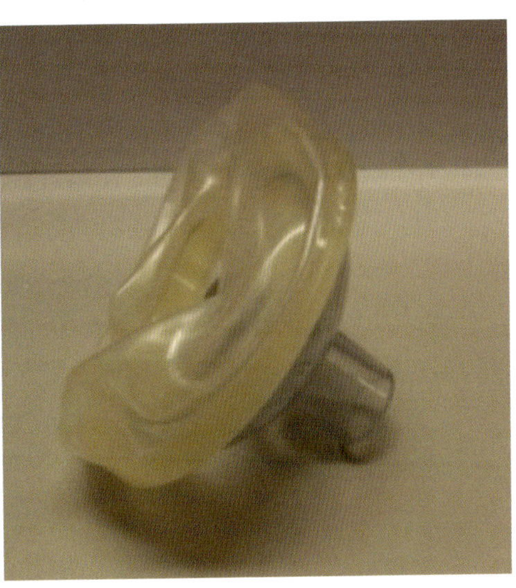

自己膨張式バッグと流量膨張式バッグ

自己膨張式バッグ内には一方向弁がいくつか内蔵されており，準備の段階で，その**弁が正確に作動するかどうかの確認が必要**となります。まずリークの確認を行い，その後，バッグを押すときにそれぞれの弁が作動しているかを目視にて確認を行います。ポップオフバルブがどのような圧で作動するかの確認も必要です。

一方，流量膨張式バッグの場合，構造は単純であり，酸素または空気などの定常流をバッグに流したときに，リークがないことの確認ができれば十分です。ただし，最近では流量膨張式バッグにもポップオフバルブがついているものもあるので，その場合は確認が必要となります。

実技指導の際には，まず，普段どちらのバッグを使用しているかを確認してから，実態に近い状況での指導を心掛けましょう。

パルスオキシメータ・プローブの装着，および心電図モニタ電極の装着

本来であれば全例，できればルーチンケアに進まなかった場合にはパルスオキシメータ・プローブを右上肢に装着し，児の客観的評価ができるように準備をすべきです。もし装着されていなかった場合でも，人工呼吸が開始されるような場合には，必ず，プローブの装着をしなければなりません。

ただし，**パルスオキシメータはプローブを装着してからその数値が正確に表示されるまでに時間を要するため，判断のために数値の表示を待つのではなく，蘇生を継続していくなかで心拍，酸素化を再評価するために使用する**と考えるべきです。

プローブは，右手の手首，あるいは手のひらに装着することが多いですが，**プローブによる圧迫，発光部と受光部のずれには気を付けるよう注意を促してください**。また，新生児用電極があり**心電図を使用する場合，電極をつける部分の胎脂などをきれいに拭き取った後に装着**します。心電図の場合，電極装着後直ちに心拍が表示されますが，なかには，無脈性電気活動(Pulseless Electrical Activity；PEA)の場合もありますので注意を要します。

人工呼吸時の初期酸素濃度

人工呼吸を開始する際，過剰な酸素投与を避けるために，正期産児か，それに近い児に対しては空気で開始します。

流量膨張式バッグを使用の場合には，圧縮空気の設備が必要となり，自己膨張式バッグの場合は，製品によって使用方法が異なります。この点を，それぞれの施設状況に合わせて事前に解説，指導を行わなければなりません。

人工呼吸手技の改善

徐脈の改善・加圧時の胸郭上昇がない場合は人工呼吸手技の改善を試みます。具体的には以下の3ステップに沿って指導しましょう。なお，各ステップ内の順序は問いません。

①マスク密着と気道確保姿勢を再確認する。
②口腔・鼻腔吸引をし，換気圧を上げてみる。
③気管挿管〔または，ラリンゲアルマスク(Laryngeal Mask；LM)〕を考慮する。

胸骨圧迫による蘇生

約30秒程度の確実な人工呼吸を行っても心拍が60/分未満の場合は，胸骨圧迫が開始されなければなりません。ただし，胸骨圧迫の適応として，ここでは，この「**確実な効果的な人工呼吸であることが前提**」ということを強調してください。

胸骨圧迫は，**基本的には胸郭包み込み両母指圧迫法を用いる**ことになりますが，**2本指圧迫法の適応，実際の指の置き方などにも注意**を要します。

胸骨圧迫の際のポイント

①手の使い方，指の置き方
②圧迫部位(胸骨の下1/3)
③圧迫の方向と深さ(胸壁の厚さの1/3)
④圧迫のペース〔1分間に圧迫90回と人工呼吸30回(3：1)⇒ 2秒で1サイクル〕

それぞれが確実にできているかを受講者が実際に行っているところを見て確認します。

人工呼吸と胸骨圧迫

2人で行う場合には，通常，胸骨圧迫を行っている人がペースメーカーとなって掛け声をかけて行います。実習の際にも，**「イチ，ニ，サン，バッグ」の掛け声を2秒のサイクルでかけ合いながら行う**ことを強調しましょう。その掛け声を聞くことでペースの良し悪しを受講者全体で考えることができ，正しいリズムを理解しやすくなります。なお，胸骨圧迫を開始するときには人工呼吸の際の酸素濃度を上げることを忘れないように，必ず指導しましょう。

胸骨圧迫中の指の使い方，置き方

胸郭包み込み両母指圧迫法の場合，両方の母指を並べるように胸骨の下1/3に置き，強く押し込みます。圧迫部位が足方向にずれて，肝臓損傷をきたさないように注意を要します。

圧迫後解除のときには，十分に解除できるように力を抜かなければなりません。ただし，**圧迫を解除した際に指が胸壁から離れてしまうと，次の圧迫のときに位置がずれやすくなってしまうので，胸壁に接したままにすることが重要**です。

2本指圧迫法の場合，通常，人差し指と中指を使用する場合が多いですが，長さの差が大きくやりにくい場合には，中指と薬指の2本で行う場合もあります。また，**解除のときに指が胸壁から離れてしまうと，容易に圧迫場所がずれてしまうので注意を要します。**

薬物投与

約30秒程度の人工呼吸と胸骨圧迫を行っても，回復が認められない場合には薬物投与としてアドレナリン投与を行うことになります。投与方法は，原則として経臍帯静脈となります。薬物投与実習では，臍帯静脈投与に重点をおき，経末梢静脈投与，気管挿管チューブを介しての気管内投与は紹介程度にとどめてもかまいません。

薬物投与に関しては，「適切な人工呼吸と胸骨圧迫が行われていることが前提」で，「**これらの処置を中断してまでも薬物投与に進むべきではない**」ということも強調しましょう。**薬物投与をしている間も，蘇生を継続することが重要**です。

これらの基本手技実習は，受講者の立場に応じて，「注射薬，物品などを準備する実習」，「実際にカテーテルを挿入する実習」，「注射薬を投与する実習」など，目的を分けて行うほうが効率的かもしれません。詳細はNCPRテキストを参照してください。

気管挿管

気管挿管の実習は，受講者の立場によって「気管挿管を行う側」，「その介助を行う側」など，目的をはっきりとして指導することが大切です。しかし，実際に行うことで介助はこうしてほしいと気付くことも多くありますので，職種によって実習内容を制限する必要はありません。ただ，実習時間が限られますので，そのなかで下記に挙げるポイントをしっかりと指導しましょう。

行動に対する責任

- 気管挿管を行うということを，単にバッグマスク人工呼吸よりも確実だからと安易に考えてはいけません。気管挿管を行うということは，挿管が確実に行われたかの確認，適正なチューブ位置，確実な固定などをすることを前提に行われなくてはならず，いい加減な気管挿管により児に悪影響が及んだ場合には，行為の責任が問われることを忘れてはいけません。

気管挿管の準備

- 気管挿管に至るまでに使用していたバッグマスク，酸素，吸引はいうまでもありません。気管挿管に備え，気管チューブを至適サイズと，それより細いもの，太いものをそれぞれ最低1本ずつ，できれば2本ずつは準備しましょう。
- また，気管チューブのコネクターが操作の最中に外れることのないように，きっちりとチューブに押し込まれていることを確認しておく必要があります。
- 喉頭鏡は，通常は直型ブレードのサイズが小さいものから2種類を準備し，ライトの光量が十分であることを確認しておきます。
- スタイレットはその使用には賛否ありますが，準備はしておくべきでしょう。

●気管挿管の手順

1. 術者は児の頭側に立ち，介助者は術者の右側，足側に立ちます。
2. 児の体位を整えるために，介助者が児の肩を押さえながら，両手で頭を固定します。
3. 頭を固定するときに，スニッフィングポジション（sniffing position；外耳孔と肩の前面が平行に同じ高さになる位置）をとります。
4. 術者はバッグマスクで十分に換気，酸素化を行い，必要なら吸引も行っておきます。
5. 喉頭展開を行います。

①喉頭鏡を軽く持ち，ブレードを児の右口角側から重力で口の中に落とすように奥深くまで挿入します。

②ブレードを正中に舌を押さえるようにずらし，ブレードが体軸に対して約45°になるまで展開します。その後は，ブレードとグリップの角度は変えずに，グリップの向いている方向にそのまま持ち上げるように動かします。

③ブレードが喉頭蓋を持ち上げたときに，披裂部（声門開口部）が見えてくるのを確認します。喉頭展開時に喉頭が見えにくい場合には，介助者が輪状軟骨を外から軽く圧迫するか，右口角を外側に引っ張ると見えやすくなる場合があります。

④声門が確実に直視できたならば目をそらすことなく，介助者より気管チューブを受け取ります。介助者は，術者の手に気管チューブのコネクターに近い部分をつかめるように，また，向きを変えることなくそのまま挿管の動作に進めるようなチューブの向きを確認しながら渡します。

⑤術者は，気管チューブの先端が声門の間に挿入されるのを直視しながら，気管チューブの声帯指標線を声門部分に合わせて深さを確認します（図4）。

⑥気管チューブの固定では，ラインが頭側に向くようにして口角において“6cm＋体重（kg）”の深さを固定の目安にします。しかし，実際には術者が直視下に，気管チューブの声帯指標線部分が声帯の間に入っているのを確認できていれば間違いはありません。

⑦**1回の気管挿管の処置は20秒以内**に行います。それよりも時間がかかった場合には，いったん処置を中断し，バッグマスクで人工呼吸を行った後，再度，気管挿管を行います。

⑧挿管が難しいときは，スタイレットの使用を考慮しても構いません。しかし，本来，喉頭展開がしっかりとできていればスタイレットは必要ありませんから，まずは確実な喉頭展開，すなわち声門が確実に見える状態を目指すべきです。どうしてもス

タイレットを使う場合は，スタイレットによる気道損傷を防ぐためにも，スタイレットの先端が気管チューブの先から出ないように，**気管チューブの口端でスタイレットを曲げて押し込みすぎるのを防がなくてはならない**ことを強調しましょう。

図4　気管チューブの挿入の深さ

チューブ先端の黒い部分が声門を超えたところ(↑)で固定する。

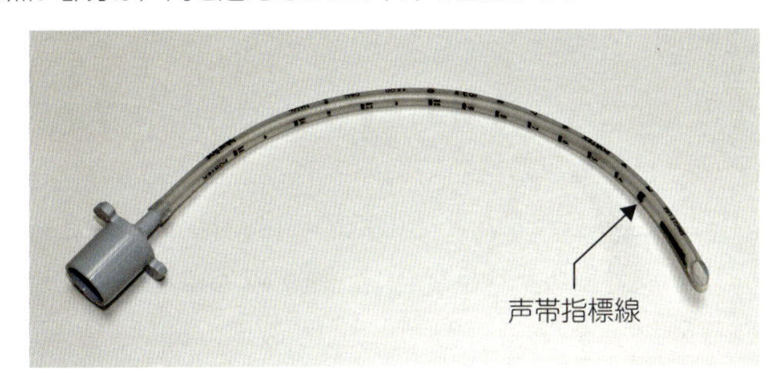

気管挿管後の位置確認

気管挿管を行った場合には，操作が確実に行われたかの確認も忘れてはいけません。下記のような，2段階の確認を指導しましょう。

- 初期の確認
  ①人工呼吸で胸の上がり方に左右差がない。
  ②呼吸音(腋窩部両側)に左右差がない(左右前胸部，左右腋窩部，上腹部の5点でチェック)。
  ③上腹部で呼吸音が聞こえない(胃に空気が入ってこない)。
  ④呼気時に気管チューブの内面がくもる(加湿された呼気の確認)。
- 二次的な確認
  ①心拍が増加
  ②SpO_2値が改善
  ③筋緊張，体動，皮膚色の改善
  ④呼気CO_2を検出

呼気CO_2の検出に関しては，呼気CO_2検出器の実物に呼気をふきかけて変色することを見せる，あるいは，写真を見せるなど具体的に指導しましょう(図5)。

図5　呼気CO_2の確認

真ん中の部分が，呼気の二酸化炭素濃度により色が変化する。

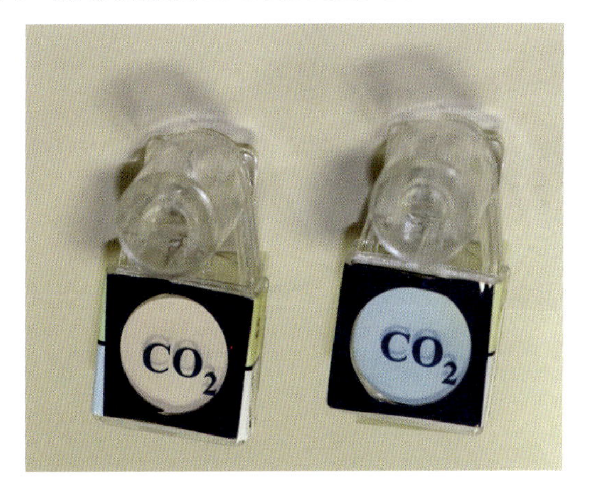

◆安定化の流れ

心拍100/分以上，かつ自発呼吸ありと判断されれば「安定化の流れ」に進みます。

呼吸状態の評価

心拍が100/分以上かつ自発呼吸ありと判断されれば，まず呼吸状態(努力呼吸の有無)と中心性チアノーゼの有無の判断に進みます。実習ではまず，この評価ができるかどうかを確認しなければなりません。そのためには，「努力呼吸とは何を意味するのか」「中心性チアノーゼとはどう判断するか」を明確にするようにしておきましょう。

NCPRにおいて努力呼吸とは，陥没呼吸，多呼吸，呻吟，鼻翼呼吸を指しますが，その内容を質問しながら実習を進めることが重要です(詳細はNCPRテキストを参照のこと)。一方，中心性チアノーゼにおいて，2020年の改訂では酸素化不良という判断項目も記載され，これはパルスオキシメータによる判断も加えられたことを意味します。すなわち，皮膚色が悪く中心性チアノーゼが疑われるときには早めにパルスオキシメータを装着し，客観的に酸素化の評価をするように指導しましょう。なお，中心性チアノーゼは，生後数分間かけて徐々に良化してくるものですから，直ちに介入を必要とするものではないことも強調しておきましょう。

いずれにしろ，**安定化の流れの児(心拍100/分以上あり自発呼吸がある)の意味，すなわち，蘇生の緊急性はなく，まずは児の状態をしっかり評価することが重要である**ことを指導しましょう。

持続的気道陽圧
(Continuous Positive Airway Pressure；CPAP)

CPAPの手技は，流量膨張式バッグマスクの使用になれていないと非常に難しいことから，受講者の経験の有無，普段使用しているバッグマスクの種類などを把握したうえで指導することを心がけましょう。一方，手技が上手な人には，児の呼吸状態(気道確保，分泌物，胸の上り，酸素化の変化など)の観察をすることを忘れないように指導しましょう。たとえば，「CPAPをしている際に，児の分泌物が増えてきました。どうしましょう？」など，臨床に則した状況を設定し，**CPAPをしている最中にも，児の観察が重要である**ことを伝えましょう。

酸素投与

フリーフロー酸素投与を行うときには，投与方法の具体例(手をカップ状にして投与，流量膨張式バッグマスクを使用した投与，自己膨張式バッグマスクを使用した投与)を受講者に示しておくことが重要です。特に，自己膨張式バッグマスクを使用した場合には，リザーバーバッグの有無の意味などを説明することを忘れてはいけません。

Tピース蘇生装置

この装置は，医療機器としての普及が十分ではないことが考えられます。まずは，受講者に装置の使用経験を確認し，初めての人には機器そのものの構造，使用方法などを説明してあげましょう。詳細は別項(p.74，「Tピース蘇生装置」)を参照してください。

改善傾向の判断

2020年の改訂で，CPAPあるいは酸素投与を開始してから児の呼吸状態，中心性チアノーゼ(酸素化)が改善しているかどうかの判断が新たに加わりました。介入をしてから少なくともおおむね30秒ごとには児の状態を評価し，改善傾向がなければ，精査のために入院を考慮するとされました。実技実習でもこの「再評価」をすることを忘れないようにしましょう。

（草川 功）

2 専門コース（Aコース），一次コース（Bコース）

高度な手技・補助教材を用いた指導のポイント

ラリンゲアルマスク

ラリンゲアルマスクの歴史

ラリンゲアルマスク（Laryngeal Mask；LM）はバッグマスク換気よりも確実で，気管挿管よりも簡単かつ安全な器具として，1980年代に麻酔科医によって開発されました[1)]。成人・小児を中心にその有用性が認められ，1994年には，新生児蘇生における成功体験が報告されました[2)]。その後，LMの使用経験のない小児科医や看護師でも短時間で習得可能であり，実際の新生児の蘇生において，バッグマスク換気よりも高い成功率が得られることが複数のランダム化試験によって示されています[3, 4)]。

NCPRにおけるLM

- 在胎34週以上の新生児の蘇生においては，マスクで有効な換気ができなければ，ラリンゲアルマスクを気管挿管に代わる手段として考慮できます。また，小顎症や巨舌があるなど気管挿管が困難な状況では，ラリンゲアルマスクが気道確保に有用な場合があります。
- LMは，看護師・助産師・救急救命士であっても，LMの使用経験あるいは知識があり，「LMによって児の予後が改善できる可能性がある」場合は，使用が可能です。

フェースマスク・気管挿管との比較

フェースマスクと比較

◎	気道確保がしやすく，換気が成功する確率が上がる。
◎	左手がICクランプを続けることの負担から解放され，有効な換気を続けやすくなる。
○	長時間人工呼吸を続けることによる腹部膨満のリスクが軽減される。
×	自発呼吸も筋緊張も十分な児に対するLM留置は危険であり，安定化の流れでは使用できない。 ※努力呼吸を呈する症例にLMを使用される場合があるが，嘔吐や気道損傷のリスクがある。あくまでも「救命の流れ」において，無呼吸・筋緊張が低下している状態において使用するものであることを説明してほしい。

気管挿管と比較

◎	より迅速に気道確保ができる。
◎	経験の乏しいスタッフでも習得が容易である。
◎	食道挿管や片肺挿管が起こりえない。
○	挿入時のストレス反応，気道損傷の合併症が少ない
×	高い吸気圧（20cmH_2O以上）を必要とする場合，有効な換気が得られない可能性がある。
×	声門以遠の気道閉塞を解除できない。
×	エアウェイを介した薬物投与の効果は挿管チューブよりもさらに安定しない。

わが国で販売されている代表的なLMと使用法

TOKIBO-ambu LMA（アングルタイプ）（東機貿）

サイズ1が体重5kgまでの児に使用できます。アングルタイプは，古典的なストレートタイプのように術者の示指を挿入する必要がなく，ペンを持つようにエアウェイチューブを握って挿入できます。使用前にカフの空気を抜き，マスク背面を硬口蓋から咽頭後壁，下咽頭に滑らせるように，抵抗を感じるまで進め，挿入後には必ずカフに2～3mLの空気（最大4mL）を注入します。6Frの吸引カテーテルの挿入口があり，人工呼吸を行いながら胃内を適宜脱気することが可能です。

i-gel®（日本光電）

サイズ1が体重5kgまでの児に使用できます。マスクは体温に反応して形状変化する軟らかな構造で，カフを膨らませることなく喉頭周囲に高い気密性を確保できます（厳密にはLMではありませんが，声門上器具として同じように使用できます）。カフを虚脱させたり膨らませたりする必要がないため，開封後すぐに使用できるというメリットがあります。ペンを持つようにバイトブロック部を握り，マスク開口部が新生児の舌側となる向きで挿入し，硬口蓋に当てる要領で滑らせるように，抵抗を感じるまで進めます。

Air-Q™（インターメドジャパン）

サイズ0.5が体重4kgまでの児に使用できます。マスクはもともとシャープな形状をしており，硬口蓋や咽頭後壁に対して鋭角に進めるとマスク先端が折れる可能性があるので，舌圧子などを使用して口腔内のスペースを確保し，気管チューブを進めるときと同様にまっすぐ進めます。オートクレーブ滅菌が可能で，60回まで再使用できます。また，専用器具を用いてLMを介した気管挿管が，他の器具よりも容易です。

失敗しないLM実習の実際(準備物品)

●LMの挿入実習が可能な新生児蘇生モデル(最重要)

適切な深さまでマスクを挿入できれば，バッグを揉んだ際に気管挿管と同等の胸郭上昇が得られることを確認してください。マスクを挿入することはできても，リークが発生して胸郭上昇が得られない新生児蘇生モデルは，実習に使用できません。

●種類するLMによっては追加物品

TOKIBO-Ambu：カフを虚脱膨張させるための5mLシリンジ，胃内吸引用の6Frカテーテルを用意してください。

Air-Q™：カフ用シリンジ，LMを介した気管挿管の実習をする場合は，抜去用スタイレットを用意してください。

●アルコール消毒液

実際には水溶性潤滑剤(KYゼリーなど)が使用されますが，実習においてはアルコール消毒液を準備して，挿入のたびに新生児蘇生モデルの口腔内にしっかり塗布して潤滑させるとよいでしょう。新生児蘇生モデルでゼリーを使用するとベタベタになります。

●舌圧子

舌表面と硬口蓋の間のスペースを確保しやすくなります。実際の臨床でも，これがあると便利です。

●CO_2検出器

気道が確保されていることを確認するため，エアウェイチューブと蘇生バッグの間に挟んで使用することがのぞましいです。

失敗しないLM実習の実際(手技指導)

- バッグマスク換気や気管挿管と比較すると非常に教えやすく，数回以内に100パーセント成功します。
- 数少ない“失敗”理由は，「浅すぎる」か「極端に斜めに挿入される」ことです。

●TOKIBO-Ambu

- カフを脱気してから使用し，挿入後に空気を入れる方法がメーカー推奨ですが，実際には，開封後そのまま挿入できることも多いです。カフの扱いをスキップすれば，挿入時間はさらに短縮されるでしょう。
- カフの脱気をする際には，2本指を当てて対称な形を保ちます(図1a)。
- 舌と硬口蓋の間に先端を入れてしまえば，後は口蓋に沿って滑らせるように挿入します(図1b，c)。
- 挿入スペースの確保が難しければ，舌圧子を使用するとよいでしょう(図1d)。

- 「抵抗があるところまで進める」とありますが，ある程度「思い切って」進めることがコツです。マスクが食道を損傷するほど大きな力を加える可能性は低いでしょう。
- 適切な位置まで挿入できれば，バッグ加圧によってしっかり胸郭上昇が得られることを示します。1cmでも引くと，胸郭が上昇しないことを示してもよいでしょう。
- 新生児蘇生モデルと同じくらいの体格の児であれば，挿入時の深さがどのくらいになるのかを覚えてもらいましょう。

図1　TOKIBO-Ambuを用いた手技の流れ

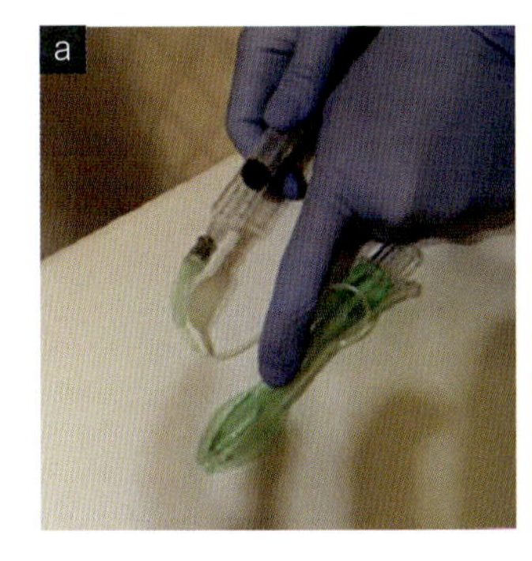
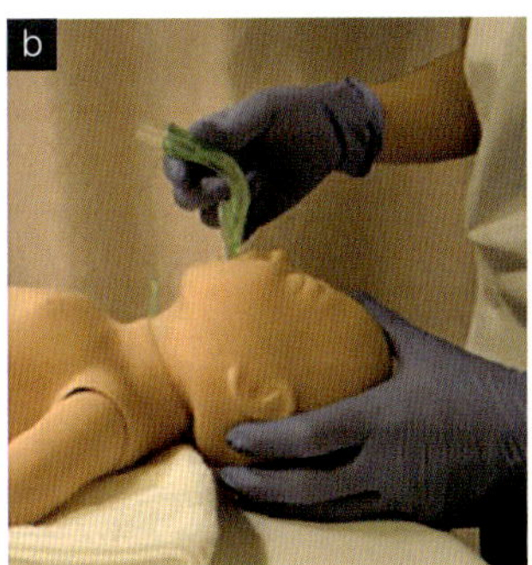
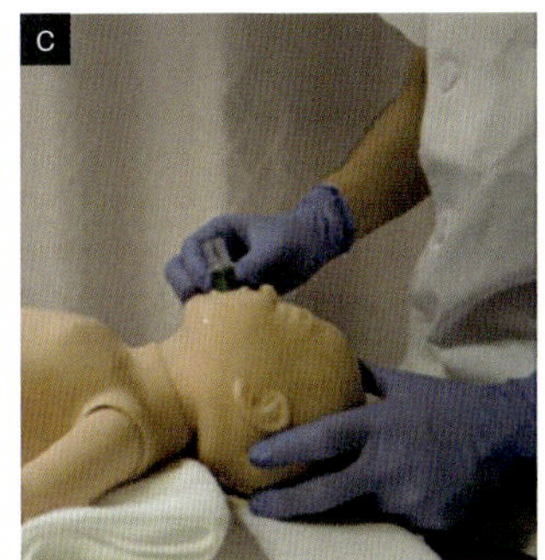
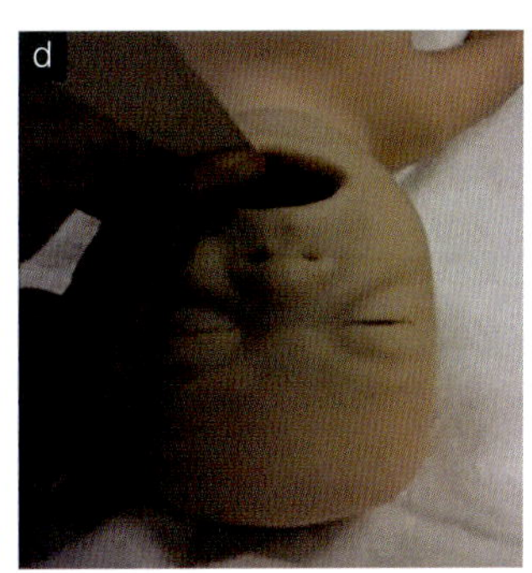

i-gel®

- カフの脱気･膨張が不要なだけで，挿入の流れはTOKIBO-Ambuと同じです（図1a～d）。

Air-Q™

- 筆者の個人的意見ではありますが，わずか0.5mLのカフを脱気したり膨張させたりする必要はありません。
- マスクの形状が薄いので，舌と硬口蓋の間を進めやすいのですが，マスク先端が口蓋に対して垂直に近い角度で当たると，曲がってしまう可能性があります（図2a）。そのまま挿入すると適切な深さであっても喉頭との密着が得られません（図2b）。このようなトラブルを回避するために，舌圧子を使用してしっかりとスペースを確保することをお勧めします。
- 他の器具よりも，「LMを介した気管挿管」が容易とされています。これが成功すれば，気管挿管と同様の効果が得られます（図2c）。必ずCO_2検出器で確認をしてください。盲目的な挿入の成功率は70％ほどといわれており，乱用は危険です。
- 気管チューブを残してAir-Q™だけを抜去するための専用器具があります（図2d）。

図2　Air-Q™を用いた手技の流れ

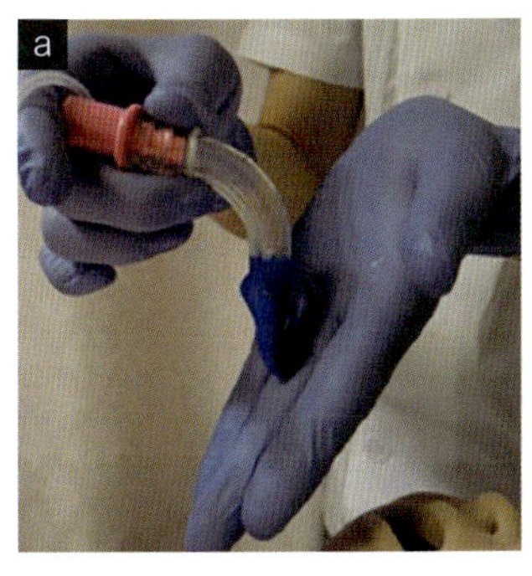
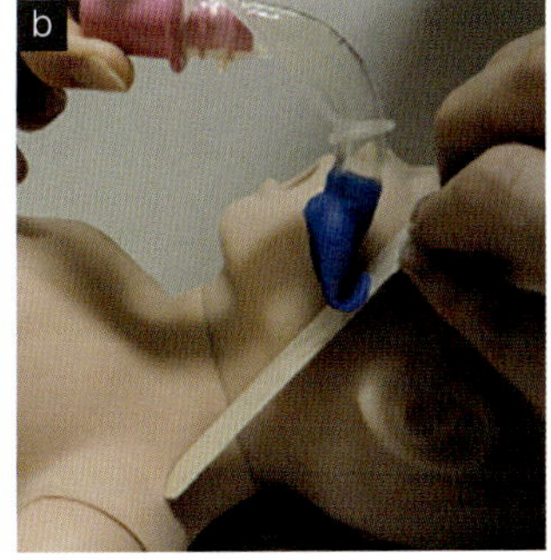
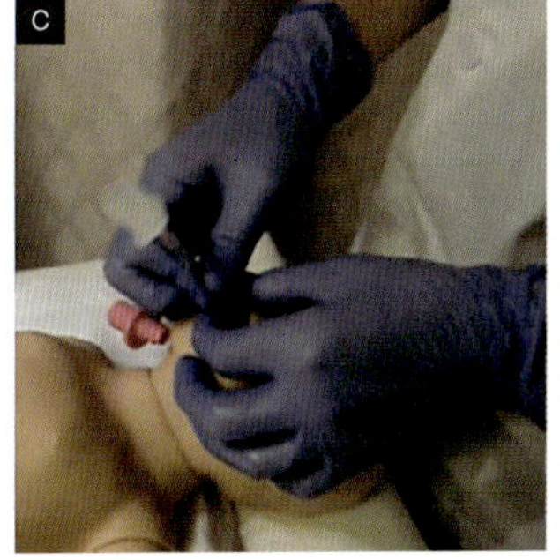
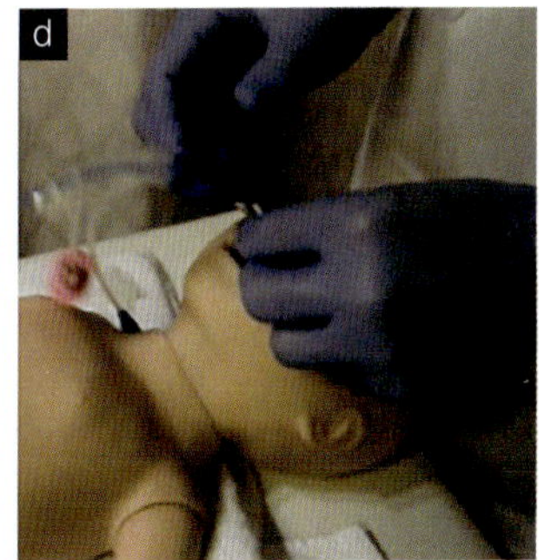

LM実習におけるFAQ

Q. 低出生体重児にも使用できますか？

A. 在胎34週以上が使用条件であり，それ未満の場合の安全性・有効性は確立されていません。

LMの研究対象は1,500～2,000g以上の児です。在胎34週早産児の出生体重標準値-2SDは約1,500gですから，多少小さくても，この週数以上あれば使用可能と思われます。1,500g未満になると症例報告レベルになります。

Q. LMから薬物を投与できますか？

A. 有効性が確立された方法とはいえません。

早産児に対して，LMを介したサーファクタント投与が成功したという報告はあります[5]。十分に準備がされていない状況で呼吸窮迫症候群（respiratory distress syndrome；RDS）を合併した新生児が生まれ，どうしても気管挿管が成功しない場合には考慮できるかもしれません。

アドレナリンについては動物実験[6]のみ情報があり，気管内投与と同等の血中濃度上昇が得られましたが，静脈内投与には及びませんでした。

Q. 長時間のLM使用は可能ですか？

A，搬送までの数時間は問題ありませんが，24時間以上の使用は症例報告レベルの情報しかありません。

気道病変を合併する先天奇形症候群の新生児に対して，LMを留置した状態で4～6日間まで人工呼吸管理を続けた症例報告があります[7]。

（水本　洋）

●文献

1) Brain AI: The laryngeal mask airway - a possible new solution to airway problems in the emergency situation. Arch Emerg Med 1984; 1: 229-32
2) Brimacombe J: The laryngeal mask airway for neonatal resuscitation. Neonatal Intensive Care 1994; 7: 14-7
3) Trevisanuto D , Cavallin F, Nguyen LM, et al: Supreme Laryngeal Mask Airway versus face mask during neonatal resuscitation: A randomized controlled trial. J Pediatr 2015; 167:286-91.e1.
4) Pejovic NJ, Trevisanuto D, Lubulwa C, et al: Neonatal resuscitation using a laryngeal mask airway: a randomized trial in Uganda. Arch Dis Child 2018; 103: 255-60
5) Pinheiro JMB, Santana-Rivas Q, Pezzano C, et al: Randomized trial of laryngeal mask airway versus endotracheal intubation for surfactant delivery. J Perinat 2016; 36: 196-201
6) Chen KT, Lin HJ, Guo HR, et al: Feasibility study of epinephrine administration via laryngeal mask airway using a porcine model. Resuscitation 2006; 69: 503-7
7) Yao CT, Wang JN, Tai YT, et al: Successful management of a neonate with Pierre-Robin syndrome and severe upper airway obstruction by long term placement of a laryngeal mask airway. Resuscitation 2004; 61: 97-9

Ⅱ 講習の実際

2 専門コース（Aコース），一次コース（Bコース）
高度な手技・補助教材を用いた指導のポイント
緊急臍帯静脈カテーテル留置の指導

緊急臍帯静脈カテーテル（umbilical venous catheter；UVC）の留置自体は，決して難しい手技ではありません。しかし，実施する機会は滅多になく，いざ実施するとなると極度の緊張を強いられる場面であることから，平時から備えておくことが重要です。そこで本項では，シミュレーショントレーニングを利用した緊急UVCの指導法について概説します。

1 学習者の事前学習事項

以下に挙げる内容を，事前に学習してきてもらいます。手順については指導者のデモンストレーションを撮影しておき，事前に視聴してもらうのもよいでしょう。英語ではありますが，NEJM（The New England Journal of Medicine）のビデオ教材[1]も参考になります。

適応，投与薬物

適切な人工呼吸と胸骨圧迫を行っても心拍が60/分以上とならないときは，アドレナリンを投与します。このときの投与経路は臍帯静脈が第一選択とされており，速やかなUVCの留置が求められます。詳しくは，「Ⅱ　講習の実際　基本手技の実技実習」（p.57），およびNCPRテキストを参照してください。

禁　忌

一般的なUVCの禁忌には，臍帯炎，臍帯ヘルニア，腹壁破裂，壊死性腸炎，腹膜炎が挙げられます[1, 2]。しかし，緊急UVCを留置しようというときは救命できるかどうかの瀬戸際であり，絶対的な禁忌はありません。実際には，臍帯ヘルニアがあるとUVCの挿入は難しくなります。

準備，必要物品

一例を示します（表1）。施設の実情に応じて，同様の物品をセットにしておくとよいでしょう。

表1　準備・必要物品の例

臍帯静脈用シングルルーメンカテーテル*	早産児3.5 Fr（18～19G） 正期産児5 Fr（15～16G）	1

*ダブル・トリプルルーメンカテーテルは生理食塩水を通す手間が増えるため最適ではない。栄養チューブや多用途チューブは，血管内留置材料としては承認されておらず，勧められない。

三方活栓		1
シリンジ	2.5mLまたは5mL	1
生理食塩水	20mL	1
剪刀		1
ディスポシーツ		1
ガーゼ		5～10
手袋		1
絹糸		2～3
固定用テープ，消毒薬，綿球		

※いずれも滅菌材料を用いる

留置手順

清潔を保つことは努力目標であり，以下の①～⑫のうち状況により⑤⑥は省略できます。「⑫固定」の前まで，①～⑪だけでも1人で行うと4～5分はかかるでしょう。

①ディスポシーツ上に物品を並べます（時間がかかるので，可能なら複数名で手早く行いましょう）。
②手袋を装着します。以降，できる範囲で清潔を保ちましょう。
③シリンジに生理食塩水を吸います（容器が清潔でない場合はガーゼ越しに掴みます）。
④カテーテル，三方活栓，シリンジを接続し，カテーテルに生理食塩水を満たして三方活栓をロックします。
⑤臍帯を持ち上げ，すばやく消毒します。
⑥臍帯の周りにガーゼを敷きます。
⑦臍帯根部を糸で，一重結びで縛ります。きつくなりすぎないようにしましょう。
⑧臍輪から約2cmの長さ（指で保持できる長さ）で切断します。胸骨圧迫中なので，**声をかけ，怪我をしないように注意**します。切断面からの出血が多い場合は糸を少しきつくします。
⑨臍帯静脈を同定し，カテーテルをゆっくり挿入します。結紮部位から先に進まないときは，糸を少し緩めます。
⑩臍輪から2 cmくらい進めたら，血液の逆流（逆血）を確認します。
⑪逆血が確認できたらそれ以上は挿入しません。なければ，逆血が確認できるところまで0.5～1 cmずつ進めます。
⑫逆血がスムーズに確認できる深さからずれないように注意し，臍帯根部の糸をきつめに締め，追加の糸やテープで臍とUVCとを固定します。介助者がいる場合は固定を後回しにし，UVCを臍とともにしっかり保持しておいて，介助者に薬物投与を依頼してもよいでしょう。

主な合併症

出　血

臍帯断面からの出血は，根元の糸を締める強さでコントロールします。

血管外挿入，腹腔内挿入

カテーテルを無理に進めると，偽腔を形成するなどして先端が血管外を進み，腹腔内に達する可能性があります。逆血をよく確認することが重要であり，逆血がない場合には留置をやり直しましょう。

門脈内迷入，肝損傷

カテーテルを深く進めると門脈に迷入する可能性があり，肝損傷の原因となります。X線写真等で先端位置を確認する時間はないため，カテーテルを「逆血が引けたところで固定する」ことにより先端を臍静脈内に留めます。

感染症

迅速さを優先する分，感染症のリスクは高くなります。蘇生事象を脱し，高次医療機関に搬送できたら，速やかに別の静脈路を確保してUVCは抜去しましょう。

2 シミュレーショントレーニングの準備

①シミュレーションの準備

必要な物品

前項で挙げたもののほかに，新生児蘇生モデル，人工臍帯，蘇生台が必要となります。また，留置に要した時間を計れるように，ストップウォッチがあるとよいでしょう。

物品の工夫

トレーニングで使う物は，新品である必要はありません。普段の臨床に際して「開封したが使わなかった」という物品を取っておけば，繰り返し利用できます。下記のように代用品を用いてもよいと思います（図1，表2）。代用品を用いる場合は，あらかじめ学習者にその旨を説明しましょう。

図1　トレーニング時の物品とその代用品

a：実際に必要な物品，b：代用品。※各番号は表2中の番号と対応

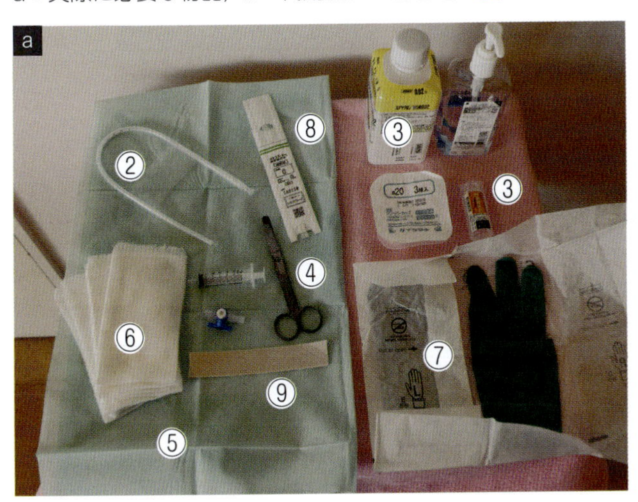

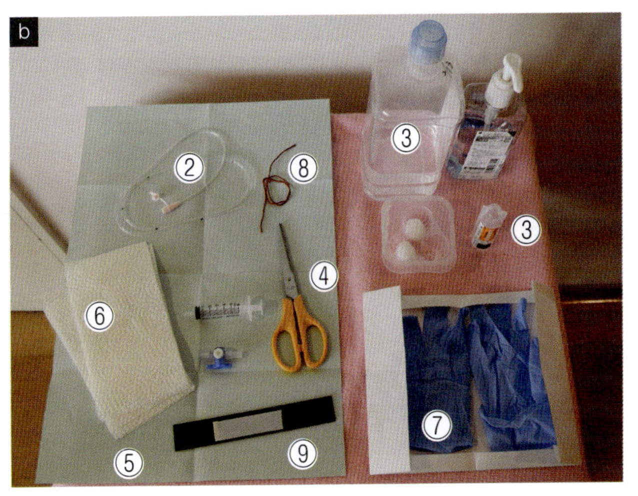

表2　シミュレーションにおいて代替可能な物品例

	正規物品	代用できるもの
①	蘇生台	適切な高さの机やテーブル
②	臍帯静脈用カテーテル	多用途チューブ(三方活栓が接続できるもの)
③	生理食塩水，消毒薬	空容器に水道水を入れる
④	剪刀	はさみ(文具)
⑤	ディスポシーツ	コピー用紙
⑥	滅菌ガーゼ	クッキングペーパー
⑦	滅菌手袋	非滅菌のプラスチック手袋
⑧	糸(1号絹糸など)	太めの裁縫糸
⑨	固定用テープ	ビニルテープ

新生児蘇生モデルも，必ずしも医療者教育用でなくても，工夫すれば低予算で用意できます(図2d，e)。

人工臍帯も非常に高価であり，切断して消費していくとコストがかさみます。初めから短いものを装着しておいて，「切断したつもり」としてもよいでしょう。人工臍帯でなくヒト臍帯を利用する方法もあり[3)]，見た目や触感，挿入時の抵抗感まで再現できる利点がありますが，血液汚染のリスクが問題となります。

図2　新生児蘇生モデルと人工臍帯

a：医療者教育用新生児蘇生モデルと人工臍帯，b：人工臍帯の断面，c：ヒト臍帯の断面，d：臍と背部に穴を開けたプラスチック製の人形と，哺乳瓶の乳首の先端を切って人工臍帯を差し込んだもの，e：dの人形と人工臍帯とを組み合わせたもの

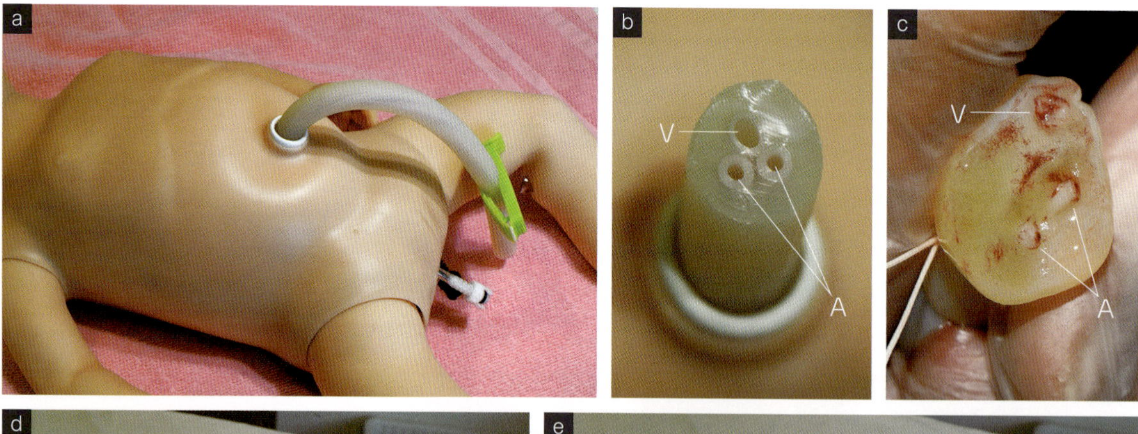

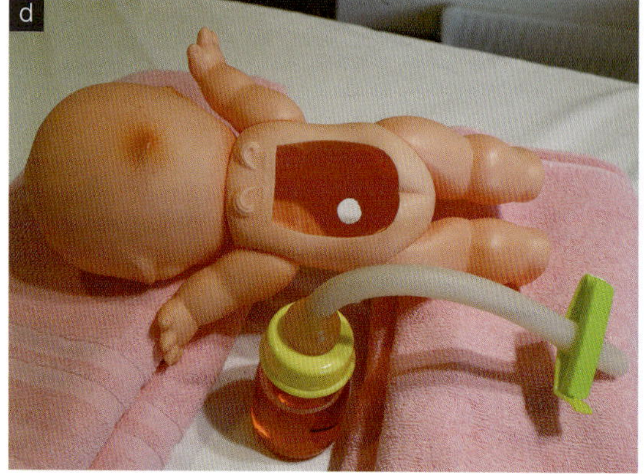

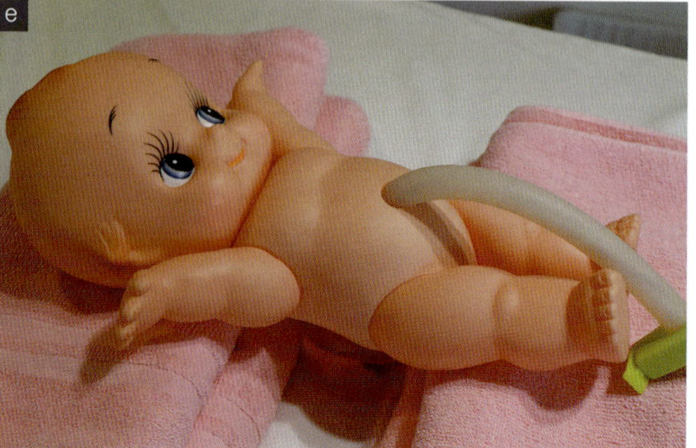

V：臍帯静脈，A：臍帯動脈

②トレーニングの実際

3 トレーニングの実際

手技トレーニングかシナリオ実習か

学習者のレベルや学習目標に応じてトレーニング方法を選択します。

●手技トレーニング

場面設定はせず，手技に焦点を当てます。準備から挿入，固定まで，比較的短時間で繰り返し練習しやすいのが利点です。特に，UVCの経験がない学習者に適しています。①指導者がデモンストレーションする，②手順のヒントを出しながら学習者にトライさせる，③ノーヒントで学習者にトライさせる，とステップアップしていくとよいでしょう。

●シナリオ実習

患者や蘇生場面を仮想して行います。緊張を強いられるなかで迅速に実施できるようになるためには，緊迫感のあるなかで訓練しておくことも重要です。手技が身についている学習者に適しています。

●シナリオの一例

【設定】母体は妊娠39週。強い腹痛を主訴に来院した。常位胎盤早期剥離と診断し，胎児徐脈も認めたため，すぐに帝王切開を行った。児は出生時から啼泣せず，気管挿管して人工呼吸，胸骨圧迫を適切に行っている。現在，生後4分，心拍40／分である。

【役割】すでに，2人の蘇生者が人工呼吸と胸骨圧迫とを行っている。学習者は，緊急UVCを留置するために呼ばれた3人目の蘇生者である。ほかに人員はいない。

目標と評価

③振り返り

例えば以下のような目標と，それに対応した評価項目(表3)とが考えられます。

①緊急UVC留置に必要な物品を準備できる。
②手順に沿って1人で迅速にUVCを留置し，固定できる。
③起こりうる合併症に留意し，対処できる。

表3　緊急UVC留置シナリオ実習チェックリスト

チェック	対応する目標	チェックポイント
1	①	□ 適切なカテーテルの種類(シングルルーメン)，サイズ(正期産児⇒5Fr)を述べた
2	①	□ 必要な物品を集め，清潔野に広げた
3	②	□ 臍帯を切断する前に，カテーテルに三方活栓とシリンジを接続し，生食を通した
4	②	□ 臍帯を切断する前に，糸を用いて臍帯根部を一重結びで軽く縛った
5	②	□ 臍帯の切断時に他の蘇生者に声かけをした
6	③	□ 臍帯切断後の出血に対し，糸を少し締めることで対応した
7	②	□ 臍帯静脈を同定し，カテーテルを挿入した
8	②	□ 臍輪から2cm程度まで挿入した後は，血液の逆流を確認しながら少しずつ挿入した
9	②	□ 血液の逆流が確認できたらそれ以上は進めず，その深さを維持して，糸やテープを用いて固定した
10	②	□ 目標時間内に準備から固定までを完了した(実際にかかった時間：___分___秒)
11	②	□ 手袋装着後，手首より先が不潔野に触れることはなかった(ガーゼ越しに触るのは可)
12	③	□ 起こりうる合併症とその対処法を，「出血」以外に2つ以上述べた

指導のポイント

「迅速さを重視しつつ，安全に，正確に留置できるか」に注目します。
表3のチェックリストに沿って解説していきます。

一つひとつの処置や手順が正しいか

チェック1，7，8，9，12について，学習者の理解を確認するには指導者からの問いかけが必要です(「カテーテルは何Frを選ぶ？」「臍帯静脈と臍帯動脈の違いは？」「深さはどのように決める？」「留意すべき合併症は？」など)。

チェック2は，必要物品を「緊急UVCセット」として常備できる施設であれば，省略してもかまいません。そのような対応が難しい施設では，すぐに物品を集める訓練が必要です。不要なものも含めてさまざまな物品を机に並べておいて，「必要なものだけを取ってください」としてもよいですし，実際に物品を保管してある場所から集めてきてもらってもよいでしょう。

チェック3，4は，臍帯の切断が先になってはいけません。学習者が順序を間違えた場合には，切断端から目を離した隙に「断端から出血している」とトラブルを示唆したり，振り返りで「どのような手順で行ったか」と問いかけたりして，気付きを促しましょう。

安全に行えるか

チェック5の「声かけ」について，臍帯切断は医療者にとって危険を伴う場面であり，特に，胸骨圧迫を行っていると揺れて狙いが定まらないので注意を要します。「揺れて危ない」と声をかけたり，実際にマネキンに胸骨圧迫を実施したりして対応を考えるように促します。**チェック6**「臍帯切断後の出血」については，臍帯切断後に「動脈から血が溢れてきました」と声をかけ，適切に対応できるかを確認しましょう。

清潔さと迅速さ

チェック10の「目標時間」は，用いる物品や介助者がいるかどうかにも左右されますので，学習者のレベルも考慮しつつ，8～10分くらいから徐々に短くしていくのがよいでしょう。

チェック11の「清潔操作」に関連して，迅速さのために清潔さをどのくらい犠牲にしてよいかについては絶対的な正解はなく，指導者の意見を一方的に押しつけるのも好ましくありません。学習者がどのくらい不潔野に触れていたかを観察し共有して，それが許容できるレベルかどうか，その分だけ迅速さが増しているかを議論してすり合わせるのがよいでしょう。

現場で実践できるように訓練する

シミュレーションで上手くできても，現場で実践できるとは限りません。ちょっとした演出を加えたり時間制限を設けたりして，緊迫感のあるなかでも的確に行動できるようにトレーニングしましょう。例えば次に挙げるような工夫が考えられます。

- メトロノームやアプリを利用して，高度徐脈の心拍を聞かせる。
- 「急いで！」「まだ徐脈が続いているよ」などと声をかける。
- 人工呼吸や胸骨圧迫を行いながら留置してもらう。
- 目標時間を短く設定する。
- 事前に簡単に予告（「明日，緊急UVCのトレーニングをします」など）したうえで，当日，「重症仮死だから今すぐ来て！」と呼び出し，すぐにUVCを留置してもらう。（動画参照）

（甘利 昭一郎）

参考文献

1) Anderson J, Leonard D, Braner D, et al: Umbilical Vascular Catheterization. N Engl J Med 2008; 359: e18. DOI: 10.1056/NEJMvcm0800666.
2) Seo S: "Umbilical Vein Catheterization". Ramasethu J, Seo S. eds, MacDonald's Atlas of Procedures in Neonatology Sixth Edition. p.217-23, Wolters Kluwer, 2020.
3) 伊東 藍，甘利昭一郎，小澤悠里，ほか.：ヒト臍帯を用いた臍帯カテーテルの留置のためのタスクトレーナーの作製について. 日本シミュレーション医療教育学会雑誌2019; 7: 1-7.

2 専門コース（Aコース），一次コース（Bコース）
高度な手技・補助教材を用いた指導のポイント
Tピース蘇生装置

Tピース蘇生装置は，自己膨張式バッグ，流量膨張式バッグとならぶ蘇生補助器具であり，欧米では広く普及しています。呼吸補助を必要とする新生児に対し，安定した最大吸気圧（peak inspiratory pressure；PIP）や呼気終末陽圧（positive end expiratory pressure；PEEP）を供給することが可能であり，また，持続的気道陽圧（continuous positive airway pressure；CPAP）や酸素濃度の正確な調節も可能です。

流量膨張式バッグでも同様の手技は可能ですが，適切に使用するためにはある程度の経験を要するため，蘇生経験の多くない術者にとってはTピース蘇生装置のほうが安全かつ簡便に換気を行うことができます。

Tピース蘇生装置とは

- Tピース蘇生装置は，人工呼吸を必要とする新生児に対して最大吸気圧（PIP）とPEEPを任意に設定し，手動で人工換気を行うことを目的とした蘇生装置です。単体タイプと，最近では開放型保育器に内蔵されたタイプとの2種類があります。
- 本器は空気および酸素のガス圧を利用しており，電気などの動力源を必要としません（開放型保育器の電源が入っていなくても，空気および酸素の配管に接続されていれば使用可能です）。
- Tピース蘇生装置から供給される酸素・空気混合ガスは，ブレンダーで希望の酸素濃度に調整が可能です。また，接続した流量計を調整することで0～15L/分の範囲で希望の流量に調整できます。
- 本体パネルの最大吸気圧（PIP）設定ツマミのダイヤル調節で，患者にかかるPIPを任意に設定できます。また，蛇管の先端に取り付けたPEEPバルブのダイヤル調節により，患者の肺胞虚脱を防止するためのPEEPの設定が可能です。そのほか，患者の肺に過大な圧がかからないよう，安全装置として最大開放圧（PMAX）設定ツマミが付いています。

使用の準備

Tピース蘇生装置は他の蘇生バッグに比べ，設定などに時間を要するため，余裕をもって準備しましょう。理論上，同じ条件下の使用であれば，術者が誰であっても使用前に設定したPEEP/PIPがそのまま患者に供給できます。しかし，マスクの密着が不十分でリークが多ければ設定した換気圧が供給できず，有効な人工呼吸を行うことができません。従って，術者にはTピース蘇生装置を使用する場合も，他の蘇生バッグと同様に正確なICクランプ法の習得が求められます。また，正しく使用するために一度は取扱説明書に目を通し，機器各部の名称（図1）や特性を理解しておくとよいでしょう。

必要物品（図2）

- 患者回路（PEEPバルブ付Tピース，蛇管）
- フェースマスク
- テストラング（準備できなければ，術者の手掌や指で代用可能）
- 酸素供給ホース（単体用に，ブレンダー接続用）

図1　蘇生装置本体（前面）と各部の名称　〔レサシフロー（アトムメディカル）〕

a：保育器内蔵タイプ

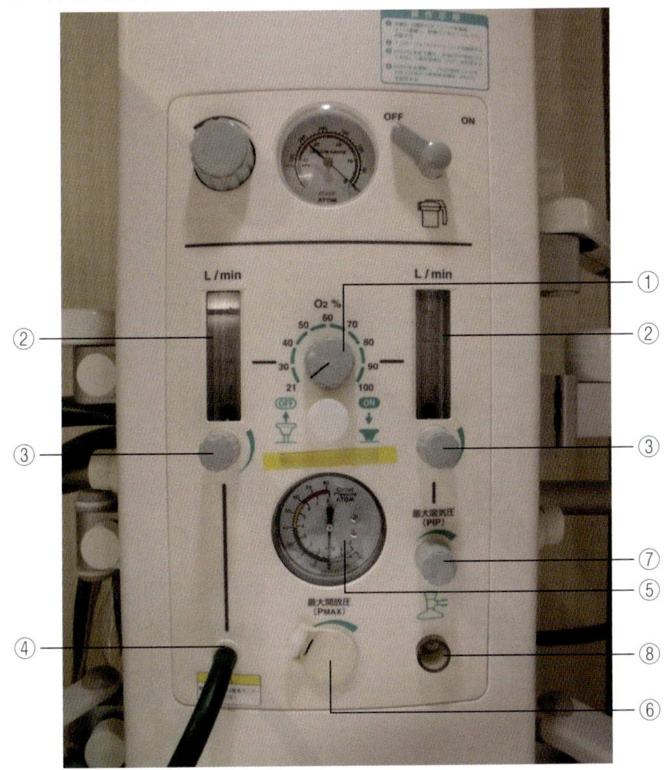

番号	名称	機能
①	酸素濃度設定ツマミ	外部より供給された医療用酸素と空気を混合させ，酸素濃度を21～100%の範囲内で任意に設定する。
②	流量計	ブレンダーにより任意の濃度に設定された混合ガスの流量をツマミに回して，0～15L/minの範囲で任意に設定する。
③	流量設定ツマミ	流量を設定するツマミ
④	アウトレット	流量計により任意の流量に設定された混合ガスを吐出する。このガスは加湿器を経て患者へ供給される。
⑤	回路内圧計（マノメーター）	回路内圧を表示する。
⑥	最大開放圧（PMAX）設定ツマミ（保護キャップ付）	装置の安全弁作動圧（リリーフ弁）を設定する。常時使用しないので，保護キャップがついている。
⑦	最大吸気圧（PIP）設定ツマミ	最大吸気圧を設定する。
⑧	患者回路接続口	酸素，空気，または酸素・空気混合ガスの吐出口。患者回路を接続する。

b：単体タイプ

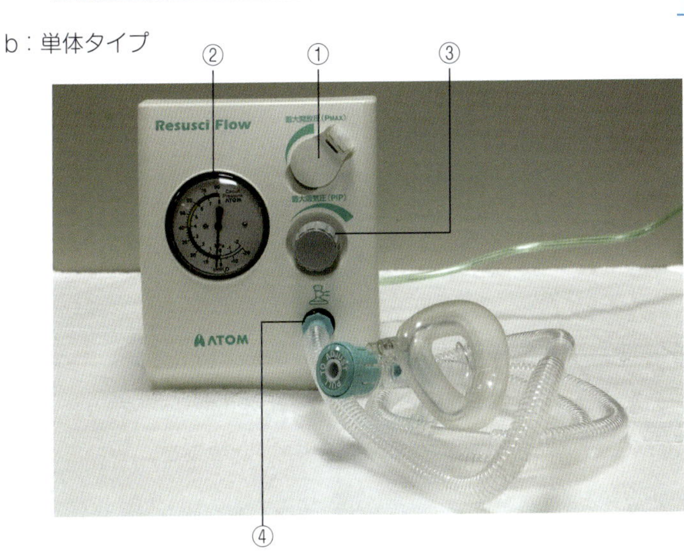

①最大開放圧（PMAX）設定ツマミ（保護キャップ付）
②回路内圧計（マノメーター）
③最大吸気圧（PIP）設定ツマミ
④患者回路接続口

図2 必要物品

筆者らの施設で用いている物品

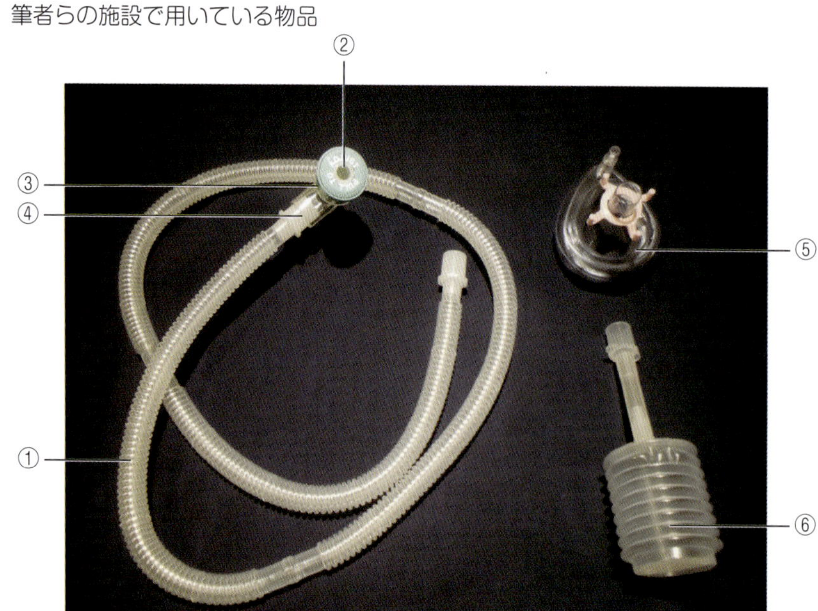

番号	名称	機能
①	蛇管	本器とPEEPバルブ付Tピースの間を接続する患者回路の蛇管
②	PEEP/PIP切替孔	この孔を指で塞ぐか開けるかで，最大吸気圧(PIP)と呼気終末陽圧(PEEP)の切替を行う
③	PEEP設定ツマミ	患者の呼気終末陽圧(PEEP)を設定するツマミ
④	PEEPバルブ付Tピース	蛇管，フェースマスクまたはテストバッグを接続する
⑤	フェースマスク	患者に装着し、吸入ガスを漏れないように送る
⑥	テストラング	最大吸気圧(PIP)と呼気終末陽圧(PEEP)の設定のときに，PEEPバルブ付Tピースに接続する

①酸素・空気混合ガスの酸素濃度と流量

1)患者回路接続口に患者回路を接続し，PEEPバルブ付Tピースの開いている接続口にテストラングを接続します(テストラングは構成品セットに含まれていない製品もあるので，その場合は，準備が必要です)。

2)酸素濃度設定ツマミを回して，希望する酸素濃度に設定します。

3)流量設定ツマミを回してガスが出ることを確認しながら，流量計の目盛に表示された酸素・空気混合ガスの流量(L/分)を希望する値に設定します。流量は，流量計のフロート(球)の中心位置の目盛を読みます。**供給流量は5～15L/分で調節可能ですが，あらかじめ施設ごとに流量を決めておき，固定して使用するとよいでしょう(10L/分など)。**

②最大開放圧(PMAX)の設定(図3)

重要：最大開放圧(PMAX)は，患者に過剰な換気圧が供給されないよう40cmH_2O以下に設定します。

1)希望の供給流量に調節します。

2)最大吸気圧(PIP)設定ツマミを，右方向に最大まで回します。

3)保護キャップを開きます。

4)PEEPバルブ付TピースのPEEP/PIP切替孔を塞ぎます。

5)最大開放圧(PMAX)設定ツマミを回しながら**何度かPEEP/PIP切替孔を開閉し**，希望のPMAXを設定します。PEEP/PIP切替孔を閉じたまま圧力設定を行った場合，値が安定せず設定圧にばらつきが生じます。

図3　最大開放圧(PMAX)の設定

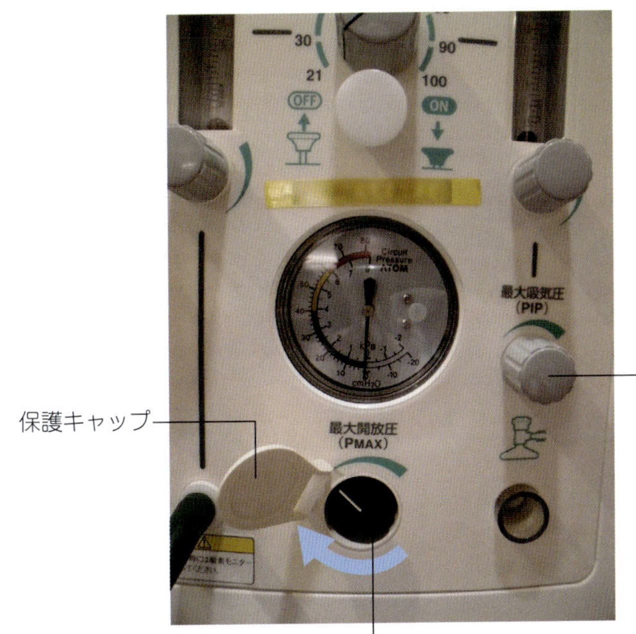

6) 設定が完了したら，誤操作防止のため，保護キャップを「パチン」と音がするまで閉じます。

7)「④最大吸気圧(PIP)の設定」に進み，PIPを設定します。最大開放圧(PMAX)の設定圧を変更した場合，**PIPはPMAXの設定圧以上に設定できません。**

③最大開放圧(PMAX)報知音機能について

PMAXの設定に対してPIPを上げすぎると，報知音が鳴ります。この報知音は設定圧力がPMAXに達していることを知らせるための機能で，報知音が鳴った場合はPMAXの設定を上げるか，PIPの設定を下げることで対応します。流量が8L/分より少ない場合，報知音は鳴りません。

④最大吸気圧(PIP)の設定(図4)

1) PEEPバルブ付TピースのPEEP/PIP切替孔を塞ぎます。

2) 最大吸気圧(PIP)設定ツマミを回しながら，**何度かPEEP/PIP切替孔を開閉し，**希望のPIPを設定します。

⑤呼気終末陽圧(PEEP)の設定(図5)

1)「④最大吸気圧(PIP)の設定」の手順に続き，**PEEP/PIP切替孔を開放した状態でPEEP設定ツマミを指で引き上げながら回し，**希望のPEEPに設定します(右に回すとPEEPは上昇します)。PEEPの設定は5～6cmH_2Oとし，8cmH_2Oを超えないようにしましょう。

2) 設定が完了したら，指を離すとPEEP設定ツマミが自動的に下へ戻ります。PEEP設定ツマミが下がった状態でツマミを回しても，設定圧力は変わりません。

【重要】 Tピース蘇生装置は圧力が流量に依存する特性があるため，最大吸気圧（PIP）とPEEPは構造上，操作者が設定した流量ごとにテストラングを使い圧力設定ツマミで圧力の調整を行う必要があります。すなわち，**流量を変更すると患者に供給されるPIP/PEEPも変化してしまうため，再調整が必要になります。**

図4　最大吸気圧（PIP）の設定

a

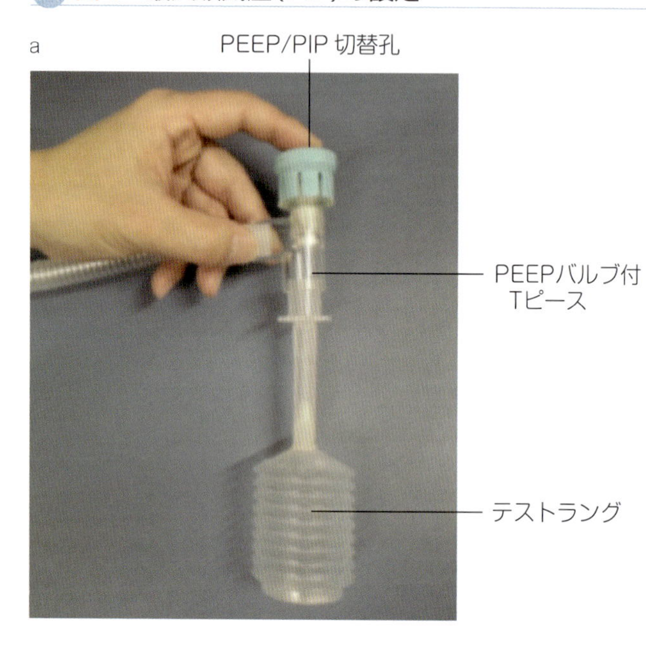

b

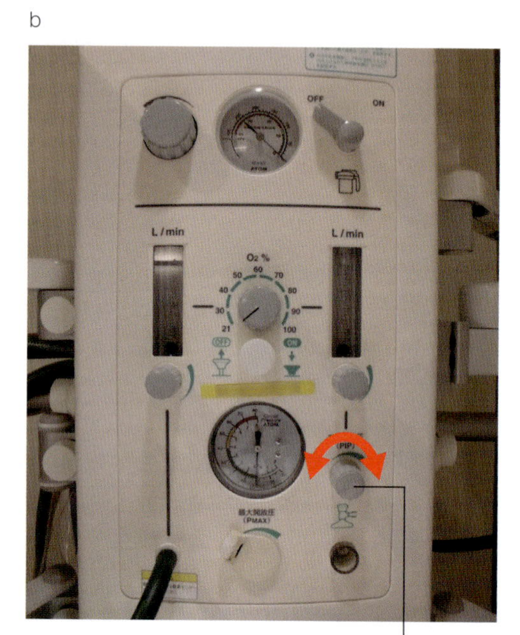

図5　呼気終末陽圧（PEEP）の設定

a：ツマミを指で引き上げながら回し，希望の位置で指を離す。

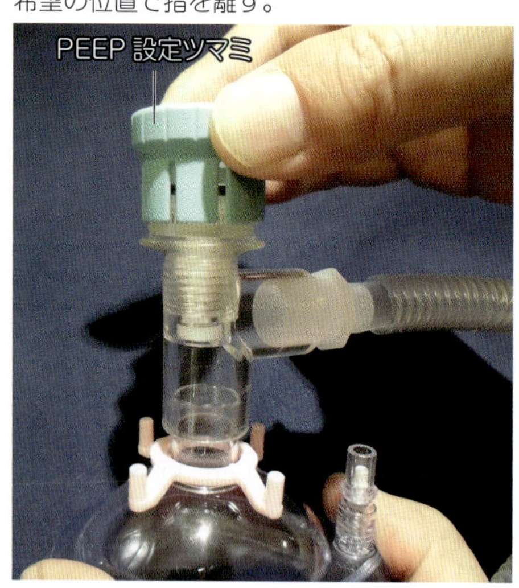

b：指を離すと，PEEP 設定ツマミが下がり，設定が完了する。

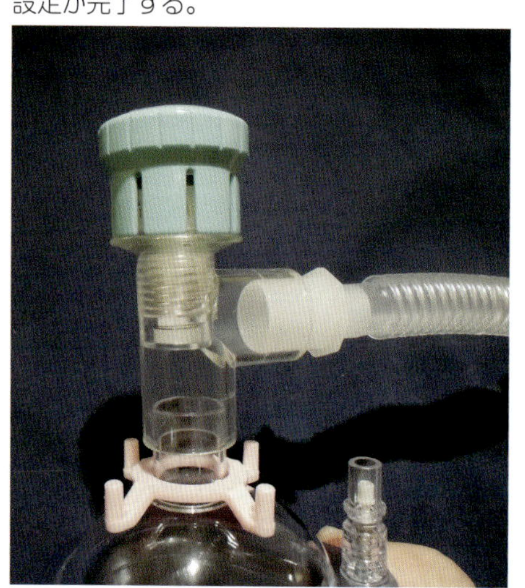

⑥PEEPバルブ付Tピースとフェースマスクの接続方法(図6)

操作者がPIPとPEEPそれぞれの圧力設定値を回路内圧計(マノメーター)で確認し，テストラングをフェースマスクまたは挿管チューブに付け替えます。フェースマスクの接続方法には2種類あり，操作者の希望に応じて選択できるようになっていますが，**確実なICクランプ法が行える方法を選択します。**

⑦換気の方法(図7)

患者の状態を観察しながらPEEP/PIP切替孔を手動で開閉します。PEEP/PIP切替孔を塞ぐと吸気に，開放すると呼気になります。

図6　PEEPバルブ付Tピースとフェースマスクの接続方法

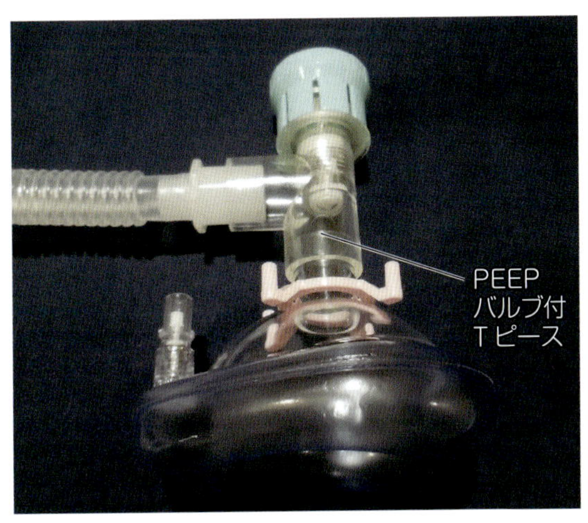

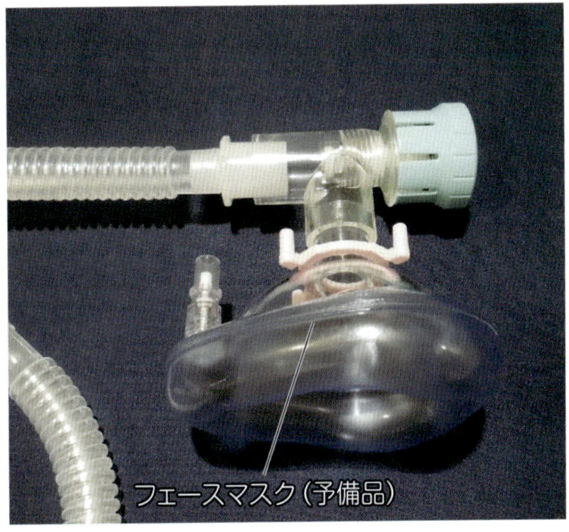

図7　換気の方法(写真は吸気，呼気の順)

児の状況を観察しながらPEEP/PIP切替孔を手動で開閉する。PEEP/PIP切替孔を塞ぐと患者は吸気に(a)，開放すると患者は呼気になる(b)。

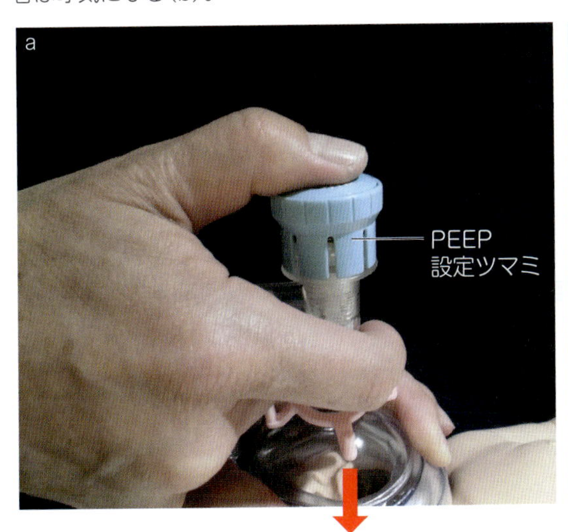

PEEP/PIP 切替孔閉鎖時(吸気時)

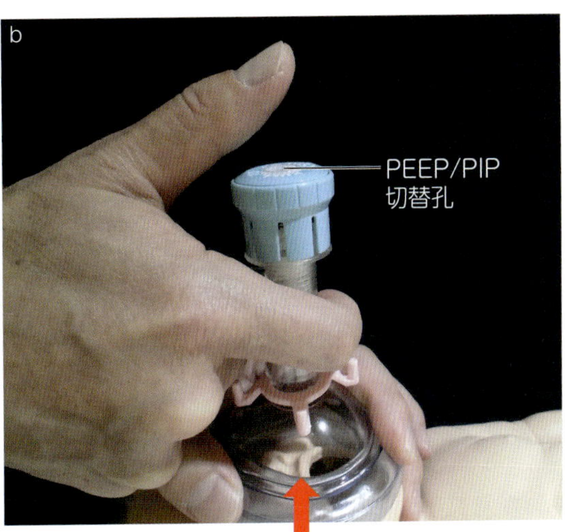

PEEP/PIP 切替孔開放時(呼気時)

Tピース1

Tピース2

蘇生の実際

- 片手でICクランプ法を用いて，マスクと児の下顎を固定します。このとき，リークや回路の閉塞があると，設定した圧力を供給できません。
- 希望するPEEPが供給できない場合，手順に従い，PEEP/PIP切替孔を開放した状態でPEEP設定ツマミを指で引き上げながら回し，希望のPEEPに設定します（右に回すとPEEPは上昇します）。
- 人工呼吸を行うときは，もう一方の手の指でPEEP/PIP切替孔を塞ぐと，あらかじめ設定したPIPを供給できます。このとき，PEEP/PIP切替孔を塞いでいる時間が吸気時間となり，開放すると呼気に切り替わりPEEPを供給します。**人工呼吸は常に回路内圧計（マノメーター）を確認しながら行い**，過剰圧によるエアリークや肺損傷のリスクを回避しましょう。
- 人工呼吸は40〜60回/分で行い，**吸気/呼気の時間比は，吸気1：呼気2を目安とします**（換気回数が40回/分なら吸気0.5秒，呼気1秒が目安）。
- 人工呼吸施行中は，**PEEP/PIP切替孔を塞ぐ（吸気を供給する）と患者の胸郭が挙上することを確認しましょう。**十分な胸郭の挙上が得られないときは，マスクの密着，気道確保姿勢および口腔・鼻腔吸引の必要性を再確認し，PIPの上昇を検討します。
- PIPを上げるときは，使用手順に準じて，最大吸気圧（PIP）設定ツマミで調整します。マスクを患者に密着させた状態で，最大吸気圧（PIP）設定ツマミを回しながら，何度かPEEP/PIP切替孔を開閉し，希望の設定圧に調整します。**このとき，供給流量は変更しません。**
- CPAPを行う場合，確実にマスクを密着させることで設定した圧が供給できます。**CPAPは常に回路内圧計（マノメーター）を確認しながら実施し**，圧の目標値は5〜6cmH_2Oとし，エアリークの危険性が高まる8cmH_2Oを超えないように注意しましょう。
- フリーフロー酸素の投与を行うときは，マスクが患者に接触し，思いがけず過剰な換気圧を供給してしまうことがないように，PEEP/PIP切替孔を開放して実施します。

使用上の注意

- ガス供給源がないと使用できません。
- マスクの密着が不十分でリークが多いと，有効な換気圧が供給できません。
- 流量膨張式バッグと違い，マスクの気密性が素早く判断できず，また，肺のコンプライアンスを感じることができません。
- 取扱説明書には，片手でマスクを保持しながら換気する方法も示されていますが，適切な換気を行うためには両手を使って実施することが望ましいでしょう。

（北野裕之）

撮影協力：加畑映理子，東　玖美

参考文献

1）アトム蘇生装置104 医療機器添付文書．2018年5月作成（第5版）
2）レサシフロー　医療機器添付文書．2017年6月作成（第6版）（新記載要領に基づく改訂）

2 専門コース（Aコース），一次コース（Bコース）
高度な手技・補助教材を用いた指導のポイント
補助教材などの活用

補助教材の活用

インストラクターには人材育成・スキル維持のために，NCPRコース開催を含めた“持続可能な学習機会の提供”が期待されています。そのためには，限られた時間や環境のなかでも“効率的な資源の活用”が重要なカギとなります。

本項では補助教材の活用に焦点を当て，最大限の学びが得られるように役立つ方策について考えていきます。

NCPRインストラクターが利用できる主なツールに関して，学会の情報や教材を含め表1にまとめました。まだ活用できていなかったものがあれば，身近なものから利用してみましょう。本項ではこれらのなかから，スマートフォンやアプリケーションの活用を取り上げて説明したいと思います。

表1　インストラクターが利用できるツール

学会からの支援		その他
学会の公式情報	コース運営のためのリソース	
●インストラクターマニュアル ●インストラクター・主催者の専用ページ ・講習会の手引き ・シミュレーションサポーター(p.84)　など ●eラーニング	●人的支援：「トレーニングサイト登録登録制度」によるインストラクター派遣依頼 ●物的支援：物品レンタル	●ウェビナー（COVID-19対策，TEAM STEPPSなどを含む） ●スマートフォンなどの通信情報機器とアプリケーション

学習環境と補助教材

多くの分娩施設においては充実したシミュレーションセンターなどはなく，まして高機能シミュレータが利用できる環境はほとんど存在しません。しかしながら，シミュレーショントレーニング自体は会議室でも，人工呼吸や胸骨圧迫が可能な新生児蘇生モデルさえあれば実施可能です。さらに業務の空いた時間で分娩室や手術室でシナリオ実習を実践することができれば，普段使っている実際の医療機器や動線を含めたシチュエーションベースド・トレーニング[1]が可能となるため，臨床とのギャップをさらに小さくすることが可能になります[2]。このように，シミュレーショントレーニングには学習環境の忠実性が常に求められるわけではありませんが，前述のように目的に応じた環境調整が学習効果に影響を及ぼすことは言うまでもありません。以下に，より魅力的な学習環境を提供しうる補助教材の活用法を紹介します。

①スマートデバイスの活用

最近では，スマートデバイスにおける蘇生教育用アプリケーションが無料もしくは安価に提供されており，NCPRのシナリオ実習に転用可能です。アプリケーション開発は日進月歩ですが，自分が使用しやすいものを見つけて使い込むことが重要です。アプリケーションの操作に気を取られ，インストラクションが疎かになっては本末転倒と言えます。

●メトロノームアプリケーション

NCPRでは，聴診による心拍認知および周囲への心拍情報伝達が，アルゴリズムの比較的初期の意思決定において重要となっています。NCPR講習会においてシナリオ実習における心拍聴診の課題は，**①インストラクターが受講者にどのように心拍を提示するか，②聴診をする受講者がどのように正確に心拍を認知するか，③受講者同士でどのように心拍情報を共有するか**，など非常に複雑な問題があります。一つの対策として，スマートデバイスの“メトロノーム”アプリケーション利用を推奨します。現在でも多くのメトロノームアプリが利用できますが，デバイスの振動機能で利用できるアプリであれば，シナリオ実習時に聴診者のみに“デバイスの振動によって”心拍情報を伝えることができるため，よりリアルな環境を構築できるはずです(図1)。

図1　心拍を伝える工夫：“メトロノーム”アプリの活用

インストラクターがメトロノームの振動を新生児蘇生モデルに伝達し，聴診者が心拍として認知できる。

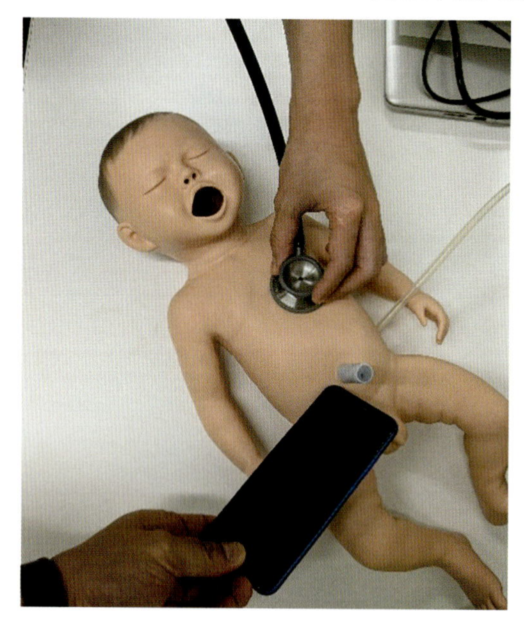

●“NRP VITALS®”

米国小児科学会の提供する無料アプリ“NRP VITALS®”は，パソコンでも使えますが，タブレットやスマートフォンが2台あればペアリングによって各々がリモコンとモニタとして利用できるため，格段にリアルな学習環境が構築可能となります。本アプリは1台だけでもスタンドアローンモニタとして利用可能です。操作も簡便で，ぜひともこの種のアプリケーション利用をお勧めします（図2）。

アプリ利用や高機能シミュレータなどでリアルな学習環境が実現できれば，さらに魅力的な研修になり，高い教育効果が期待できるでしょう。

図2　米国小児科学会の提供する無料アプリ“NRP VITALS®”

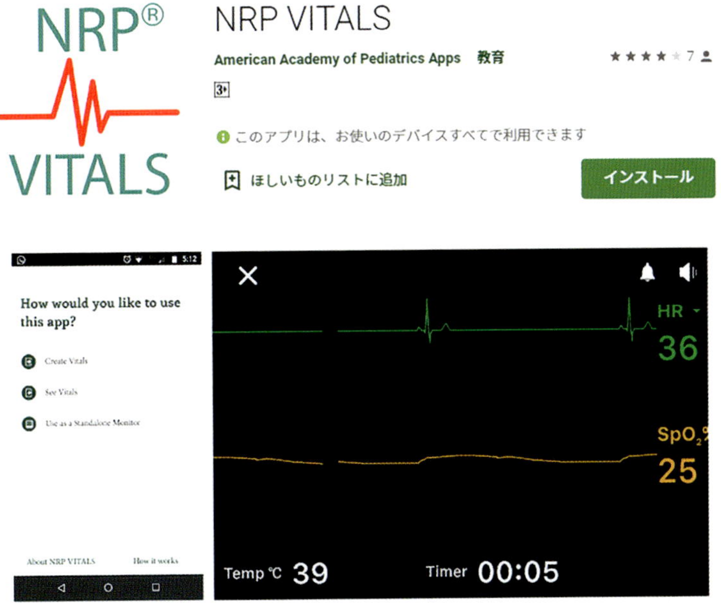

②ビデオデブリーフィング

シミュレーション効果を高めるデブリーフィングを支える補助教材として，マンパワーなどに余裕があれば『ビデオデブリーフィング』を行う方法もあります。シナリオ実習をスマートフォンなどのビデオカメラで撮影し，デブリーフィングに活用するものです[3]。シナリオ実習直後に動画でトレーニング風景を振り返ることで，自らの行動だけでなくチームでの連携を客観視することが可能となり，新たな多くの気付きが得られるため，次への具体的目標設定と能動的学習につなげることができます[4]。

なお，ビデオデブリーフィングを教材として用いる際には，学習者の安心できる環境づくりに配慮しつつも，どの場面を切り出し，どの課題に焦点を当てるかを明確にし，学習者の到達目標に関連付けることを意識して，漫然と一連の動画視聴に終始することのないように心がけましょう。

NCPR事業においては，学会ホームページでインストラクターの指導を支えるコンテンツがさまざまに整備されています。各インストラクターの自施設での教育活動を効率的で継続性あるものにするため，地域での人的支援や資源提供などを含めて，NCPR事務局が順次体制構築を進めています。

シミュレーション学習では，なにより第一に「蘇生現場で生きる実践力を向上させること」が重要です。そのためには，まずは自施設の医療および学習環境を分析し，学習者の明確な学習目標設定と学習計画の作成を進め，学習計画に紐付けられた資源の利用を効率的に行う必要があります。これらを意識して身近に利用できる教材を補助的に活用し，徐々にインストラクション活動の幅を広げていきましょう。

（岩永甲午郎）

参考文献

1）川原千香子：【Rapid Response Systemをめぐって】Rapid Response Systemのシミュレーション教育．ICUとCCU 2016; 40: 265-70.

2）実践シミュレーション教育 医学教育における原理と応用．志賀 隆（監修），武田 聡，万代康弘（編集），メディカル・サイエンス・インターナショナル，2014.

3）水本　洋：実践力UP！ NCPR（新生児蘇生法）37のポイント．南山堂，2015

4）田村香都，大井　翔，岩永甲午郎，ほか：NCPR講習会のデブリーフィングにおける振り返り点自動抽出の試み．情報処理学会インタラクション2020: 758-9. http://www.interaction-ipsj.org/proceedings/2020/data/pdf/2P-77.pdf

NCPRシミュレーションサポーターの使用方法

（www.ncpr.jp より無償でダウンロードできます）。

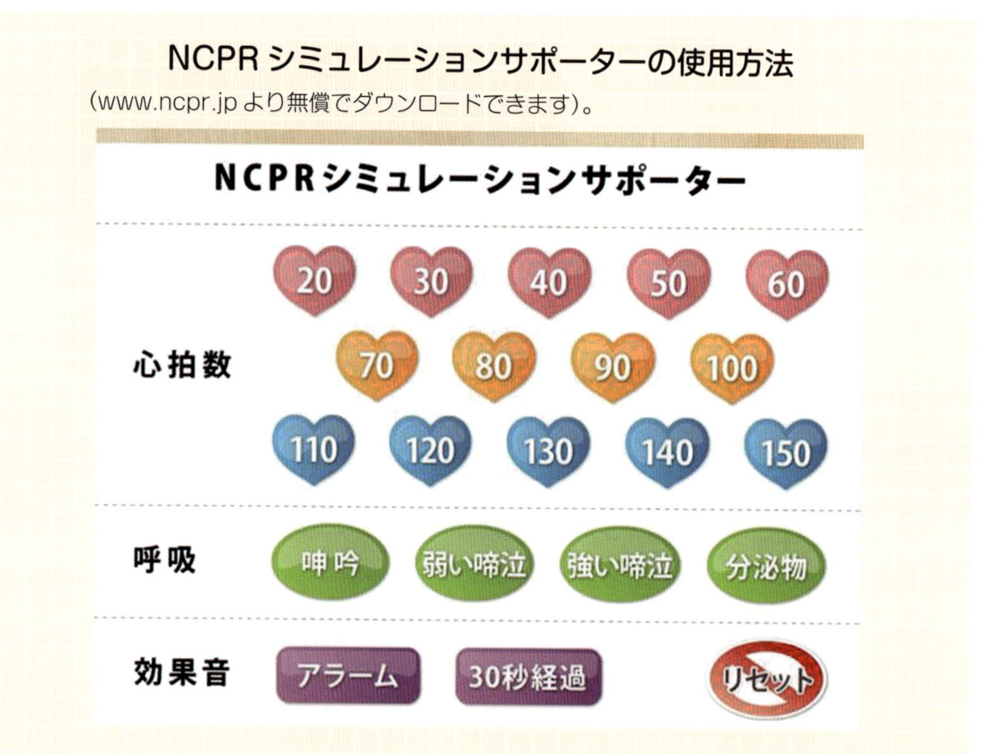

- パワーポイントで作成されており，ファイルをスライドショーで実行します。
- 「心拍数」の右にあるハートをクリックすると，その中の数値に該当するビープ音が流れます。受講者が「聴診」もしくは「臍基部触診」をした場合に使用します。
- 「呼吸」の右にある印をクリックすると，赤ちゃんの泣き声が聞こえます。「呻吟」は努力呼吸の表現に使用できます。「分泌物」をクリックすると口腔・鼻腔吸引の効果音が流れます。
- 「効果音」右にある「30秒経過」をクリックすると，開放型保育器において30秒ごとに流れる音が再現されます。
- これらの効果音は同時に流すことができます。「心拍数110」＋「呻吟」，「心拍数150」＋「強い啼泣」など。
- 効果音は約5秒で消えますが，画面右下の「リセット」をクリックすると中断できます。

（水本　洋）

2 専門コース（Aコース），一次コース（Bコース）シナリオ実習

1 失敗が許されるシミュレーション基盤型トレーニング

臨床現場において，実際の患者を診療することが最大の経験になることは間違いありません。「あのとき，もっと早く人工呼吸を開始しておけばよかった」「気管挿管や薬物投与に必要な物品が揃っていなかった」……，そんな反省は次につながる大きな糧となるでしょう。しかし，その失敗によって患者の予後が悪くなってしまうことは取り返しがつきません。また重症新生児仮死をチームで蘇生する機会は滅多に起こることではなく，誰もが等しく経験できるわけではありません。このようなベッドサイドでの学びの欠点を補完できるのが，シミュレーショントレーニングです。

シミュレーショントレーニングにおいては，実際の患者に危害を加えることなく堂々と失敗から学ぶことが可能であり，自発的学習の動機付けになりえます。何度も繰り返し，納得いくまで練習でき，習熟することが可能です。そして大勢の受講者に等しく学習機会を与えることができ，多くの複雑な処置を必要とするような重症患児の診療において，チーム医療の訓練にも役立ちます。

2 失敗から学びを得るシナリオ実習の意義

ポストテスト（筆記試験）に合格した受講者が，実際の臨床現場で適切な蘇生ができるとは限りません。受講者が「知識として知っている」ことと「実際に行動できる」ことには大きな差があり，シナリオ実習はインストラクターがそれを評価できる良い機会になります。

またシナリオ実習のなかで受講者が失敗をすることによって，行動変容につながる大きな学びが得られるはずです。「生後60秒以内に人工呼吸を開始することは知っていたが，実際には80秒もかかってしまった。次は初期処置をもっと素早く実施しよう」「人工呼吸の成功をしっかり確認しないまま，胸骨圧迫に進んでしまった。次は確実にチェックしよう」など，受講者自らが失敗に気づくことができれば，そのシナリオ実習の意義は非常に大きなものになるでしょう。

3 受講者のニーズに合わせたシナリオ実習の準備

受講者の施設でどのような器具を使用しているのか，あらかじめ確認しておくとよい

でしょう。シナリオ実習においても，できるだけ普段使用している蘇生器具(自己膨張式バッグ・流量膨張式バッグ・Tピース蘇生装置)と同じものを用いたほうが効果的です。受講者の施設に酸素ブレンダーやCPAPを実施するために必要な蘇生器具がない場合には，そのような状況にシナリオ設定を変更すると，やはり現状に即した効果的な学びが得られます。

一般的にBコースは「蘇生の初期処置」「安定化(CPAPか酸素投与)」「人工呼吸」「胸骨圧迫」まで，Aコースはこれらに加えて「気管挿管」「薬物投与」まで実施できることが到達目標となります。しかしBコースでも，「自ら気管挿管や薬物投与をすることはないが，介助をする機会は多いので学習したい」という受講者の要望があれば，シナリオや物品を準備しておくとよいかもしれません。

このようにコースの到達目標や受講者の背景を考慮して，シナリオ実習の計画を立てます。「実習＋振り返り(デブリーフィング)＋まとめ(フィードバック)」までを行うと，1シナリオ当たり10〜15分かかります。シナリオ実習にあてる時間を60〜90分とすると，6〜9個のシナリオを選択することになります。

●シナリオ実習計画の例

Bコース：受講者の蘇生経験が少なく，確実に人工呼吸と胸骨圧迫ができることを目標にする場合

	時間	目標行動と伝えたいメッセージの例
①シナリオ導入	約5分	自己紹介，実習におけるルール確認(実演*1)
②ルーチンケア	約10分	蘇生の準備物品とルーチンケアの知識を整理する
③初期処置	約10分	蘇生の初期処置の内容を確認する
④安定化の流れ	約10分	パルスオキシメータと酸素の使い方，CPAP
⑤人工呼吸1	約15分	人工呼吸の適応判断と手技の確認
⑥人工呼吸2	約10分	人工呼吸成功の判断と手技の改善
⑦人工呼吸＋胸骨圧迫1	約15分	胸骨圧迫の適応判断とチームワーク
⑧人工呼吸＋胸骨圧迫2	約10分	⑦と同じシナリオの繰り返し
	(計85分)	

*1 シナリオの導入部でインストラクターがシナリオの具体例を実演し，患児のバイタルサイン(呼吸の有無・心拍・SpO_2値)の伝え方，時間経過の伝え方を説明します。

Aコース：ほとんどの受講者に豊富な蘇生経験があり，高度蘇生のチーム医療までを目標にしたい場合＊2

	時間	目標行動と伝えたいメッセージの例
①シナリオ導入	約5分	自己紹介，実習におけるルール確認（実演）
②安定化の流れ	約10分	初期処置～呼吸安定化のステップ
③人工呼吸1	約10分	人工呼吸の適応判断と手技の確認，心電図
④人工呼吸2	約10分	人工呼吸成功の判断と不成功の場合の改善点
⑤人工呼吸＋胸骨圧迫	約15分	胸骨圧迫の適応判断とチームワーク
⑥薬物投与	約20分	人工呼吸＋胸骨圧迫＋気管内投与・静脈路確保まで
⑦超早産児	約20分	CPAP，サーファクタント投与，保温，臍帯ミルキング
	（計75分）	

＊2 受講者の反応や到達度をみながら，当日に難易度やシナリオの内容を適宜変更したほうがよい場合もあります。

各シナリオに1つか2つ，学習目標（目標行動と確実に伝えたいメッセージ）を明確にしておくとよいでしょう。例えば「人工呼吸が不成功の場合の改善点」を確実に伝えたいシナリオにおいては，初期処置における細かな反省よりも，「人工呼吸が成功していない場合，どのような行動をとるべきか？」という点について重点的にディスカッションできるようにデブリーフィングを盛り上げます。

4 シナリオ実習の実際

①自己紹介，アイスブレイク，シミュレーション基盤型トレーニングの説明，実習におけるルール確認

【例】
「インストラクターの○○です，よろしくお願いします。今からシナリオ実習を開始します。ご自身の施設で実際に赤ちゃんを蘇生するつもりで，評価・行動して下さい。今ここで完全な蘇生ができなかったとしても，誰にも迷惑はかかりませんので安心してください。むしろ実習中に何か失敗をして改善点が見つかることによって，本番で赤ちゃんが助かる確率が高くなるかもしれません。」
「シナリオ実習では，赤ちゃんのバイタルサインは次のように伝えることにします。呼吸をしている場合は泣き声を出すか，『呼吸をしています』と伝えます。心拍は介助者役の方が左胸を聴診した場合に，聞こえる音を叩いて伝えます。チアノーゼや筋緊張は『チアノーゼがあります』『筋緊張は低下しています』と適宜伝えますし，聞いてもらえたら状況をお答えします。パルスオキシメータや心電図を装着した場合，表示される値は随時お答えします。」
「評価に基づいて行動する場合は，処置の内容を声に出すだけでなく，実際の蘇生

と同じように手技を行ってください。その手技の様子もチェックさせていただきます。」

※シナリオ実習の最初に，インストラクターが短いシナリオを実演して見せると，理解しやすいかもしれません。

「リーダー役・介助役の方には，シナリオ中にどんなことを考え行動したのか。良かった点や改善点は何なのかなど，シナリオ終了後に自ら振り返りをしていただきます。見学の皆さんにも意見を述べていただきますので，ご自分がリーダーの立場だったらどうするか，考えながら実習に参加してみてください。」

「繰り返しますが，この実習では誰にも迷惑はかかりません。自信がなくなった場合はこのアルゴリズムを見ながら，ゆっくりと評価と行動をしていただいても結構です。慣れてきたらアルゴリズムを見ないで行動してみてください。何か質問はありますか？」

②2020年版NCPRアルゴリズムにおけるシナリオの進め方のポイント

2020年版NCPRアルゴリズムでは，出生前に「チームメンバーによるブリーフィング，感染予防，物品の確認」の項目が追加されました（図1）。母体情報を提示した後に，チーム内で予想される問題を確認し役割分担をするように促してください。複数のリスク因子がある場合，「このメンバーだけで大丈夫ですか？　気管挿管もできる医師がすぐに駆け付けられるように連絡しておきますか？」と確認を促してもよいかもしれません。特別な感染症の情報があれば特に綿密なブリーフィングが必要であり，出生後の新生児や医療従事者への感染を避けるための方法についてディスカッションを促しましょう。物品の確認も重要ですが，すべてのシナリオでこれらを完全に確認をすると時間が足りませんので，２回目以降は省略してもよいかもしれません。

図1　出生前の情報確認，ブリーフィング，感染予防，物品の確認

●情報確認
- **推定週数**
- **推定体重**
- **感染情報**
- **その他のリスク因子**

出産前のリスク因子	
妊娠高血圧症候群	多胎
胎児貧血徴候	胎児奇形
羊水過多／過少	骨盤位
胎児発育不全／過成長	未受診

分娩時のリスク因子	
Non-Reassuring Fetal Status	
吸引分娩／鉗子分娩	常位胎盤早期剥離
母体全身麻酔	臍帯脱出
絨毛膜羊膜炎の徴候（母体発熱）	肩甲難産
	羊水混濁

➡

●チームブリーフィング
- **リーダーを決定**
- **予想される問題を確認**
  人数が十分かどうかを検討
  "完全な蘇生ができるスタッフ"を確保
- **役割分担**

➡

●感染予防
- **必要に応じ防護具装着**

●物品の確認
- **蘇生バッグの動作確認**
- **推定体重に応じた準備**
  吸引カテーテル，
  フェースマスク
  喉頭鏡，気管チューブ

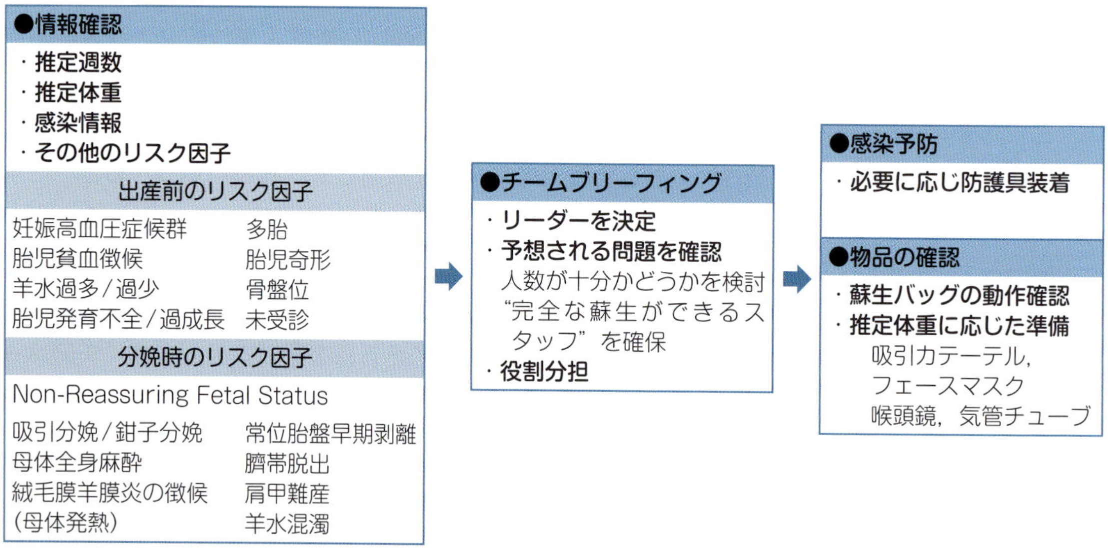

A・Bコースシナリオ
実習(基本編)

③アルゴリズムの流れや知識の確認を重視したシナリオ実習(基本編)

アルゴリズムの流れに沿って評価・行動をすることと，知識を確認することを重視した実習の進め方を示します。

- 時間経過は現実時間とは無関係に「出生後○秒です」「人工呼吸開始から△秒経過しました」と伝えます。シナリオ中に厳密な時間の制約がないため，インストラクターは受講者の理解度を十分確認する余裕があります。また受講者もリラックスして実習ができますが，緊張感がない分達成感は少ないかもしれません。実際に蘇生をした経験が乏しく緊張している受講者には，最初はこの方法が有効かもしれません。
- 患児の呼吸状態や心拍，皮膚色など，蘇生のステップを進めるうえで必要な評価項目について，「何を確認しますか？」と質問します。質問に対しては，次の行動が決定されるように明確な情報を与えるようにしましょう。情報が曖昧だと受講者が混乱してしまいます。

【例】
初期処置後，安定化の流れに進むシナリオの場合
インストラクター「何を確認しますか？」　受講者「呼吸と心拍です」
明確な情報：「元気に泣いています。心拍は6秒間に15回です。」
曖昧な情報：「弱く泣いています。心拍は6秒間に10回です。」
(「弱く泣いている」という表現は十分な呼吸かどうかの解釈が分かれるでしょう。心拍が毎分100回ちょうどという情報も，蘇生の流れと安定化の流れのどちらに進むべきか迷います)

- シナリオ中にも受講者に手技に注目します。バッグマスク換気によって新生児蘇生モデルの胸が上昇していない場合，「人工呼吸において換気の有効性はどのように判断しますか？」。胸骨圧迫が十分な深さではない場合，「胸骨圧迫の深さはどのくらいが適切ですか？」などと適宜質問をしてもよいでしょう。受講者が正しく手技を行っている場合には，「胸骨圧迫の手技はどうですか？ ……そうですね，深さも速さも適切ですよね」と，見学者に質問をすると集中力を切らさず，参加者全員で知識の確認をすることができます。
- 実習の前半は，ルーチンケアや初期処置といった軽症のシナリオから開始し，受講者の反応をみながら徐々に難易度を上げていくとよいでしょう。
- アルゴリズムには，蘇生中に評価するべき項目と求められる行動のすべてが示されています。頭の中が，真っ白になってしまう受講者に対しては，今アルゴリズムのどの段階にいるのかを示し，一つひとつ確認しながら進めていく方法が有効です。
- A/Bコースにおいて，受講者が正しく評価・行動できることを確認する場合は，「リーダーは指示出しのみを行い，メンバーが手技を実演する」形式で実習を行います。「リーダーは自ら蘇生手技を行いながら，メンバーに指示も出す」という，より実戦に近い形式で実習を行うこともできます。前者の具体例をお示しします。

新生児蘇生シナリオ：シナリオ集3 人工呼吸（p.v10）の進め方の例

❶ 次のシナリオはAさんにリーダーをお願いします。Bさん，CさんはAさんの指示に従って処置をしてください。シナリオ終了後の振り返りにはDさんも参加していただきます。

症例は妊娠40週，児の推定体重は3,200gです。経腟分娩進行中に胎児心音低下を頻繁に認め，吸引分娩になります。羊水混濁はありません。赤ちゃんは間もなく生まれます。
ほかに何か確認しておくことはありますか？

❷ （Q1）感染症の情報はどうでしょうか？
（Q2）ほかにリスク因子はありますか？

❸ （A1）B型肝炎，C型肝炎，HIVなど陰性です。母体発熱もありません。
（A2）胎児心音低下と吸引分娩以外にリスク因子はありません。

★3パターンのインストラクター対応例を示します★

①わりと“手取り足取り”	→	経験が浅く，緊張している受講者にお勧め。
②見学者を含め“全員で学ぶ”ことを目指す	→	同施設のスタッフが揃う場合にお勧め。
③究極の“放置対応”	→	気付きを促すための高度なテクニック？

❶ 予想される問題と物品の準備，役割分担をお願いします。

❷ **初期処置の準備をしましょう。**
・ウォーマーの電源は入っていますね。
・タオルを2枚敷いて肩枕も入れて下さい。
・10Frのカテーテルを準備して，100mHgを超えないように調整して下さい。

次に人工呼吸の準備です。
・適切な大きさのマスクがあり，蘇生バッグを使ってしっかり加圧できることを確認してください。
・酸素が使えること，聴診器やパルスオキシメータも準備しておきましょう。

役割分担を決めます。
・Bさんは頭側で吸引・体位保持・人工呼吸をお願いします。
・Cさんは横から羊水清拭と必要ならばモニタ装着をお願いします。

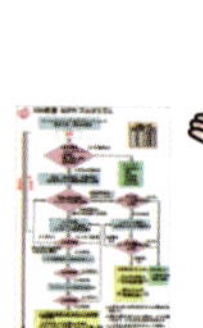
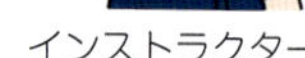

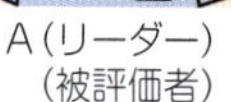

準備に足りないものがあった場合

①「大丈夫ですか？　全部揃っていますか？」と聞き，答えが出るまで待ってみる。
②メンバーや参加者に意見を求める。
③あえて足りないままシナリオを進め，物品が足りないことによるトラブルを発生させる（聴診器を確認しなかった→初期処置終了後の心拍確認の際に気づく）。

❶ 出生しました。
何を確認しますか？
❸ 呼吸はしていません。
筋緊張は低下しています。
インストラクター

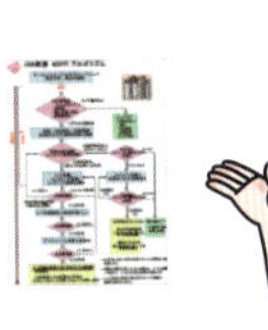

❷ 妊娠40週の正期産ですね。
呼吸と筋緊張はどうですか？
❹ 初期処置を開始します。
ウォーマーの下で体位を整えてください。
顔を体を拭いて，濡れたタオルは取り除きましょう。
A（リーダー）
（被評価者）

※メンバー役には1つひとつの処置を声に出しながら実演してもらいましょう。吸引や刺激の様子を確認したい場合は「口や鼻から羊水が溢れています」「まだ呼吸が弱いです」と追加情報を与えるとよいでしょう。

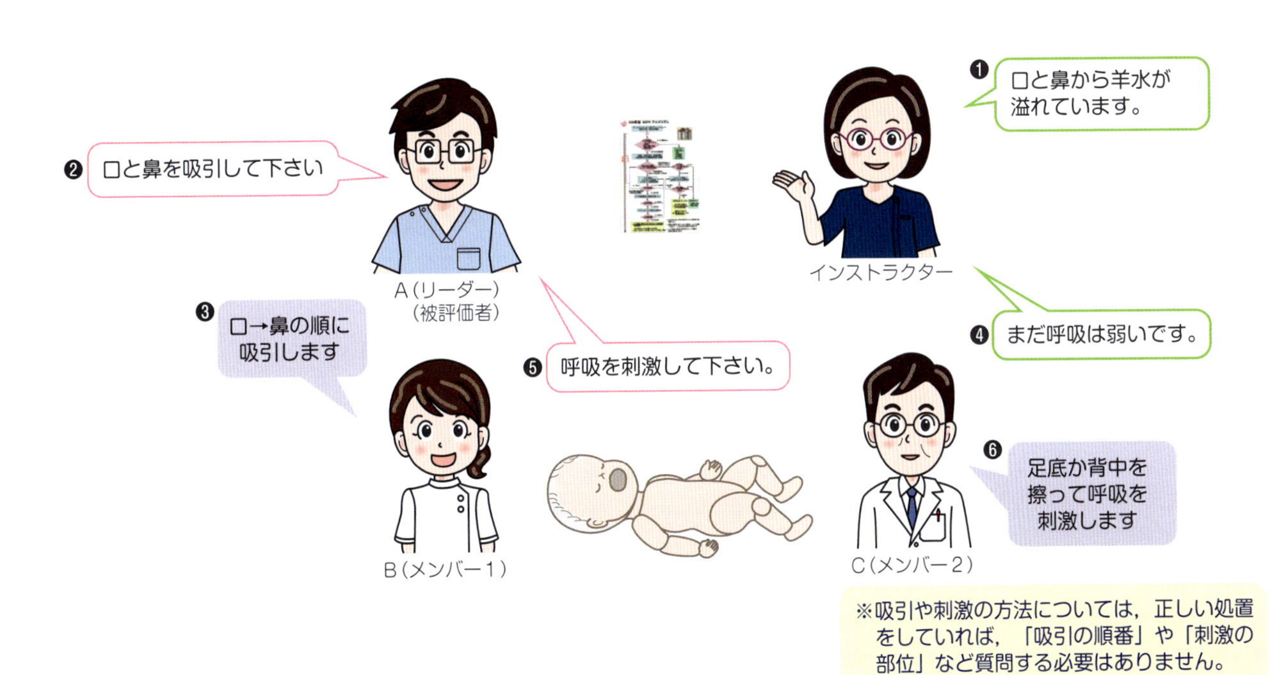

❶ 口と鼻から羊水が
溢れています。
❷ 口と鼻を吸引して下さい
❸ 口→鼻の順に
吸引します
❹ まだ呼吸は弱いです。
❺ 呼吸を刺激して下さい。
❻ 足底か背中を
擦って呼吸を
刺激します
インストラクター
A（リーダー）
（被評価者）
B（メンバー1）
C（メンバー2）

※吸引や刺激の方法については，正しい処置をしていれば，「吸引の順番」や「刺激の部位」など質問する必要はありません。

誤った処置をしていた場合
①「吸引の順番はどうですか？」「刺激の方法はそれで良いですか？」とその場で確認する。
②見学者に「何か気づいたことはありますか？」と意見を求める。
③あえてシナリオを中断せず，終了後の振り返りで確認をする。

❶ ここまで処置を終えて
まだ呼吸はありません。
何を確認しますか？

※「呼吸の有無」のように実際には確認しなくても知りうる情報は，一方的に提示してもよいでしょう。

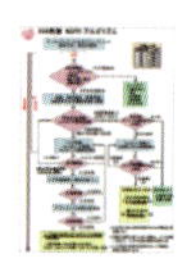

❷ 心拍を確認してください。

A（リーダー）
（被評価者）

インストラクター

メンバーが聴診動作を示した後に，6秒間に4回であることを示す

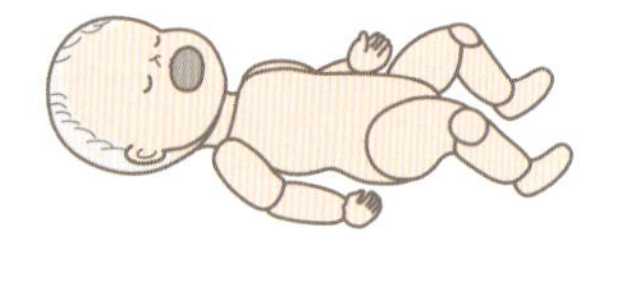

聴診で心拍を確認する

❸ 1分間に40回です

B（メンバー1）

C（メンバー2）

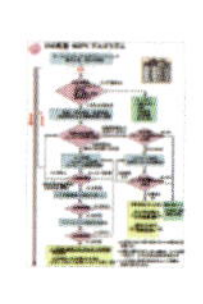

❶ どうしますか？

❷ 人工呼吸を開始してください。
パルスオキシメータ装着もお願いします。

A（リーダー）
（被評価者）

インストラクター

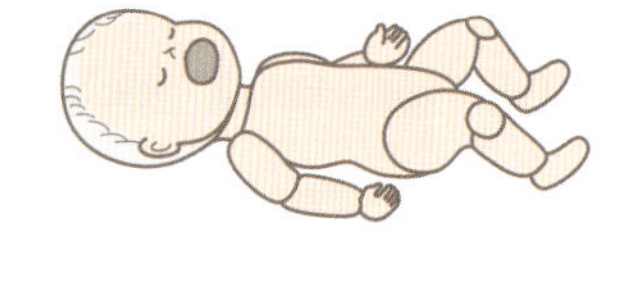

❸ 人工呼吸を開始します

❹ パルスオキシメータを右手に装着します

B（メンバー1）

C（メンバー2）

「人工呼吸を開始する」という判断ができない場合
①アルゴリズムの現在地点を指し，次の行動が「人工呼吸」であることを示す。
②「どうしたらよいでしょうか？」と，メンバーや見学者に意見を求める。
③しばらく「無呼吸・心拍 40/ 分」というバイタルサインの情報を示し続ける。

「心拍＜60/分」に反応し，胸骨圧迫を選択してしまう場合
①アルゴリズムの現在地点を指し，次の行動が「人工呼吸」であることを示す。
②「この判断はどうでしょうか？」と，メンバーや見学者に意見を求める。
③胸骨圧迫を許容し，後の振り返りで必要であったかどうかをディスカッションする。

パルスオキシメータを忘れてしまう場合
①「何か忘れているものはありませんか？」とアルゴリズムの現在地点を指す。
②「何か気づいたことはありますか？」と，メンバーや見学者に意見を求める。
③あえて使用をしないまま，シナリオのどこかで気づくまで待つ。終了後の振り返りで確認する。

シナリオ中，インストラクターはできるだけ受講者の様子を観察しましょう。リーダーは自信がなさそうに指示を出しているかもしれません。メンバーは処置の実技に自信がなかったり，リーダーの判断に疑問をもったりしているかもしれません。

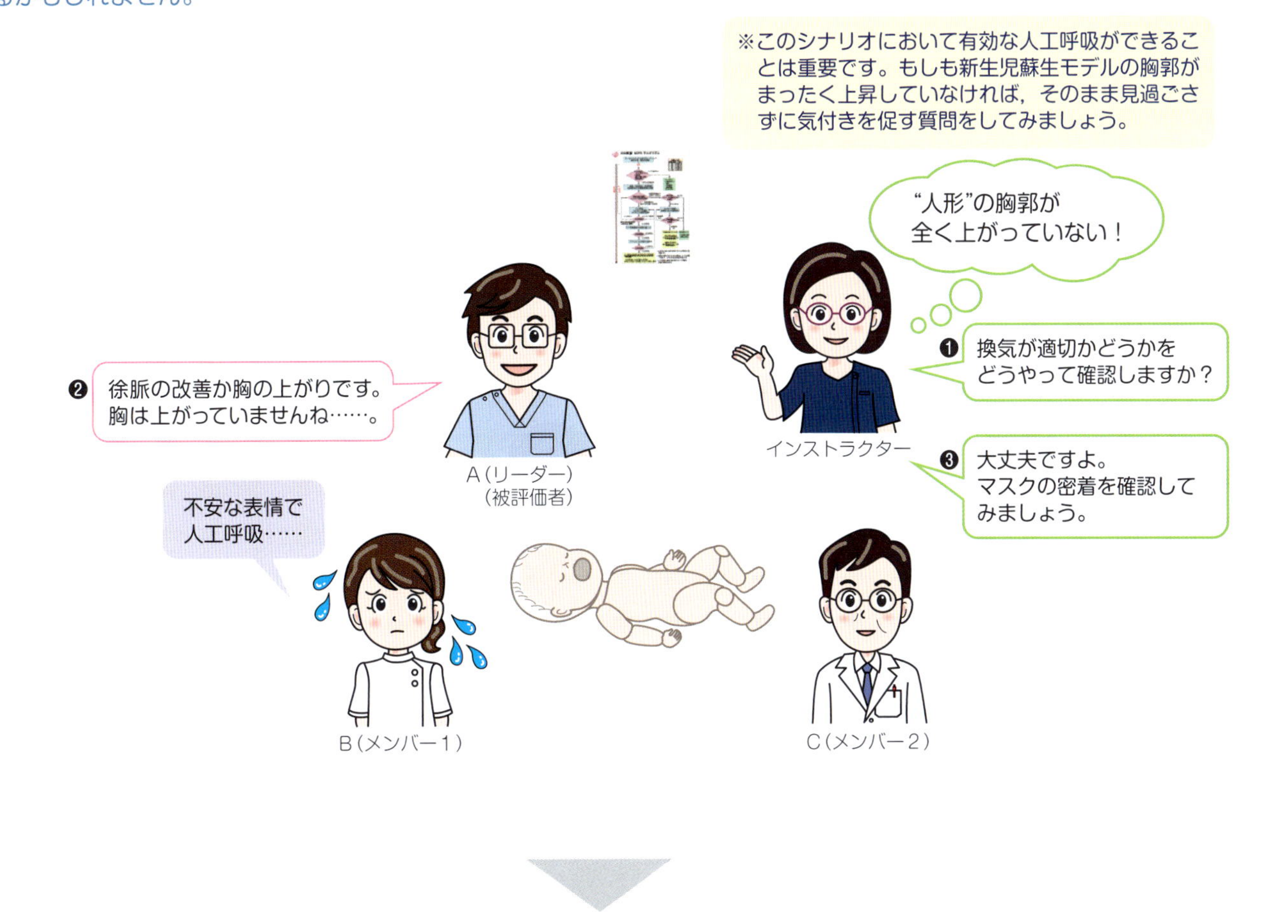

「有効な人工呼吸を30秒」実施できれば，バイタルサインを①から②に移行させます。
（あえぎ呼吸が出現し，心拍が40/分から80/分に上昇する）
もしも心電図を装着した場合，心拍が徐々に上昇する様子を提示します

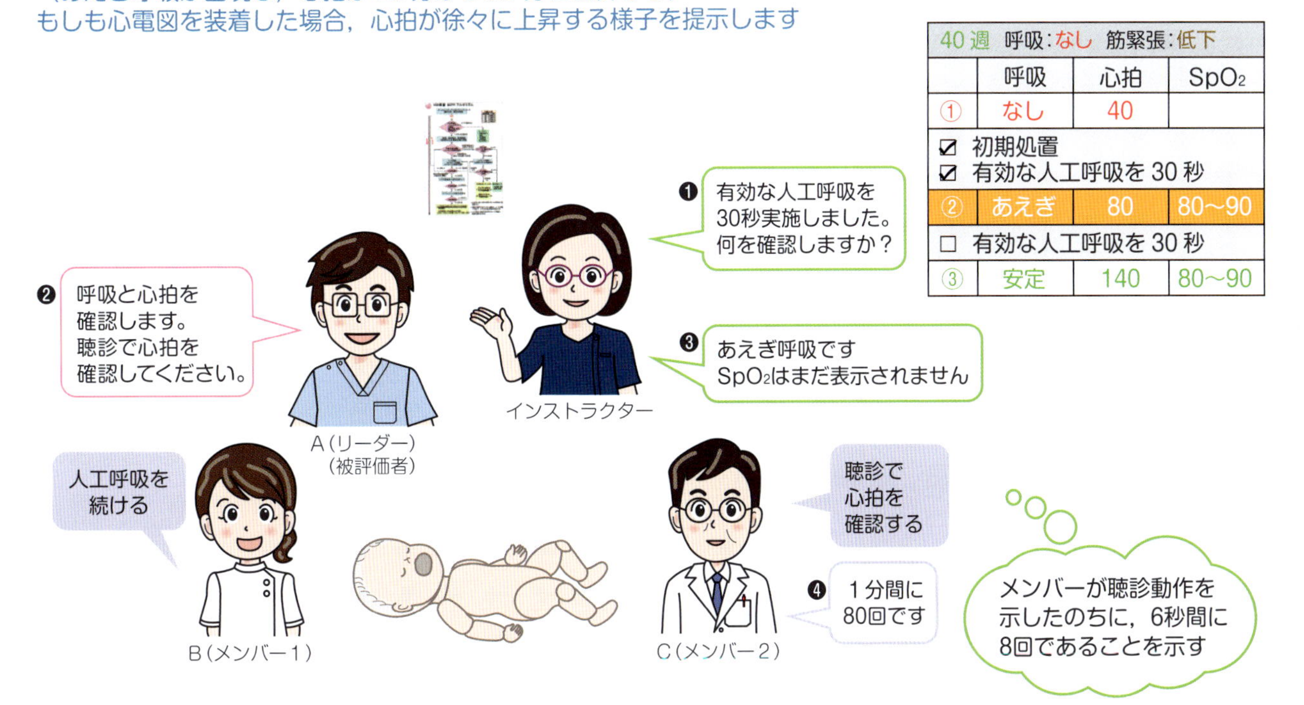

40週 呼吸：なし 筋緊張：低下			
	呼吸	心拍	SpO_2
①	なし	40	
☑ 初期処置 ☑ 有効な人工呼吸を30秒			
②	あえぎ	80	80～90
☐ 有効な人工呼吸を30秒			
③	安定	140	80～90

さらに「有効な人工呼吸を約30秒」実施できれば，バイタルサインを②から③に移行させます。
もしも心電図を装着した場合，心拍を80/分から140/分まで徐々に上昇させる演出をします。

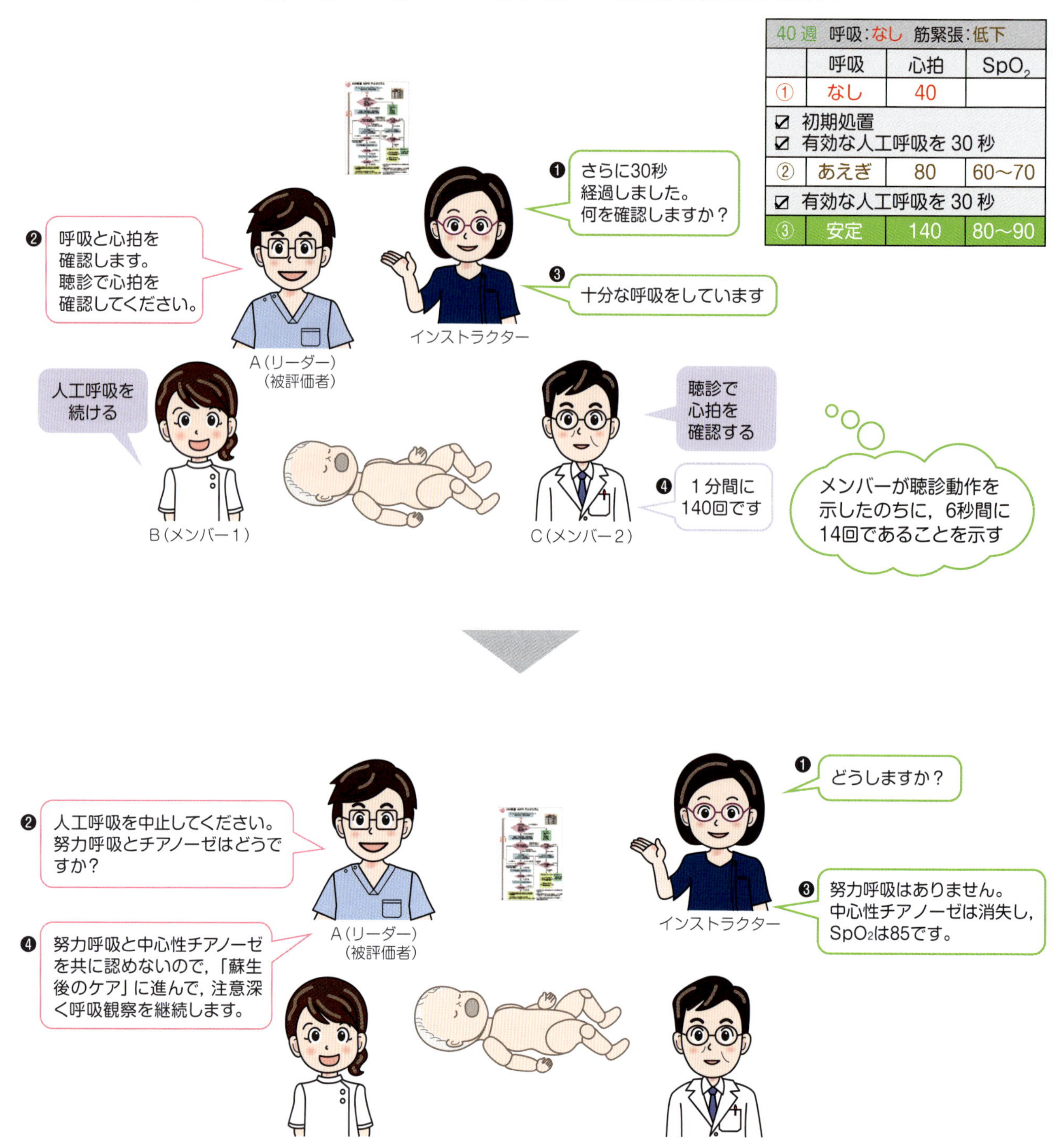

40週　呼吸：なし　筋緊張：低下			
	呼吸	心拍	SpO_2
①	なし	40	
☑ 初期処置 ☑ 有効な人工呼吸を 30 秒			
②	あえぎ	80	60〜70
☑ 有効な人工呼吸を 30 秒			
③	安定	140	80〜90

努力呼吸と中心性チアノーゼのチェックが出てこない場合

①アルゴリズムの現在地点を指し，次の評価のステップを示す。
②「皆さんどうでしょうか。これで終わりでいいですか？」と，メンバーや見学者に意見を求める。
③シナリオを終了し， 振り返りで確認をする。

A・Bコースシナリオ
実習(応用編)

④ リアリティを重視したシナリオ実習(応用編)

シナリオ実習では「すべて正しく行うこと」が重要なのではありません。最も効果的な学びは失敗から得られるものです。「手取り足取りの緊張感のない練習」よりは,「実際の蘇生に近い仮想現実」において,受講者が考え,体感し,その中で成功・失敗を経験するほうが,得られることは多いでしょう。実際の臨床現場と同じような,緊張感のある状況を作ることによって,より高度なシミュレーションが可能になります。

- シナリオはできるだけ実際の時間経過に沿って進めます。そうすることで,「必要な児に対しては遅くとも60秒以内に人工呼吸を開始する」ことの重要性が認識しやすくなります。

- シナリオの進行を途切れさせないことを重視し,シナリオ中に質問をすることは避けます。誤った行動や自信のなかった項目については,すべて終了後に振り返るようにします。

- シナリオの内容は,できる限りシンプルなほうがインストラクターは管理しやすいです。つまり提示するバイタルサインを2～3種類に限定すれば,その分,受講者を観察することに集中できます。そして受講者の行動が結果に反映されるように演出すると,効果的な実習ができます(図2)。「初期処置から人工呼吸開始までに時間がかかってしまい,さらになかなか胸郭上昇が得られなかったため,徐脈が改善するまで3分間もかかってしまった」というシナリオ上の「失敗」からは,実際の体験に匹敵する学びが得られるかもしれません。

図2 提示するバイタルサインを2種類に限った例

	呼吸	心拍	SpO_2
①	なし	80	60～70
☑ 初期処置 ☑ 有効な人工呼吸を30秒			
②	安定	140	80～90

・適切な初期処置と人工呼吸が正しく30秒間実施された場合のみ,①→②に改善。
・人工呼吸を開始されなかったり,正しく実施されなければ,提示するバイタルサインの情報は①を続けます。

- 患児のバイタルサインは現実に近い方法で受講者に伝えます。必ずしもハイテクなシミュレーターを使用しなくとも,次のような方法で赤ちゃんのバイタルサインを提示することによって,シナリオのリアリティを演出することが可能です。
  ①呼吸・皮膚色・筋緊張といった,「その場にいる誰もが,特に意識をしなくても見ればわかる情報」については,一方的に提示します。例えば「(受講者)呼吸をしていますか?」「(インストラクター)呼吸をしていません」といった,現実的にはあり得ない対話は極力排除します。
  ②心拍は「6秒間に8回です」と伝えるよりは,毎分80回のペースの音を聞かせて判断させるほうが現実的です。このように提示すれば,「心拍を過大評価することによる人工呼吸開始の遅れ」という,実際の蘇生で起こりうる「失敗」から学習できる可能性が生まれます。

表1　シナリオ実習，基本編，応用編の違い

	基本編（じっくりと知識重視）	応用編（リアリティ重視）
対象となる受講者の特徴	蘇生経験が乏しい。緊張が強い。（シナリオ実習の前半に使用）	蘇生経験が豊富。冷静に行動できる。（シナリオ実習の後半に使用）
時間経過の伝え方	現実時間と無関係に「○秒です」と伝える。	タイマーを実際に動かす。
呼吸の伝え方	「呼吸をしていますか？」の質問に対して 「呼吸をしています」と答える。 「努力呼吸があります」と答える。	質問の前に呼吸の情報を提示する。 啼泣を示す音声を流す。 呻吟の音源や陥没呼吸の様子を伝える。
心拍の伝え方	「6秒間に○回です」と伝える。	確認処置に対して音源を鳴らす。 心電図表示を提示する。
皮膚色の伝え方	「皮膚色はどうですか？」の質問に対して 「中心性チアノーゼです」と答える。	質問の前に皮膚色の情報を提示する。 SpO_2値を適宜提示する。
シナリオ中の質問	適宜行って知識の確認をする。	シナリオ中には知識確認の質問をしない。
誤った処置への対応	その都度確認する。	極力中断せず，終了後に振り返る。

シミュレーション実習における「失敗」でも，受講者によっては傷つき，自信を失ってしまう場合もあります。反応を見ながら非常に緊張が強いと判断される場合には，前述のリラックスした「基本編」のシナリオの進め方に切り替えてください（表1）。シナリオ実習の前半には，じっくりと知識することを目的として「基本編」のシナリオの進め方を使用し，実習の後半にはより実践的に，リアリティを重視した「応用編」のシナリオの進め方を用いる方法も効果的でしょう。

シナリオにおける受講者の反応はさまざまです。例えば正期産児の初期処置終了後に，「無呼吸，心拍は毎分80回」というバイタルサインを提示した場合，「パルスオキシメータを装着して，空気で人工呼吸を開始する」という行動を選択するとは限りません。頭の中が真っ白になって，ただ「初期処置を継続する」人もいれば，「気管挿管」や「胸骨圧迫を開始する」人もいるかもしれません。そのシナリオの学習目標到達の妨げになるほど重要な誤りであれば，下記のような方法で気道修正することができます。それほど重要なポイントでなければ，あえて中断せず，シナリオを完結させてから，後の振り返りでフィードバックすることもできます。

シナリオ逸脱時の軌道修正法の例
①・「人工呼吸の適応は何だったでしょうか？」と質問する。 ・アルゴリズムの現在地点を指し，次の評価・行動のステップを示す。
②・「何か忘れていることはありませんか？　○○さん，どうですか？」とメンバーや見学者に意見を求める。 ・シナリオをいったん中止して，全員で討論する。
③改善しないバイタルサインを提示し続ける。

新生児蘇生シナリオ：シナリオ集3 人工呼吸(p.v10)の進め方の例

次のシナリオはAさんにリーダーをお願いします。Bさんはメンバーとして一緒に処置をしてください。シナリオ終了後の振り返りにはCさん，Dさんも参加していただきます。

次は少し緊張感のある実習にしてみましょう。時間経過はタイマーを見てください。プレッシャーを感じると思いますが，失敗をしても誰にも迷惑はかかりませんし，失敗からこそ学びは多いですから，思い切ってやってみましょう。

では，始めましょうか……。

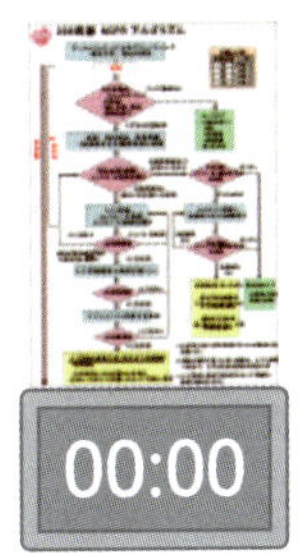

❶ 症例は妊娠40週，児の推定体重は3,200 gです！経腟分娩進行中に胎児心音低下を頻繁に認め，吸引分娩になります。羊水混濁はありません。準備はいいですか!?

❷ ええっと，感染症の情報はどうでしょうか？ほかにリスク因子はありますか？

❸ B型肝炎，C型肝炎，HIVなど陰性です。母体発熱もありません。特にほかにリスク因子はありません！もう赤ちゃん生まれそうですよ！

❹ 必要なら私が人工呼吸をします！Bさんは羊水清拭やモニタをお願いします！物品を確認しましょう！吸引，蘇生バッグの動作確認……

❺ 分かりました！タオル，モニタ，聴診器……念のため挿管の準備も……

❶ 赤ちゃん，生まれました！
（タイマーをオンにする）
筋緊張は低下していて，
呼吸もしていません！

※出生後に「呼吸が弱いか」「筋緊張が低下しているか」という，誰もが意識しなくても見える情報は，一方的に提示しましょう。リアリティを演出するならば，シナリオ中の知識確認の質問も極力避けます。時間経過も「○秒です」と伝えるのではなく，実際のタイマーを動かすことにします。

インストラクター

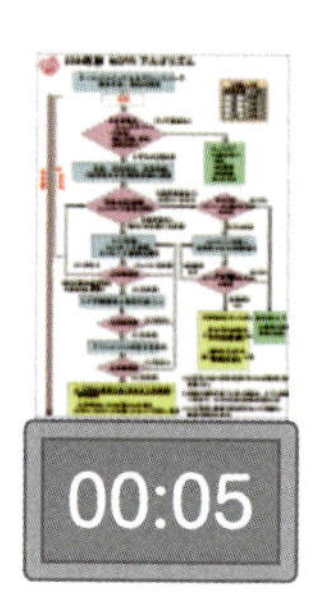

初期処置を開始します！
口を吸って，次に鼻を……
体位を整えます……。❷

A（リーダー）

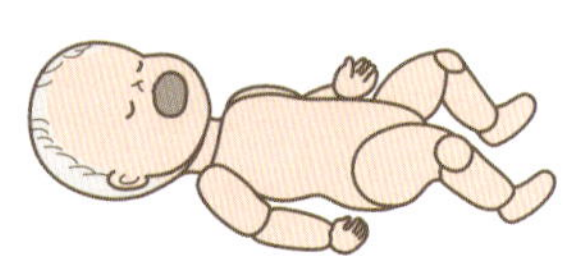

B（メンバー）

❸ 羊水を拭き取ります！
背中を刺激します！

❶ まだ呼吸をしていません！

インストラクター

※初期処置を一通り実施した時点で，「まだ呼吸をしていません！」と「誰もが見ればわかる情報」は一方的に提示してみましょう。

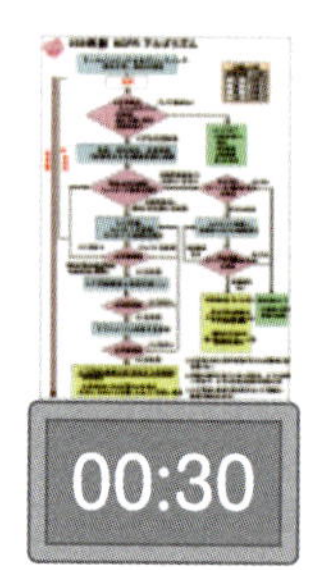

40 週　呼吸：なし　筋緊張：低下			
	呼吸	心拍	SpO_2
①	なし	40	
☑ 初期処置 ☐ 有効な人工呼吸を 30 秒			
②		80	60～70
☐ 有効な人工呼吸を 30 秒			
③	安定	140	80～90

メンバーが聴診動作を示した後に，40/分の音源を鳴らす。
…トン…トン…

❷ 心拍はどうですか？

❹ もう 1 回吸引してみます。
もっと刺激をしてみてください。

A（リーダー）

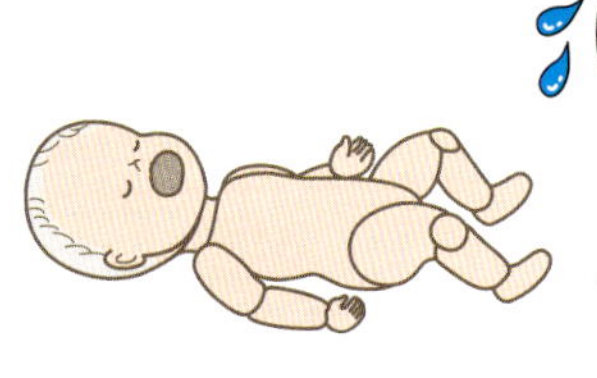

B（メンバー）

❸ （聴診）……70？80？

※心拍はこのように過大評価・過小評価されることも多く，後の振り返りでフィードバックします。

このような状況では「空気で人工呼吸を開始する」ことが期待されますが，リーダーは初期処置を続けようとしています。気管挿管を選択する受講者もいるかもしれません。いずれの場合も「有効な人工呼吸を30秒」実施されるまでは，バイタルサイン①を提示し続けてみましょう。

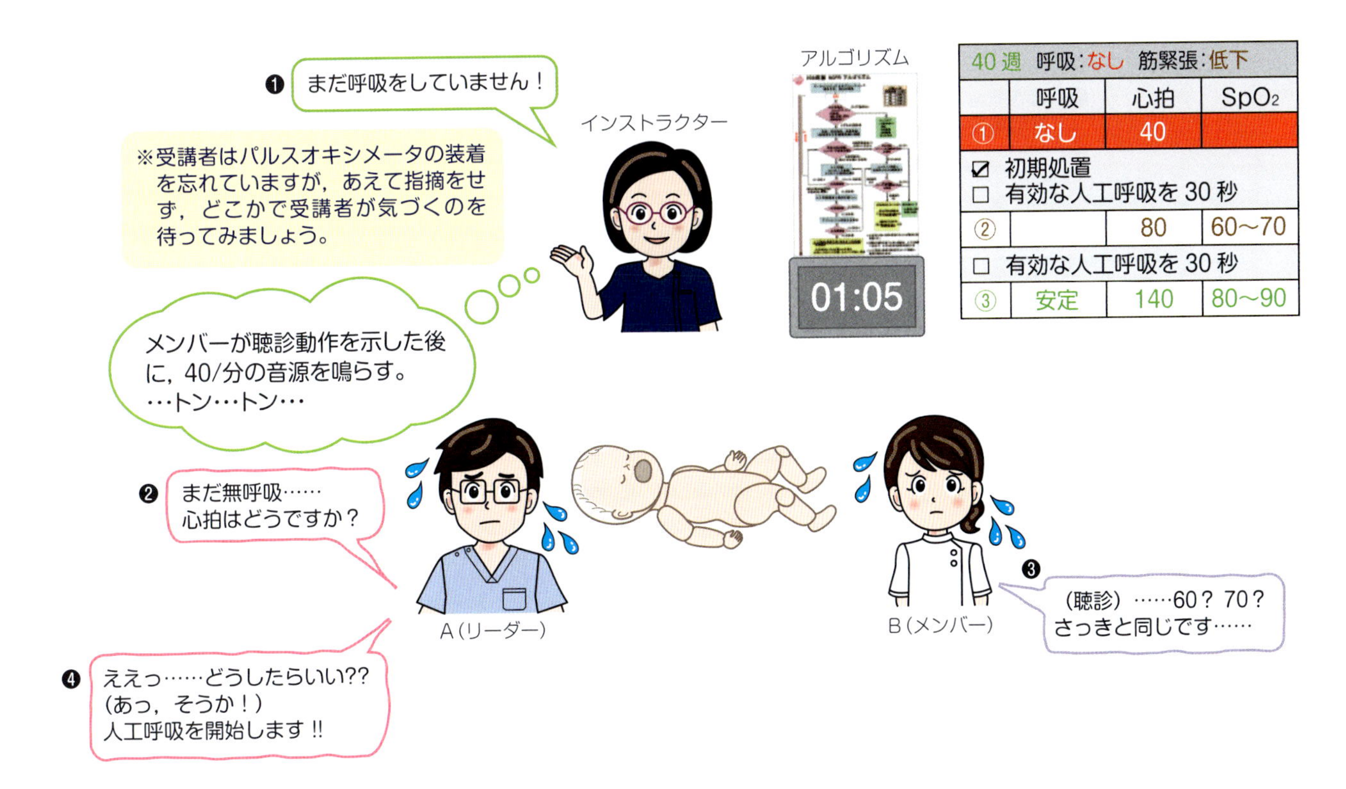

ここで人工呼吸を開始した時間を記録しておきましょう。
後の振り返りでフィードバックし，「60秒以内に開始できなかった！」という反省につながれば大きな学びになるはずです。
人工呼吸によって新生児蘇生モデルの胸が上昇していることを確認しましょう。

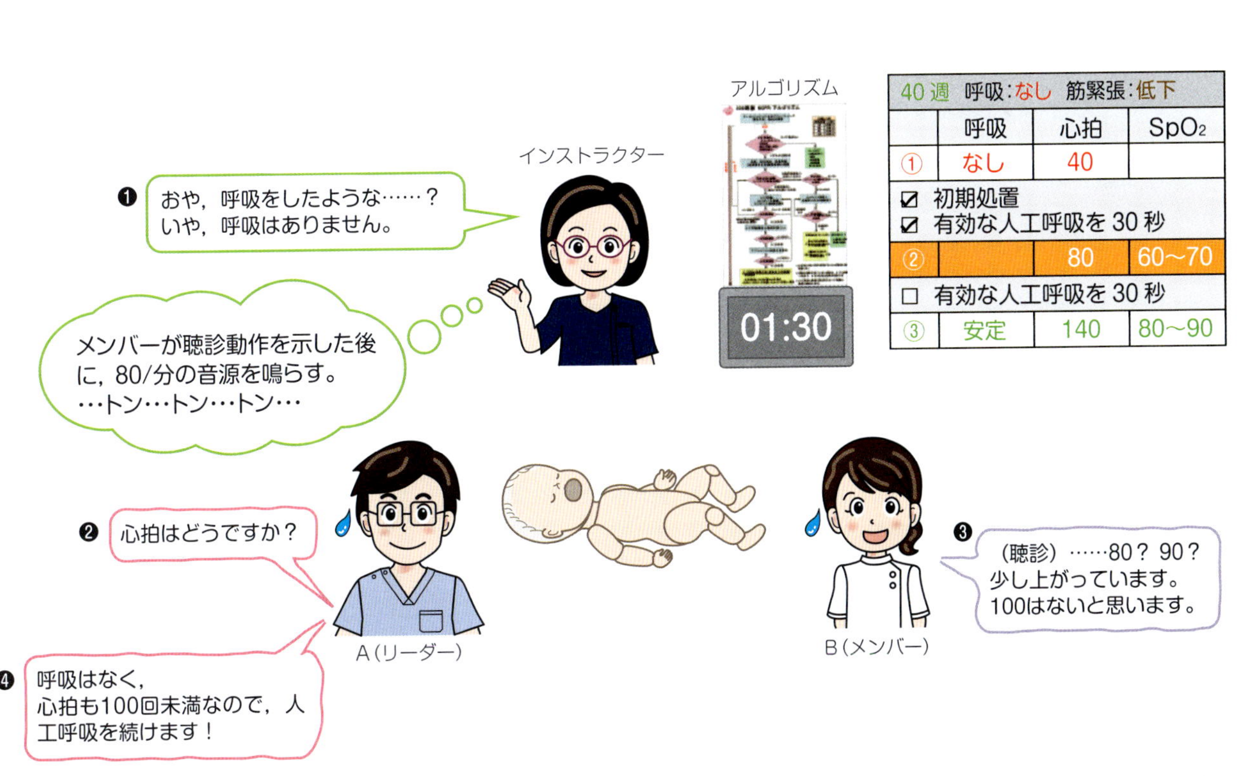

もしも人工呼吸を中止してしまった場合，バイタルサインは②を提示し続けます。有効な人工呼吸を30秒続けた後に，バイタルサインを②から③に移行させます。

❶ ほぎゃぁ，ほぎゃぁ。
呼吸を始めたようです。

インストラクター

（メンバーが聴診動作を示した後に，140/分の音源を鳴らす。
・トン・トン・トン・トン・）

アルゴリズム

02:00

40 週　呼吸：なし　筋緊張：低下			
	呼吸	心拍	SpO_2
①	なし	40	
☑ 初期処置 ☑ 有効な人工呼吸を 30 秒			
②		80	60～70
☑ 有効な人工呼吸を 30 秒			
③	安定	140	80～90

❷ 心拍はどうですか？

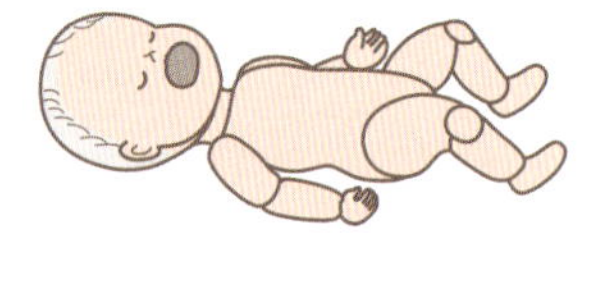

❸ （聴診）…… 100 以上あります！
（あっ，しまった！）
パルスオキシメータを巻きます！

❹ 呼吸が出現し，心拍も100以上。人工呼吸は中止します。中心性チアノーゼは……あっ！

A（リーダー）

B（メンバー）

努力呼吸の有無は「見ればわかる情報」として「陥没呼吸が目立ち，呻吟が聞こえます」「楽そうな呼吸をしています」と一方的に提示してもよいですし，「努力呼吸はどうですか？」というリーダーの質問に対して答えてもよいでしょう。

❶ ほぎゃぁ，ほぎゃぁ。
安定した呼吸をしています。
パルスオキシメータが表示されました。
心拍 140，SpO_2 は 85，86，87……

インストラクター

（メンバーが聴診動作を示した後に，140/分の音源を鳴らす。
・トン・トン・トン・トン・）

アルゴリズム

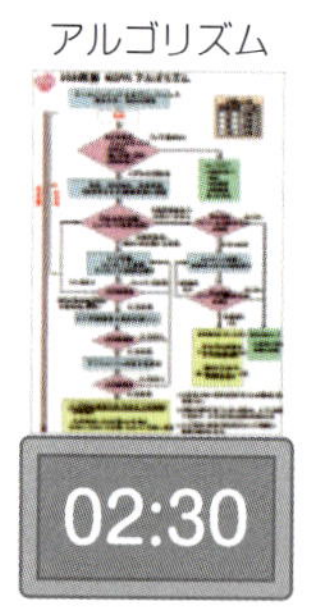

02:30

40 週　呼吸：なし　筋緊張：低下			
	呼吸	心拍	SpO_2
①	なし	40	
☑ 初期処置 ☑ 有効な人工呼吸を 30 秒			
②		80	60～70
☑ 有効な人工呼吸を 30 秒			
③	安定	140	80～90

❷ 努力呼吸と酸素化不良，
共に認めないので
蘇生後のケアに移って，
注意深く呼吸観察を続けます。

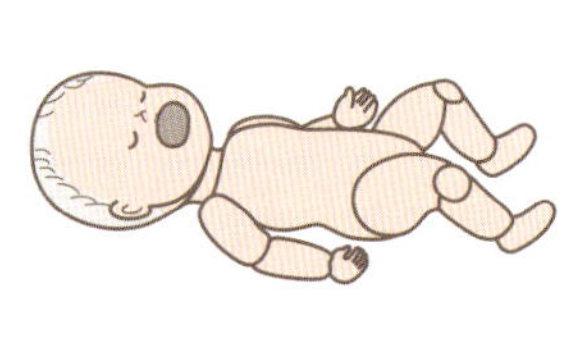

（良かった。ドキドキしたなぁ）

A（リーダー）

B（メンバー）

5 A・Bコースシナリオ集(p. v2 ～v33)の使い方

各シナリオには 学習目標 が記されています。シナリオを通じて，受講者に伝えたいポイントを明確にしておくと，振り返りにおいてもポイントを絞ったディスカッションができますし，学びが効果的になります。

シナリオ設定 には症例の妊娠週数，児の推定体重，羊水混濁の有無，新生児仮死のリスク因子の例が記されています。これらは自由にアレンジすることができますが，状況に合わせた物品の準備が必要です(例：極低出生体重児であれば適切なサイズのマスクや気管挿管物品)。

環境設定 には，「酸素ブレンダーやCPAP可能な蘇生バッグが常備され，ハイリスク分娩には複数スタッフの立会いが可能な総合病院」レベルと，「純酸素と自己膨張式バッグしかなく，助産師(看護師)1名で蘇生を担当することが多い産科開業医」レベルと，2種類を想定しています。

バイタルサイン進行表(図3)には，最上段に在胎週数と出生直後の児の状況を示す3つの情報が提示してあります。その下段には「呼吸」「心拍」「SpO_2」の情報があり，下に進むほど改善されていきます。そしてバイタルサイン移行の条件となる処置がチェックボックスで示されています。

赤色は「救命の流れ」において人工呼吸以上の処置が必要であることを示します。黄色は「救命の流れ」において蘇生が成功し，あえぎ呼吸が出現するまで(まだ人工呼吸は必要)と，「安定化の流れ」においてCPAPや酸素によるサポートが必要な段階を示します。緑色は努力呼吸と中心性チアノーゼ(酸素化不良)をともに認めず，蘇生の目標が達成されたことを示しています。

SpO_2値は60～70が中心性チアノーゼあり，80～90が中心性チアノーゼなし，とシンプルに対応させると便利です。

図3 バイタルサイン進行表の例

36週　呼吸：なし　筋緊張：低下			
	呼吸	心拍	SpO_2
①	なし	40	
□ 初期処置 □ 有効な人工呼吸を30秒			
②	努力	140	60～70
□ CPAPまたは酸素投与を30秒			
③	安定	140	80～90

シナリオ1～5には，アルゴリズムにおける「評価」と「行動」のステップを確実に理解し，知識のポイントを確認するための質問を多数挿入しています。実際の時間経過にはあまりこだわらず，どちらかといえば臨床経験が浅く，萎縮してしまいがちな受講者を「手取り足取り」，成功に導くような内容になっています。

シナリオ6～10には，「評価」と「行動」に関する最低限の情報だけをまとめており，「高度なシミュレーション」を行うことを想定しています。

シナリオのポイント には，シナリオを進める際に留意しておくとよいと思われる点を記しています。

ディスカッション は，シナリオ終了後のデブリーフィングの際に討論すると，より理解が深められると考えられる項目の例を挙げています。

（水本　洋）

2 専門コース（Aコース），一次コース（Bコース）具体的なデブリーフィング（‘振り返り’）法

ブリーフィングは学習前に行われる「打ち合わせ」や「確認」であり，デブリーフィングは終了後の「振り返り」のことをいいます。元来は軍隊用語で，前線からの帰還兵にその任務や戦況について質問し報告させることで，次第に災害に遭うなど，つらい経験をした後でそれについて詳しく話し，つらさを克服する手法として活用されています(psychological debriefing)。

デブリーフィング(de-briefing)の単語の成り立ちですが，“brief”は動詞としては「～を要約する」の意で，名詞としては簡潔・手短等のニュアンスがあり，軍隊用語では，出撃直前の飛行士などに簡潔な戦闘指令を与えるという意味があります。“de”は接頭語でこの場合は逆転(reversal)の意，つまりde-briefingは，帰還兵が逆に上司(将校)に報告することです。つまりデブリーフィングは報告してもらうことです。

NCPRをはじめ，シミュレーション学習におけるデブリーフィングはシナリオ(シミュレーション)学習を介し，振り返り，学習者から「気づき」「発見」「学び」を引き出すことが重要となります。NCPRでもデブリーフィング(‘振り返り’)を実習に取り入れることを勧めています。

A・Bコース
デブリーフィングの例

具体的な‘振り返り’の方法

CoSTR 2015のガイドライン以降，NCPR蘇生法インストラクターの訓練において，客観的な，構造化され，個々人を対象とした言葉もしくは文書による振り返りをタイミング良く含むことを提案しています。ただこの推奨を実行するのに，具体的にどの方法が良いのかは述べられてはいません。

これまで海外では，ピッツバーグ大学医学部のWISERシミュレーションセンターでAHAおよびシミュレーション専門家達と共同開発され，成人蘇生教育(Advanced Cardiovascular Life Support；ACLS)，小児蘇生教育(Pediatric Advanced Life Support；PALS)等に取り入れられているG.A.S.メソッド(表1)，Imperial College LondonのSHARP；5段階フィードバック法(表2)が代表的な振り返りの方法として知られ，活用されています。これらは共に構造化された振り返りの方法で，振り返りが構造化されることで①手順を追って(効率的)，②長所を発展させ，短所を分析・改善に繋げ(魅力的)，③新たな目標設定(まとめ)が達成されます(効果的)。

NCPRでは，特に実技・シナリオ実習に重点を置いたSコースにおいて，チェックリストを用いた構造化された振り返り法(VECTORデブリーフィング法，図1)を提案しています(詳細はp.108，「Ⅱ Sコース 3シナリオ実習」参照)。

‘振り返り’の目的

‘振り返り’の目的で重要なことは実習者が「気づき」を得て，自ら「学習」できることです。‘振り返り’の後，受講者から「気づき」「発見」「学び」を引き出すことができたか，自らを振り返り，自らを評価してみましょう。

（杉浦崇浩）

表1　G.A.Sメソッド

	目標	行動	時間
Gather：情報収集	受講者が何を考え，どのように感じたかを理解するために受講者に耳を傾ける	1.チーム全体にopen-ended question（その答えが説明となるような質問）をする	5分
		2.リーダーに経過を話させる	
		3.他のメンバーにその内容を明確にし，補足がないか尋ねる	
Analyze：分析	受講者が自分のとった行動について十分考え，検討するように促す	1.観察した（振り返った）こと（正しい手順，間違った手順）について報告させる	10分
		2.受講者の思考過程をはっきりさせる手助けをするような質問をする	
		3.シミュレーション中の行動や振り返り中に気付いたことを十分分析できるように支援する	
		4.その症例，セッションの到達目標に向けて継続的に焦点を当てて受講者の考えを導き，また修正する	
Summarize：まとめ	受講者が学習内容を自ら思い出し再確認するのを促す	1.報告内容や意見をまとめる	5分
		2.受講者が行動の良かった点を確認する	
		3.変更や修正の必要な点について確認する	

表2　SHARP；5段階フィードバック・デブリーフィング法

Before case
Set learning objective
（症例経験の前に）学習目標を設定
After case
How did it go ?
何がうまくいったか？ なぜ（うまくいったか）？
Address concerns
何がうまくいかなかったか？ なぜ（うまくいかなかったか）？
Review learning points
経験した症例で学習目標は合致したか？ テクニカルスキルで何を学んだか？ チームワークスキルで何を学んだか？
Plan ahead
今後の実践でどんな行動が実行できるか？

（Imperial College London: The Handbook for Debriefing.より作成）

図1　VECTORデブリーフィング法

1. 緊張からの解放	Vent
2. チェックリストを使用した振り返り	Examine your activity
3. インストとケース分析	Case review
4. チームメンバーとお互いに話し合う	Talk each other
5. 次の目標設定	Organize your next plan
6. 再挑戦	Retry

3 スキルアップコース（Sコース）

スキルアップコース（Sコース）の位置付けとその意義

Sコースは，「NCPR修了認定者」を対象にした継続学習支援のためのコースです。NCPRを取り巻く状況は，資格更新者および修了認定者の復習機会に対するニーズが増加する一方，社会からもその資格としての信頼性の担保も求められています。さらにはCoSTR 2015以降の蘇生教育部分では，必要に応じた（1年に1回以上の）頻回のトレーニングや，客観的・構造化された言葉・文章を用いたタイミングの良い振り返りが推奨されています。これらの問題を解決する一助として，ぜひこのSコースを活用しましょう。

Sコースは従来のA・Bコースと同様「講義」「基本手技実習」「シナリオ実習」の3つの要素で構成されていますが，eラーニングやテキストを用い，自分で復習可能な「講義」の時間を極力短縮し，「基本手技実習」と「シナリオ実習」により多くの時間を配分しています。すなわち，Sコースは受講者皆さんの新生児蘇生の手技をもう一度振り返り，復習する「実技」を重視したコースです。

Sコースでは，ポケットマニュアルや各手技・シナリオともに再確認を手助けするための自己チェックシートが用意されています。このチェックシートにより受講者の皆さんが磨きをかけるべき点，注意すべき点，確認すべき点などが明確になり，『受講者自身による学習・復習』が比較的簡便にできるかもしれません。

「日々の臨床の現場で継続的に復習が行われること」は，新生児蘇生の質を維持するための重要なポイントです。受講者皆さんの『手』が，その目の前の『赤ちゃん』を助けます。全国各地のインストラクターの皆さんによるSコース開催を通じて，A・Bコースの認定者の『蘇生技術の質の維持』，さらには赤ちゃんの予後の改善を目指しましょう。

（杉浦崇浩）

3 スキルアップコース（S コース）基本手技実習

Sコースの最も重要な目的の一つに,「新生児蘇生に必要な手技の再確認」があります。新生児仮死は突然訪れるものです。その際に的確な蘇生手技が実践できるように，しっかりと技術を維持しておく必要があります。実際の臨床の現場でNCPRを日々実践できている方は新生児蘇生の手技を順調に定着させることが可能ですが，必ずしもすべての認定者の方が日々，蘇生の現場にいるわけではありません。そのため，新生児蘇生の技術を維持するために定期的な継続的なトレーニングが必要となります。それがSコースです。

Sコースでは自己チェックシートを用い，新生児蘇生法の手技の一つひとつを確認することが可能となっています（p. v35 自己チェックシート，図1）。自己チェックシートには，新生児蘇生に必要なすべての手技が網羅されています。自己チェックシートを使用することで，受講者自身が不安な点，注意すべき点，確認すべき点などを明確にすることが可能です。受講者は自己チェックシートを用いて自己評価をすることで問題点を自分ごとと捉え，学ぶべき点を見つけ，自律的に学び始めるきっかけを得ることができます。インストラクターは， 受講者の学びたい部分を中心に指導を組み立てることができます。インストラクターにとっても，「受講者中心の学習」を学ぶ良い機会になることでしょう。

自己チェックシートの使い方

自己チェックシートの使用方法

①受講者は事前に配布された自己チェックシートを用い，自分が蘇生手技を（例：流量膨張式バッグを用いた人工呼吸）自信をもってできるか，不安があるのか，もし不安があるとしたらどこか, というところを確認します。自己チェックシートの「実習前」のボックスで自信のあるところに印をつけます。ないところはブランクのままにしておきます。

②自己チェックを終えたら，インストラクターに自己チェックシートを渡し，インストラクターに問題点を確認してもらい，アドバイスを受けながら手技のトレーニングをします。

③トレーニング終了後，再度自己チェックシートを確認し，不安点やうまくできなかった点が解決されたかどうか，もう一度確認します。「実習後」のボックスに，すべてチェックが入ったでしょうか。まだ不安なところがあるかどうか確認してください。

④もし不安な点があれば，インストラクターと再度トレーニングをしてください。蘇生

に関する手技は，赤ちゃんの生命予後に直結しますので，確実に身につけておく必要があります。練習することを躊躇する必要はありません。

⑤Sコース終了後，自己チェックシートは受講者に持ち帰っていただくので，講習終了後，自施設に帰ってからも知識の再確認などに使用することができます。

受講者のみならず，インストラクターにとっても自己チェックシートは役立ちます。手技に必要なポイントが明確に記述された自己チェックシートを用いることで，今までのようなインストラクターの記憶に頼った指導から，ムラのない標準的な実技指導を行うことが可能となります。インストラクター経験の浅い方のみならず，ベテランのインストラクターの方も自己チェックシートを積極的に活用して，より良い講習を目指してください。

公認Sコースでは人工呼吸，胸骨圧迫＋人工呼吸の2つを必ず実習することになっています。資格更新など，公認講習会であることが必須の場合は，確実にこの2項目の手技実習を行ってください。また，自己チェックシートには新生児蘇生法に関するすべての手技について記述されていますので，それぞれに必要な手技のトレーニング（気管挿管や薬物投与など）も同様に行うことができます。手技トレーニングの項目を1つ追加するごとに30分ほどの時間をとって，じっくりとトレーニングする時間を確保してください。

いくら知識があっても，どんなに判断が正しくても，蘇生手技を確実に正しく実践できなければ，新生児仮死の赤ちゃんを救うことはできません。新生児蘇生に関する手技を一つひとつ丁寧にトレーニングし，身につけておくことがとても大切です。自己チェックシートを使用し，もれなく蘇生手技トレーニングをしておくことを心がけてください。資格更新のためだけではなく，チームの定期的なトレーニングのためにSコースを開催することも可能ですし，講習会の形をとらなくとも，自己チェックシートを用いて，短い手技トレーニングを頻回に行うこと（Low-Dose High-Frequency Training）も蘇生技術の定着に役立つと考えられます。また，実際に自施設で新生児蘇生が行われる場所で，実際に使用する機材を用いて講習を行うことで，学習効果の高い講習を行うことができます（Contextual Learning）。自施設の機材や設備のチェックを行ったりすることが可能となるでしょう。

（嶋岡　鋼）

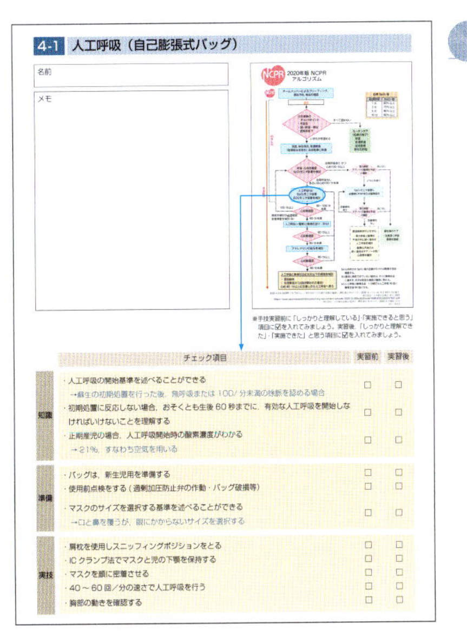
4-1 人工呼吸（自己膨張式バッグ）

名前

メモ

※手技実習前に「しっかりと理解している」・「実施できると思う」項目に☑を入れてみましょう。実習後，「しっかりと理解できた」・「実施できた」と思う項目に☑を入れてみましょう。

	チェック項目	実習前	実習後
知識	・人工呼吸の開始基準を述べることができる →蘇生の初期処置を行った後，無呼吸または100/分未満の徐脈を認める場合	□	□
	・初期処置に反応しない場合，おそくとも生後60秒までに，有効な人工呼吸を開始しなければいけないことを理解する	□	□
	・正期産児の場合，人工呼吸開始時の酸素濃度がわかる →21%，すなわち空気を用いる	□	□
準備	・バッグは，新生児用を準備する	□	□
	・使用前点検をする（過剰加圧防止弁の作動・バッグ破損等）	□	□
	・マスクのサイズを選択する基準を述べることができる →口と鼻を覆うが，眼にかからないサイズを選択する	□	□
実技	・肩枕を使用しスニッフィングポジションをとる	□	□
	・ICクランプ法でマスクと児の下顎を保持する	□	□
	・マスクを顔に密着させる	□	□
	・40～60回／分の速さで人工呼吸を行う	□	□
	・胸部の動きを確認する	□	□

図1　自己チェックシート

3 スキルアップコース（Sコース）シナリオ実習

Sコースにおけるシナリオ実習の進め方

Sコースのシナリオ実習のコンセプトは，「チームで赤ちゃんを救う」です。A・Bコースと異なり，より実践的なシミュレーションで新生児仮死の赤ちゃんを救う方法を学びます。3人の受講者で1組になり（状況によって変更も可能です），蘇生前のブリーフィング，役割分担，機材の準備など，すべて受講者が主体となって決定していきます。インストラクターは「教える」というよりは「見守る」という感覚で，受講者の立ち振る舞いを観察する必要があります。準備段階からシミュレーションは始まっています。Sコースにおけるシナリオ実習は，以下の通りに進行していきます。

シナリオ実習の流れ

1回目のシミュレーション

①インストラクターによる情報提示
②受講者チームによるブリーフィングと蘇生の準備
③1回目の蘇生シミュレーション

↓

チェックシートを用いて個人個人でシミュレーションを振り返る　個人での振り返り

デブリーフィング

①チーム全員でインストラクターとともにデブリーフィング
②メンバー同士で自由に議論
③次の蘇生シミュレーションに向けて目標を決める

グループでの振り返り

2回目のシミュレーション

同難度のシナリオを再挑戦し，改善を体感する

シナリオの導入と1回目のシミュレーション

●情報提示

最初に，インストラクターは蘇生チームに必要な情報を伝えます。在胎○○週○日，推定体重，母体の状況，分娩に至るまでの経緯，胎児心拍の状況，などを伝えます。チームメンバーに対してどの程度の情報を伝えるかはシミュレーションの目的によります。予定帝王切開の立ち会いの場合と，超緊急の帝王切開の場合では伝え方も異なるかもし

れません。インストラクターの情報の伝え方，話の仕方でシミュレーションの緊張感を変えることができます。また，「第○分娩室にて対応お願いします」「いますぐ手術室に来てください！」など，分娩の場所を伝えることも臨場感を加える一つのテクニックです。

●ブリーフィング

それを受けて，蘇生チームは行動を開始します。ブリーフィングを行い，必要な情報の伝達，役割分担などを行います。このブリーフィングに，インストラクターが一緒に参加する必要はありません。インストラクターは蘇生チームの立ち振る舞いを見守り，何ができていて何ができていなかったかチェックするに留めます。この段階で蘇生チームの行動に不備があったとしても，介入する必要はありません。シミュレーション終了後のデブリーフィングで議論することができるからです。とても大きな間違いがあるような場合は別ですが，蘇生チームの自律的な行動を促すために，インストラクターの介入をできるだけ少なくする必要があります。一刻を争う緊急帝王切開のときに蘇生チームがだらだらと準備に時間をかけているような場合は「もうすぐ赤ちゃんが生まれます！」や「羊水混濁が著明です！」など声をかけ，「いそがなくてはならない状況」を受講者に気づかせ，シナリオのスピード感を上げることもできます。

●蘇生シミュレーション

1回目のシミュレーションを開始します。シミュレーションの途中で，インストラクターは必要最小限の介入を心がけてください。シミュレーションの最中にNCPRに関する知識を問うような質問は必要ないかもしれません。実際の蘇生の現場で「1分間に何回人工呼吸しますか？」というような教科書的な質問はまずありません。むしろ，そのような質問をすることがトレーニング中の受講者の集中とシナリオへの没入感を削ぎますし，シミュレーションをギクシャクさせ，止めてしまう要因になります。シミュレーション中はタイミングよく最小限の情報（赤ちゃんの呼吸の状態，心拍，SpO_2など）を提示し，あとは受講者の行動をよく観察してください。シミュレーション中の判断，間違い，不備，受講者が感じた戸惑いなどの心理的な変化などをデブリーフィングで振り返ることが，受講者の学びとなります。

個人での振り返り

1回目のシミュレーションが終了したら，最初にチームメンバーのそれぞれが「個人」で自己チェックシートを用いてシミュレーションを振り返り，気づいた点をまとめます。大雑把な振り返りでよいので，自己チェックシートをガイドに自分が気づいたことをまとめる時間をとります。5分程度の短い時間でよいと思います。この時間は，続いて行われるチームでのデブリーフィングへの準備です。チームメンバーとしての自分自身の行動だけではなく，チーム全体の振る舞いがどうだったか，についても考えます。チーム内の上下関係などと関係なく振り返りを行うよう，インストラクターから声かけをしてあげることも大切です。

インストラクターとともにチームでの振り返り

チームでの振り返り（チームデブリーフィング）は，インストラクターとともにチームメンバー全員でシナリオを確認することから開始します。この際，インストラクターはメンバー全員が均等に発言機会を得られるように配慮します。すべてのメンバーが発言してよい，という雰囲気を作ることにも役立ちます。「赤ちゃんは在胎何週で，お母さんはどういう状態だったか」，「胎児心拍モニタリングはどうだったか」などの事前情報の再確認から始まり，「産まれた後の赤ちゃんの状態」「チームの動き」「判断」「チームの動き」などについて，段階を追ってデブリーフィングを進めていきます。「手技はどうだったのか」「判断はどうだったか」「どこに問題があったか」「また，それはなぜなのか」についてデブリーフィングを進めます。また，失敗した事例に対してのデブリーフィングだけではなく，「なぜそれが成功したのか」などについて着目し議論することも大切なことです。チームメンバーが自発的に議論し振り返りができるようならば，インストラクターはそのデブリーフィングを見守るだけで結構です。反対に活発な議論がなければ，インストラクター側から質問などをしてデブリーフィングを進めていきます。

2回目のシミュレーション再挑戦への準備

デブリーフィング終了後，チームメンバーのみで2回目のシナリオ実習に向けての「チームとしての改善点，目標」を議論して決定してもらいます。チームが「自律的に」次の改善目標を定める，というステップを踏むことで，デブリーフィングから得られた気づきを再確認することができます。チェックシートのなかには「より良い蘇生のためへのヒント」としてチームワーク，コミュニケーション，ノンテクニカルスキルなどといった視点からのヒントが記載されています。それらを参考にして改善点を2～3つ設定し，インストラクターに伝えます。チームメンバーから「コミュニケーションを良くする」とか「赤ちゃんの状態を的確に判断する」といった大雑把な曖昧な目標を伝えられることも多くありますが，そのようなとき，インストラクターはもう少し具体的な目標となるように修正します。

チームメンバー	「コミュニケーションを良くしたいと思います。」
インストラクター	「具体的にはどのようなコミュニケーションなのですか？」
チームメンバー	「蘇生中にやることについて伝える，ということです。」
インストラクター	「やること…，もっと具体的にはどのようなことなのですか？」
チームメンバー	「例えば人工呼吸をやります，とか，サクションしてください，とか」
インストラクター	「そうですか，蘇生の手技について自分がこれからやることや，やってほしいことについて明確に声に出して言う，と言うことですね。」

このようにして，対話のなかで目標を具体化していきます。

2回目のシミュレーションと短い振り返り

具体的な目標の確認が済んだら2回目のシミュレーションを行います。使用するシナリオは1回目と同じもの，もしくは同じくらいの難易度のものを選ぶとよいと思います。まったく違ったシナリオでも構わないのですが，チームが先に決めた改善点，目標を達成できるような難易度のものにするとよいでしょう。チームが自律的に決めた目標に焦点を当て，シミュレーションを進めていきます。

２回目のシミュレーション終了後，短い振り返りをします。インストラクターは，先ほどチームメンバーが自律的に決めた行動改善目標を達成できたかどうか，達成したらどのように自分たちの蘇生中の行動が変化したか，などを聞きます。「チームがどのように変わったか」「望ましい行動ができたか」「また，それはなぜなのか」について短く振り返りをしてシナリオ実習は終了します。

シナリオ実習において気をつけたいポイント

Ｓコースのシナリオ実習は，受講者の自律的な学びを最大限に尊重しています。インストラクターは受講者の意見をよく聞き，自発的な行動をできるだけ妨げないように配慮してください。シナリオ実習において気をつけるべき点は，受講者の達成感，到達感を受け止め，承認してあげることです。行動が良い方向に変化したならばその点を指摘し，改善されてきたところについてもコメントをして，受講者のモチベーションを維持できるような「前向きな強化（Positive Reinforcement）」を心がけてください。また，シミュレーションがシミュレーションのままで終わらないように，実際の蘇生に活かすような励ましも必要となるかもしれません。継続学習の勧め，On-the-job Trainingについてなども言及することもよいでしょう。

あらかじめ準備されたシナリオが窮屈と感じるインストラクターの方もいらっしゃるかと思います。もっと自由に，フレキシブルにシナリオを動かしてみたい，そうお考えのインストラクターのみなさまに向けて，何も描かれていない（シナリオの設定がない）チェックシートのテンプレートを用意しています。自由にオリジナルのシナリオを作るためのテンプレートです。ぜひ積極的にご使用いただいて，それぞれのニーズにあったオリジナルのシナリオを作っていただきたいと思います。

Sコースシナリオ実習の進め方のヒント

公認Ｓコースにおいては，１人のインストラクターあたり最大６名の受講者となります。インストラクターは，３人×２の２つのグループを担当する可能性があります。２つのグループのシミュレーション，デブリーフィングを同時に行うことはなかなか大変なことです。モデル例を示しますので参考にしてください。

①２つのグループを交互に対応する方法（図１）

このモデルの長所は，各グループのデブリーフィングの個別性が保たれ，グループ内で距離の近い活発な議論がなされる点です。また，グループの出来栄えが他グループに見られないので，心理的な圧迫感がないのも特徴です。

短所はインストラクターが２つのチームを並列で，しかも別々のデブリーフィングを扱わなくてはいけないので，時間配分やそれぞれのチームの進行などに気を遣う必要があります。

図1　Sコースの進め方の例①

グループA	インスト	グループB
シミュレーション1回目	←	ちょっと見学
自己チェック（個人）	→	シミュレーション1回目
ケースレビュー	←	自己チェック（個人）
ディスカッション（目標設定）	→	ケースレビュー
ちょっと休憩		ディスカッション（目標設定）
2回目のシミュレーションでの目標を共有する	↔	
シミュレーション2回目再挑戦	どちらが先でもよい	シミュレーション2回目再挑戦

② 2つのグループでデブリーフィングを共有して行う方法（図2）

2つめのモデルはシミュレーションを2つのチームに別々にやっていただいた後，デブリーフィングを2つのチームでまとまって行う方法です。この方法は自チームのシミュレーションからの気づきと，他チームのシミュレーションを観察しての気づきがある点で，学びが広がる可能性があります。2つのグループが同じ進捗となるので，時間管理や進行の面でインストラクターの負担は少なくなるでしょう。

短所としては，自チーム外の人（他チームのメンバー）がデブリーフィングに参加することです。自チームの活動を見られ，意見を言われる，という心理的な圧迫感やストレスがある場合が考えられます。また，人数が多くなるので発言がしにくく，議論の場が硬い雰囲気になる可能性もあります。インストラクターはシナリオ実習に先立ち，自チーム以外の人がデブリーフィングに参加する旨を伝え，了承を得る必要があります。

図2　Sコースの進め方の例②

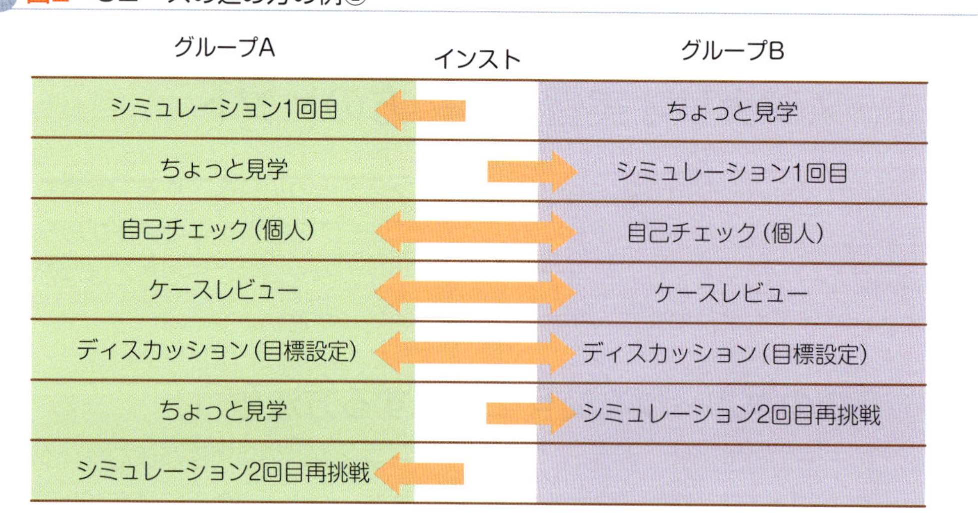

上記2つの例に限らず，インストラクターは学習の場の安全を保証し，議論を促進して学びを深めていくよう努めなくてはなりません。シミュレーションに先立ち，この学習の場が安全であること，どの発言も誰をも傷つける意図はないこと，などを明確に言

及する必要があります。学習の場の安全を守ることはインストラクターの重要な責務の一つです。

自己チェックシートを用いたデブリーフィング手法について

デブリーフィングの意味

シミュレーションを終えたすべての受講者が，自ら順序立てて自分の行動を振り返り，気づきを整理できるわけではありません。むしろその気づきは漠然としたもので，整理されていないものであることのほうが多いとも言えます。デブリーフィングは受講者の漠然とした気づきを整理し，学習として成立させるための重要なステップです。シミュレーションにおいては，シミュレーション終了後のデブリーフィングが学習効果に大きな影響を与えます。シミュレーションを終えた後，デブリーフィングがなければ，それはただの「体験した」というだけであり，「学んだ」という状態には程遠いものとなります。ところが，もともと目に見えない「受講者の気づき」を整理していく作業ですので，その方法は曖昧としていて，とてもつかみどころがない，わかりにくいもののような印象を受けます。デブリーフィングを行っているつもりでも，インストラクターが受講者と答え合わせをするような時間になってしまうと「間違いました，ごめんなさい，以後気をつけます。」と謝るだけになりますし，「緊張しました。難しかったです。」と感想を述べるだけでは，具体的な行動変容にはつながりにくいものです。

構造化デブリーフィング

このような状況のなか，構造化された（大まかなやり方が示された）デブリーフィングの手法が提案されてきています。わが国においてはオープンなディスカッションの機会が少なく，人前で発言することに慣れていないと感じます。心の中ではある意見をもっていても，発言せず黙ってしまうことも多く，議論を導くべき指導者もまた，議論を促進するための方法がよくわからず，不慣れなことが多いと思います。欧米で実践されているデブリーフィングの方法は，とても有効で参考になるものです。実際にその方法でデブリーフィングを行っても問題はありません。熟達したインストラクターは，どのような方法でもデブリーフィングを有効に行うことができます。

NCPRでは，それらの方法よりもさらに詳細に構造化されたデブリーフィングの方法である「V.E.C.T.O.R モデル」を提案しています。チームでの振り返りの前に，チェックシートを用いて個人の振り返りを先行させ，それを基に，全員でデブリーフィングを行います。V.E.C.T.O.Rモデルでは，シミュレーション後の議論だけで終了せず，自ら改善すべきことを設定し，再度シミュレーションに挑戦するところまで構造化されています。より詳細にデブリーフィングのステップを設定することで，インストラクターの経験が浅い方でも，デブリーフィングを理論的に行うことができます。もちろん，ベテランの方はこの方法を用い，より深い学びを導くことが可能でしょう。

VECTOR
デブリーフィング

V.E.C.T.O.Rデブリーフィングモデルの提案

ここで説明させていただく自己チェックシートを用いた構造化されたデブリーフィングの手法ですが，デブリーフィングの各ステップの頭文字をとってV.E.C.T.O.R.デブリーフィングモデルと名付けられています（図3）。

①緊張からの解放（Vent）

デブリーフィングに先立ち，シミュレーションに没入し緊張興奮状態にある学習者を一度クールダウンし，客観視ができる状態にする必要があります。例えば，重症で緊張度が高いシナリオ（常位胎盤早期剥離のケースなど）のシミュレーション後，受講者は緊張した状態が続いたり，気分が高揚した状態が続いたりするものです。そのような状態では，自分の行動を客観的に振り返ることが難しい場合があります。シミュレーションが終わった後の緊張感の解放は，客観視のための必要なステップとなります。この際には「どうでしたか？」「どんな感じでしたか？」というようなオープンクエスチョンは，受講者が興奮覚めやらぬまま振り返りを始めてしまう可能性があります。この段階では「緊張しましたね」「重症で大変でしたね」「冷や汗かきましたね」というような，具体的で笑顔を引き出せるような声かけがよいでしょう。

②自己チェックシートを用いた自己振り返り（Examine your activity）

少し場が和んだら，シナリオ用自己チェックシートを用いて「個人個人で誰とも相談せず」振り返りを行います。チームディスカッションに先立ち，個人のなかで自分やチームの行動をふりかえるための時間です。気づいたことを整理して，心に留めておくためのステップとなります。チーム全体での振り返りのための，予習の時間ととらえてもいいかもしれません。

③インストラクターとチームで振り返り（Case Review）

インストラクターとチームメンバー全員で振り返りを行います。シミュレーションが

図3　より詳細に構造化されたデブリーフィング（V.E.C.T.O.R.モデル）

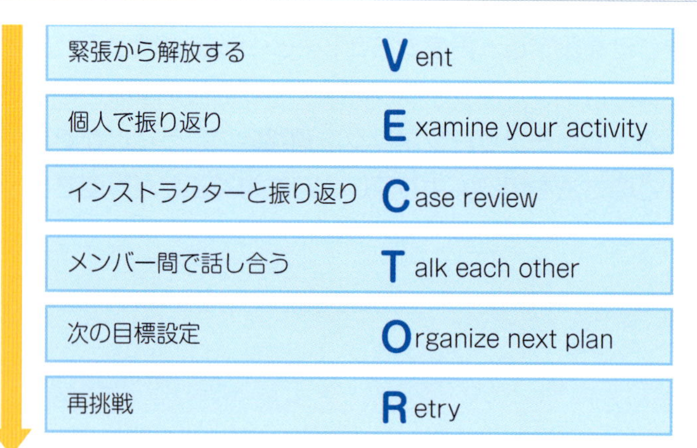

どのようなものだったか，その際に蘇生チームはどのように判断してどのように行動をしたか，シミュレーションでの体験を客観視し，メンバー全員で行動と判断を検証するステップです。

④お互いに話しあう(Talk each other)

シミュレーションの振り返りが終わったあと，どこが良かったのか，どこがうまくいかなかったのか，改善するにはどうしたらよいか，より良い蘇生のためにはどうしたらよいか，などをチームメンバー同士で「自律的に」話し合います。インストラクターはチームメンバーの意見を最大限に尊重し議論をまとめます。議論が活発な場合には，インストラクターはチームから少し距離を置いてもいいですし，もし議論がうまく進まないような場合には，質問などで手助けをしてあげてもいいでしょう。

⑤次の目標を決める(Organize next plan)

ディスカッションのなかから，２回目のシミュレーション挑戦の際に改善すべき目標を，チーム自身で決めてもらいます。改善目標が多すぎるのは逆効果です。目標は具体的なものとして，2つか3つ程度にとどめましょう。それをインストラクターと共有したあとに，2回目のシミュレーションに挑戦します。

⑥再挑戦する(Retry)

デブリーフィングで議論し，設定した目標を踏まえ，シミュレーションに再挑戦し，改善を実感します。

V.E.C.T.O.Rデブリーフィングモデルは，①シミュレーションでの経験　②振り返り，③目標設定，④再挑戦というステップで学習が進みます。経験(シミュレーション)のあと，振り返り(内省)があり，概念化があり，それを用いて再挑戦し，また経験する，という一連の流れはKolbの経験学習サイクル(図4)に準じたものです。

(嶋岡 鋼)

図4　経験学習サイクル(Kolb)とV.E.C.T.O.R.モデルの関係

Kolbの経験学習サイクルと同じステップをたどるようにV.E.C.T.O.R.デブリーフィングは構造化されている。

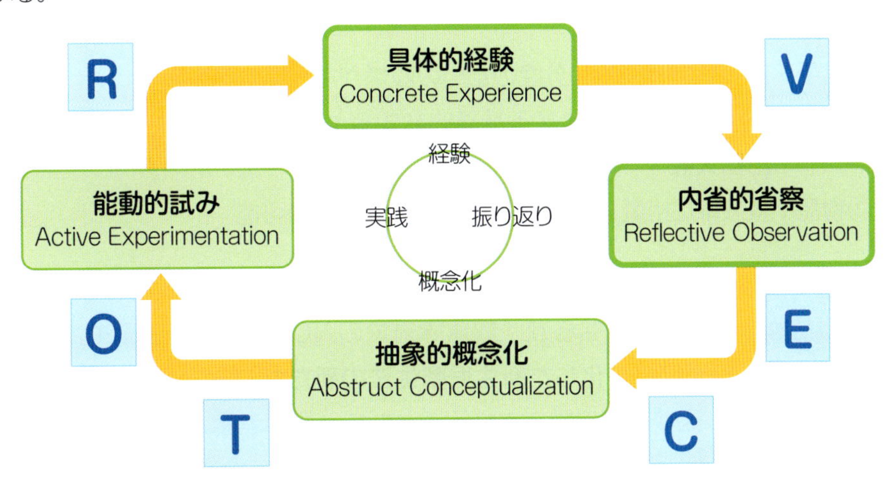

4 病院前（プレホスピタル）コース（Pコース）
Pコースの位置付けとその意義

病院前（P）コースは，分娩施設外で出生した新生児の病院前蘇生に携わる救急救命士，救急隊員，消防吏員，通信司令員などを対象として2020年に設立された，新規認定資格取得のためのコースです。

Pコース設立の経緯

医療者の介助なしに，非計画的に医療施設外で新生児が出生した場合，その初期対応は，119番通報で駆け付けた救急隊によってなされることがほとんどです。このような施設外分娩の正確な発生数は不明ですが，2015年の全国調査では819例で，同年の全救急搬送事例の約0.02％と，非常にまれといえます。

しかし，病院前周産期救護の領域は，現在の救急隊教育において**系統的に学ぶ機会が乏しい**一方で，**専門性が高い**ため一般の救急医からの助言が受けづらい現状があります。知識や経験が乏しいなか，母体と新生児という**2人の患者が同時に発生**する現場においては，救急隊は待ったなしの対応を迫られることになります。さらに，施設外分娩は頻度が低いがために，On the Job Trainingによる実地経験を積むことは難しく，シミュレーション教育の必要性は高いと考えられます。

元来，NCPRには新生児蘇生の基本的な手技を習得する一次コース（Bコース）と，高度な蘇生手技を含む専門コース（Aコース）があり，いずれも主な対象は，日常的に分娩に携わる専門知識をもった医療従事者です。蘇生場所も分娩室や手術室で，医療器材と人員が揃っていることが前提となります。救急隊員もAおよびBコースの受講は可能ではありましたが，施設外分娩の現場においては，以下に挙げるような特殊性があり，従来のAコース，Bコースでは実際の現場での活用が難しい側面がありました。

①場所：自宅や車中など，分娩のための設備がない場所での出産
②人員：分娩や新生児に関する基礎的な知識や経験の乏しい救急隊員，限られた出動人数
③物品：救急車に搭載された限られた物品のみ使用可能

このため救急隊員のみならず，救急隊対象のNCPRを開催するインストラクターからも，**救急の現場に特化した新生児蘇生法の新たなコース**を望む声が多く聞かれ，2020年にPコースが新たに設立されるとともに，受講者用のテキストが刊行されまし

た。そして，今回のインストラクターマニュアル改訂にあたり，新たにPコースの項目が追加されることとなりました。

Pコースの適応範囲

①Pコースにおいては**新生児蘇生法のみを扱い，分娩対応については扱いません。**

②救急隊の実際の救護活動は，地域のメディカルコントロール協議会の作成したプロトコールに基づくことが義務付けられています。このため地域によっては，新生児蘇生に関するプロトコールが病院前新生児蘇生法の内容と必ずしも一致していないことがあります。このような場合は，**地域のプロトコール**に沿うこととします。

Pコースの到達目標

Pコースの到達目標は，分娩施設外での新生児の出生および搬送に対応できる知識・技術・態度を習得することで，最終的に**新生児の予後改善**につなげることを目指しています。

Pコース開催における留意点

Pコースでは以下の点に留意することで，救急隊員の実地の現場活動により直結した講習会となることが期待されます。

①知識
- 子宮内から子宮外への新生児特有の適応生理の存在
- 成人と異なり，新生児蘇生では「呼吸が優先」
- 体温管理の重要性

②技能
- 自宅の床や救急車のストレッチャー上を想定した場の演出
- 救急車に搭載している資機材を前提とした実技演習

③態度
- 母親への声かけ
- 医療機関への情報提供

（宮園弥生）

4 病院前（プレホスピタル）コース（Pコース）基本手技実習

Pコースの基本手技実習は基本的にBコースに準じますが，病院外で蘇生を行う救急救命士や救急隊員には，分娩施設にはないさまざまな制約があります。また，救急対応のなかで新生児蘇生はまれなケースなので，受講者は，成人や小児のものと手技や時間管理が異なる新生児蘇生アルゴリズムに戸惑うこともあるでしょう。ここでは実際の現場での状況をイメージしながら，アルゴリズムに沿って手技を確実に行えるようにトレーニングします。所属する組織や地域によってプロトコールや搬送ルールに差異があると考えられますが，**新生児蘇生法アルゴリズムを理解し，その骨格に沿った蘇生を実施できることを目標**とします。

1 基本手技実習の構成

①物品・環境の準備
②蘇生の初期処置
③呼吸・心拍の評価
④酸素投与
⑤人工呼吸，人工呼吸の手技の改善
⑥胸骨圧迫

Pコースでは病院外で出生した新生児の蘇生を扱うので，**すべての症例をハイリスクと考えて初期処置に進みます**。ルーチンケアは扱いません。

2 基本手技実習の準備

蘇生スペース

病院外での新生児蘇生の環境は，自宅や宿泊施設などの屋内（畳，ベッド，机など）や救急車や自家用車内，屋外などさまざまです。基本手技実習では，ストレッチャーや机など準備できるもので行い，実際の現場を想定しながら実習しましょう。

物　品

吸引カテーテル，自己膨張式バッグ(リザーバー付き)，フェースマスク，酸素チューブ，タオル，アルミシート，聴診器など救急隊が救急現場で使用可能なものを用います。可能であれば，受講者が実際に使用できる蘇生物品を持参してもらって物品確認を行えば，蘇生現場で具体的な機器の使用をイメージすることができます。

受講者の把握

受講者が救急救命士，消防隊員のどちらなのか，救急現場での勤務に携わっているか，分娩の症例に遭遇したことがあるかなど，最初に把握しておくと実習をスムーズに運ぶ助けとなります。

3 基本手技実習の実際

①物品・環境の準備

Pコースで用いる新生児蘇生の物品は，多くの地域で救急車に搭載されているものを挙げています。また，院外での出生が想定されるため，**蘇生を行う場所に合わせて環境整備も必要**です。スペースの確保，保温のための室温調整，蘇生に使用するタオル類を救急車内で温めておくことも考えましょう。

②出生時のチェックポイント，蘇生の初期処置

Pコースでは**すべての症例がハイリスク**であるため，**蘇生の初期処置を行いながら**出生時のチェックポイントを確認していきます。

日常的に新生児をみることのない職種では,「弱い呼吸・啼泣」や「筋緊張低下」はイメージしにくく，評価は困難です。新生児の安定した呼吸がどのようなものか，筋緊張良好な児ではどのような姿勢をとるのか, 正常な状態も含めて説明すると理解しやすいです。

蘇生の初期処置では，処置の正確さに加えて**スピードに注意しましょう。**新生児蘇生に慣れない場合，手技を確実に行うことにこだわって処置にかける時間が長くなりがちです。**蘇生の初期処置を約30秒で行うことを目標に示す**と，トレーニングしやすくなります。

③呼吸・心拍の評価

日常的に新生児に接していない場合，呼吸の評価は困難です。しっかり啼泣していると判断できない場合は，院外での蘇生というリスクも考慮して次のステップに進んでよいとします。心拍は胸部を6秒間聴診し，10倍する方法で測定します。聴診器での心拍の測定は，救急車内など騒音が多い場所では特に難しいため，臍帯の拍動で確認する方法や早期の心電図モニタ装着を勧めます。その際，**胸部や腹部を露出して低体温を招かないよう注意**します。

④酸素投与

院外の蘇生ではCPAPは行えないため，呼吸の安定化や高度な蘇生のために酸素投与が必要な場合には**100%酸素を使用**します。酸素投与のみ行うときは，小児用酸素マスクや手のひらでカップを作る方法を用います。

⑤人工呼吸，人工呼吸の手技の改善

呼吸・心拍を評価して，**無呼吸または心拍100/分以下であれば，遅滞なく人工呼吸を行います。人工呼吸が胸骨圧迫より優先されることを強調**して下さい。通常，院外では人工呼吸に使用できるのは自己膨張式バッグに限られます。人工呼吸の回数が40～60/分とほかの年代に比べて多いこと，圧は胸壁が軽く持ち上がる程度として過剰にならないように注意します。

人工呼吸を行っても徐脈が改善しないときや，加圧時に胸郭上昇がない場合は**人工呼吸の手技の改善を試みます。**マスクの密着や気道確保姿勢の再確認，口腔・鼻腔吸引や換気圧を上げた人工呼吸を行います。気管挿管やラリンゲアルマスク(LM)の挿入を行うことは，現実的ではありません。人工呼吸の改善を試み，心拍を確認しながら病院への搬送を行わざるをえないこともあるでしょう。

⑥胸骨圧迫と人工呼吸

約30秒の適切な人工呼吸を行っても心拍が60/分未満であれば，胸骨圧迫と酸素投与を開始します。ここで，人工呼吸を開始して30秒で心拍が60/分以上にならなければすぐに胸骨圧迫に進むのではなく，まずは前記の**人工呼吸の手技の改善を試み**，改善ができれば“適切”な人工呼吸を30秒行い，心拍を再評価して徐脈に改善がない場合に胸骨圧迫に進むことを確認してください。胸骨圧迫の実習では，**圧迫部位(胸骨下部1/3)，圧迫の深さ(胸郭の厚さの1/3)，圧迫のペースと人工呼吸との比(1分間に120回，胸骨圧迫：人工呼吸　3：1)**を確認しながら行います。特に，胸骨圧迫と人工呼吸の比は小児や成人と大きく異なりますので，慣れるまでトレーニングしましょう。

(小西恵理)

4 病院前（プレホスピタル）コース（Pコース）シナリオ実習

シナリオ実習は，コースで積み上げてきた知識，手技を実際の時間推移に近い形で実践し，経験する総合的なトレーニングです。本物の蘇生を模した体験を積むことができ，アルゴリズムを実行する訓練を行いながら，受講者各自の所属先での強みや課題点に気づくことができます。

実際の救急現場は，救急隊は3人で出動するのが基本です。司令室との通信や母体の処置などさまざまなことが同時に起こると考えられ，全員が新生児蘇生に集中できるとは限りません。しかし，Pコースでは新生児蘇生法の習得が目的ですので，A，Bコース同様，**受講者全員が新生児蘇生に取り組みます。**シナリオ実習でNCPRの基礎を確実にすることで，多様な救急現場の状況のなかでも新生児蘇生に対応する力を身につけることができます。

シナリオ実習の実際について説明する前に，Pコースにおけるシナリオ実習で注意すべき点に触れておきます。

- 病院外での新生児蘇生では，物品，資源，人員が限られる。
  - ⇒　病院内と同様に行うことはできず，その場での最善を考える。
- 救急隊は新生児を扱う経験が少ない。
  - ⇒　正確な評価は困難。オーバートリアージを可とする。
  - ⇒　人工呼吸や酸素投与は，病院に着くまであえて中止しなくてもよい。

シナリオ実習の実際

①ルールの説明

シナリオに入る前に，シナリオ実習におけるルールを説明します。

時間は出生時またはすでに出生している場合は初回接触時を起点とすること，インストラクターが時間の流れを管理する場合があること，手技は省略せず確実に行うこと，呼吸・心拍，努力呼吸・チアノーゼ，SpO_2などの情報は，受講者が評価を行ったときにインストラクターから提示されることなど，講習会の状況に応じて必要なルールを説明しておきます。

②ブリーフィング

救急隊の出動時には通常，救急現場に到着する前に救急車内などでブリーフィングを行います。新生児蘇生ではより迅速な蘇生が必要とされるため，新生児に接触するまでのブリーフィングも入念に行います。**現場に到着する前に，起こりうるシナリオを複数想定して，チーム内で共有しておきます**。また，現場に持ち込む新生児用器材，救急車内の物品も確認します。**役割分担は重要**で，リーダー，呼吸管理，心拍評価，時間管理，記録，通信，重症の場合は胸骨圧迫など，タスクが多岐にわたります。講習会でも，インストラクターから伝えられる事前の情報をもとにブリーフィングを行います。

③シナリオの進行

シナリオ実習はA，Bコースと同じく，インストラクターからの質問を織り交ぜながら進めていきます。蘇生を成功させて終わる必要はなく，シナリオの目標(例えば，人工呼吸を出生後60秒以内に開始する)が達成できたら終了とする，実際の現場で想定される「人工呼吸や酸素投与を行いながら搬送開始」で終了するなど，受講者の習熟度もみながら変更することができます。ほとんどの受講者は初学者ですので，シナリオ実習の前半は，「人工呼吸」「胸骨圧迫と人工呼吸」「呼吸の安定化」など，各シナリオの目標を事前に提示してシナリオに入るのも有効です。

④デブリーフィング

シナリオが終了したら，デブリーフィングを行います。症例を振り返り，**できたこと，改善点，次のシナリオに向けた課題**などをチームで話し合います。インストラクターがフィードバックを行う際は，**良かった点を述べて正の強化を行うことが重要です**。また，「アルゴリズム」「手技」「チームワーク」のように区別してフィードバックを行うと受講者に伝わりやすいです。次のシナリオを行う際に最も重視すべき事項を受講者とインストラクターで確認し，シナリオ実習のなかで新生児蘇生法を習得していくよう努めます。

⑤チームワーク

新生児蘇生は救急現場ではまれな症例であり，蘇生アルゴリズムに従って評価し手技を行うのは他の年代の蘇生に比べてストレスが大きく，困難を伴うことが予想されます。共通認識をもってリスクを共有することや，不本意な報告を行うことにはより高度なコミュニケーション技術が必要とされるため，児の状態がよくないときや蘇生の過程で問題が起こったときは，より**積極的に勇気をもって声を出して情報やアセスメントを確認することが必要であることを確認しておきましょう**。

⑥家族への接し方

出産満足度と母親の児に対する愛着が関連していることは，以前から報告されています。予期せぬ病院外での出産は出産満足度が高いとは考えにくく，母児の愛着形成に影響を及ぼす可能性も考えられます。シナリオ実習のなかで，母への声かけや出産への祝福，状態が安定していればモニタリングや観察を行いながら児へのタッチングを促すなど，母への接し方に少しでも触れられるとよいです。また，家族への配慮も必要であることを伝えましょう。

（小西恵理）

Ⅲ 講習会の開催方法について

1 講習会の開催について

NCPR講習会はさまざまな形態で開催されていて，医療機関内の小規模講習会から，各地区医師会・助産師会・看護協会・自治体などの団体を主催としたもの，都道府県の周産期協議会などが実施するもの等があります。受講者の募集についても，院内スタッフを対象とした非公開のものから，NCPRホームページ（https://www.ncpr.jp/）を通じて全国公募するものまであります。受講を希望する者は，それぞれの講習会の所定の手続きに従って開催者に直接申し込みを行います。

NCPR講習会には，新規修了認定取得を目的とした「専門コース（アドバンスコース：以下，Aコース）」「一次コース（ベーシックコース：以下，Bコース）」「病院前コース（プレホスピタルコース：以下，Pコース）」と，修了認定取得者の更新のための履修となる継続学習支援コースの「スキルアップコース（以下，Sコース）」があります。インストラクターは，どの講習会を開催することが望ましいのか，受講者のニーズや地域の状況にあわせて決定しましょう。

インストラクター資格別 開催可能コース一覧	
Ⅰインストラクター	Aコース・Bコース・Pコース・Sコース
Jインストラクター	Bコース・Sコース

インストラクターへの支援

トレーニングサイトの利用

全国22か所に配置されたNCPRトレーニングサイトにおいて，インストラクターの支援や地域指導体制の確立を目的とした「インストラクターの登録制度」を設けています（表1）。インストラクションの機会の提供や，インストラクターへの情報提供を行っているので，お近くのトレーニングサイトに登録しておけば，役立つ情報を得ることができます。資格を取得してもなかなか活動の機会がない場合は，ぜひこの制度を利用するとよいでしょう（https://www.ncpr.jp/trainingSite/login.do）。

【トレーニングサイト登録制度　概要】

- **インストラクターの資格を取得しても，なかなか活動の機会がない**
  ⇒　登録したトレーニングサイトまたは関連施設でのNCPR講習会に，インストラクターとして参加できる機会を提供します。
- **NCPR講習会を開催するときに，ベテランインストラクターに手伝ってほしい**
  ⇒　登録したトレーニングサイトに，インストラクターの派遣を依頼できます。
- **地域のインストラクター間で情報交換をしたい・困っていることを相談したい**
  ⇒　登録したトレーニングサイトとのメールのやりとりが可能です。

表1　NCPRトレーニングサイト一覧

北海道トレーニングサイト	北海道大学病院	長野トレーニングサイト	長野県立こども病院
岩手トレーニングサイト	岩手医科大学附属病院	石川トレーニングサイト	石川県立中央病院
宮城トレーニングサイト	宮城県立こども病院	愛知Aトレーニングサイト	名古屋市立大学病院
茨城トレーニングサイト	筑波大学附属病院	愛知Bトレーニングサイト	愛知医科大学病院
埼玉トレーニングサイト	自治医科大学附属さいたま医療センター	京都トレーニングサイト	京都第一赤十字病院
千葉トレーニングサイト	東京女子医科大学八千代医療センター	大阪Aトレーニングサイト	大阪大学医学部附属病院
東京Aトレーニングサイト	社会福祉法人恩賜財団母子愛育会附属愛育病院	大阪Bトレーニングサイト	公益財団法人田附興風会医学研究所北野病院
東京Bトレーニングサイト	公益社団法人日本産婦人科医会	兵庫トレーニングサイト	兵庫県立こども病院
東京Cトレーニングサイト	日本大学医学部附属板橋病院	広島トレーニングサイト	広島市立広島市民病院
神奈川トレーニングサイト	北里大学	香川トレーニングサイト	香川大学医学部附属病院
新潟トレーニングサイト	新潟大学医歯学総合病院	鹿児島トレーニングサイト	鹿児島市立病院

※2021年4月現在

インストラクター・主催者専用ページ

NCPRのホームページ上に，I・Jインストラクターが登録可能な「インストラクター・主催者の専用ページ」があります。ここに登録すると，インストラクター専用掲示板で提案や疑問について発言したり，講習会で使用できる「講義スライド」のダウンロードや「便利ツール」を利用できたりします。開催前に一度確認し，より良い講習会が開催できるよう活用してみましょう。

2 新規修了認定コース（Aコース・Bコース・Pコース）の開催について

新規修了認定取得を目的としたNCPR講習会には，専門性の高い周産期医療機関のスタッフ等を主な対象とした「Aコース」と，一次医療機関のスタッフや学生等を主な対象とした「Bコース」があります。また，2020年から医療施設外分娩を想定した救急救命士・救急隊員・消防吏員等を対象とする「Pコース」が開始されました。

すべてのコースとも推奨テキストによる事前学習を必須とし，講習会はプレテスト・規定スライド教材による講義・基本手技の実習・シナリオ実習・ポストテストから構成されています（表1）。最後に行うポストテストで基準の点数を満たした受講者は合格となり，修了認定申請を行い，認定を取得することができます。

Aコース概要

Aコースは，気管挿管や薬物投与を含めた「臨床知識」「実技」で構成される高度な新生児蘇生法を習得するためのコースです。なお，インストラクター養成講習会の受講資格は，Aコース修了認定を要します。

- 主な対象：産婦人科医師，小児科医師，麻酔科医師，救急科医師，その他の周産期医療機関の医師，および専門性の高い看護師・助産師，救急救命士，等
- 講習時間：標準5時間
- 受講者数：実習1ブース8名まで（1ブース：インストラクター1名以上必要）
  ※学習効果の点からは1ブース6名程度を推奨します。
- 推奨テキスト：日本版救急蘇生ガイドライン2020年に基づく新生児蘇生法テキスト

Bコース概要

Bコースは，バッグ・マスクや胸骨圧迫を中心とした「臨床知識」「実技」で構成される，基本的な新生児蘇生法を習得するためのコースです。

- 主な対象：一般の医師，一般の看護師・助産師，初期研修医，救急救命士，医学生，看護および助産学生，等（Bコース対象者もAコースの受講が可能）
- 講習時間：標準3時間
- 受講者数：実習1ブース10名まで（1ブース：インストラクター1名以上必要）
  ※学習効果の点からは1ブース8名程度を推奨します。
- 推奨テキスト：日本版救急蘇生ガイドライン2020年に基づく新生児蘇生法テキスト

Pコース概要

Pコースは，医療施設外での出生を想定した新生児蘇生法を習得するためのコースです。

- 主な対象：救急救命士，救急隊員，消防吏員，等
- 講習時間：標準3時間
- 受講者数：実習1ブース8名まで(1ブース：インストラクター1名以上必要)
  ※学習効果の点からは1ブース6名程度を推奨します。
- 推奨テキスト：病院前新生児蘇生法テキスト
  ※テキスト内に予習動画が収録されているので，事前に視聴してもらうとよいでしょう。

表1　Aコース・Bコース・Pコース標準プログラム例(時間の目安)

	Aコース(5時間)	Bコース(3時間)	Pコース(3時間)
挨拶： 講習の流れの説明 インストラクター紹介	0:00～0:10 (10分)	0:00～0:05 (5分)	0:00～0:05 (5分)
プレテスト： 選択式テスト： Aコース；25問，B・Pコース；10問	0:10～0:25 (15分)	0:05～0:10 (5分)	0:05～0:10 (5分)
講義： 規定のスライド教材による講義	0:25～1:45 (80分)	0:10～0:50 (40分)	0:10～0:50 (40分)
休憩： インストラクターが1人の場合には，休憩中にプレテストの採点を行う。複数の場合は，講義を担当していないインストラクターが講義中に採点する。	1:45～2:00 (15分)	なし	なし
プレテストの解説： 正答率の低かった問題の解説	2:00～2:15 (15分)	なし	なし
基本手技の実習： ①蘇生の準備・ブリーフィング ②出生児の状態評価 ③ルーチンケア ④蘇生の初期処置 ⑤バッグマスクを用いた人工呼吸 ⑥胸骨圧迫 ⑦胸骨圧迫と人工呼吸の組み合わせ ⑧薬物投与とその準備※1 ⑨気管挿管とその介助※1	2:15～3:15 (60分)	0:50～1:40 (50分) ※⑧，⑨の項目を省略することができます。	0:50～1:40 (50分) ※⑧，⑨の項目を省略することができます。
ケースシナリオによる実習※1： 1ブース内でさらに3～4名ずつのチームに分かれ，3～6種類のケースシナリオ実習を行う	3:15～4:30 (75分)	1:40～2:40 (60分)	1:40～2:40 (60分)
ポストテスト※2： 選択式テスト 全コース：25問 / 20問以上の正解で合格	4:30～4:45 (15分)	2:40～2:55 (15分)	2:40～2:55 (15分)
挨拶： 総括，講評	4:45～5:00 (15分)	2:55～3:00 (5分)	2:55～3:00 (5分)

※1　看護師・助産師・呼吸理学療法士・救急救命士などの医師以外のメディカルスタッフを対象とした場合，薬物投与・気管挿管に関しては，その準備・介助の実習を行うのみでも可とします。
※2　ポストテストの時間はA・B・Pコース共通で15分間が規定時間です。

Aコース・Bコース・Pコース開催の手順

①開催の決定と講習機材の手配(90～60日前)

講習会を開催する場合は，日時・会場・プログラム・ブース数・インストラクター・受講料・受講者の公募の有無を決め，**講習会で使用する物品の手配**も行っておきます(表2)。

- □ 開催日の決定
- □ コースの決定
- □ 受講者人数と公募の有無の決定
- □ 会場の確保(p.131，会場レイアウト図参照)
- □ インストラクターの確保
- □ 講習会機材の手配

講習会機材がない場合…
講習会機材セット・新生児蘇生モデルのレンタルを行っております。レンタルを希望する場合はNCPR事務局にお申し込みください。

②事前公認申請手続き(～30日前)

開催日の30日以上前までにNCPRホームページより事前公認申請を行い，日本周産期・新生児医学会より講習会の公認を受けます。

- 「コース公認番号」が付与され，講習会で使用するテストおよび，その他の書類が開催の約2週間前に届きます
- すべての公認講習会は，NCPRホームページで公示されます。NCPRホームページ上で受講者の一般公募をする場合は，事前公認申請時に「募集要項」も提出してください。

- □ 30日以上前までに事前公認申請をする
- □ 公募の場合は募集要項の提出
- □ 受講者へ事前学習の案内
- □ 事務局からの郵送物(テスト書類)到着の確認

より学習効果を高めるために受講者には推奨テキストによる事前学習を必ず行うように伝えておくとよいでしょう。

表2 実習準備物品例(1ブースあたり)

- □ アルゴリズム図
- □ インファントウォーマーまたは蘇生テーブル
- □ 新生児蘇生モデル(バッグマスク換気・気管挿管・胸骨圧迫用の人形)
- □ バスタオル
- □ ハンドタオル
- □ 流量膨張式バッグ(マノメーター付のもの)
- □ 自己膨張式バッグ(リザーバー付のもの)
- □ Tピース蘇生装置*
- □ フェースマスク各サイズ
- □ 新生児用聴診器
- □ 新生児用喉頭鏡(サイズ0の直型ブレード)
- □ 酸素供給用延長チューブ
- □ パルスオキシメータの新生児用プローブ
- □ 気管チューブ(3.5mm，3.0mm，2.5mm)各サイズ
- □ 気道吸引カテーテル(6Fr，8Fr，10Fr，12Fr)各サイズ
- □ 胃カテーテル(6Fr，5Fr，4Fr)各サイズ
- □ 注射器(30ml，10ml，1.0ml)各サイズ
- □ ストップウォッチまたはタイマー・メトロノーム
- □ スタイレット*
- □ ラリンゲアルマスク*
- □ バルブシリンジ*
- □ コンプレッサー*
- □ 吸入酸素濃度調整用ブレンダーもしくはその模造品*
- □ 呼気CO_2検出器*(カプノメータまたはディスポーザルのもの)
- □ SpO_2モニタ*
- □ 心電図モニタとリード線*

*：オプションとしてあれば教育効果が増す。
SpO_2モニタ，心電図モニタ，ブレンダーは代用品(自作など)でもかまわない。

③受講者名簿の作成

インストラクターの人数に応じて，受講者をグループ分けします。グループ分けを行う場合，目的(教育効果・チーム医療など)に応じて，受講者の構成・割合を考えます。**受講者名簿をあらかじめ作成**しておくと，当日の受付での混乱を避けられます。また，テストの際には受講番号が必要となりますので，名札も用意するとよいでしょう。

- □ **受講者名簿(職種や施設名など記載)の作成**
- □ **名札(グループ名・受講番号)の作成**

標準的な蘇生のアルゴリズムをマスターすれば，初対面のスタッフのグループでもスムーズなチーム医療の遂行を実感できるようになります。

④講習会会場設営（〜当日）

インストラクターは，必ず開始時間までに会場設営を行います。**必要物品が準備されているか，物品が正しく機能するか，講義スライドの動作確認**は必ずチェックしておきましょう（表3）。講義スライドは動画を含みますので，会場が広い場合はスピーカー等の準備も行います。

会場内は講義スライドが見やすいような配置を行い，ブースは実習時に声が干渉しないように各ブース間の距離を工夫するとよいでしょう（図1）。

特に，不慣れな会場では，準備は念入りに行いましょう。

- □ 講習機材・物品の準備
- □ 講習機材が正しく機能するか
- □ 講義スライド（マイク・音声など）の動作確認

- 席順は事前に決めておくと欠席者・遅刻者の確認が容易になります。
- 講義と実習ブースを別会場にすることも可能です。机や椅子の並び替えの必要がないようにしておくとスムーズに行えます。

表3　会場準備物品例

□ PC
□ プロジェクター
□ レーザーポインター
□ 講義用スライド教材（NCPRのホームページよりダウンロード可能）
□ 講義用の音響設備（マイク，スピーカー）
□ 受講者名簿・名札
□ コース公認番号を示した掲示用スライド（プレ・ポストテストの際に使用）
□ プレテストおよびプレテストの解答集　＊持ち帰り禁止
□ ポストテスト・マークシート　＊持ち帰り禁止
□ 講習会実施証明記録用としてデジタルカメラなど
□ 筆記用具

講習会を安全に開催するための感染防止対策について

NCPR講習会は，「医療の質の維持と向上」を目的とした教育のため，インストラクターは開催することの利益・不利益を判断し，学習機会の提供を行ってください。

感染防止対策においては，感染症の種類および流行状況に応じて，基本的に各施設の指針に従い，特に以下の点に配慮し開催するとよいでしょう。

- 各ブースにアルコール消毒液・除菌液を設置する
- 換気効率を勘案して定期的に扉や窓を開放するなどして，換気を行う
- 講義中や実習中の受講者同士の距離感をできるだけ確保する
- 実習中は，マスク，眼鏡，フェースシールドや手袋を着用して行う
- 食事をはさむ場合は，対面での食事や会話を控える

図1　講習会会場レイアウト例（4ブースの場合）

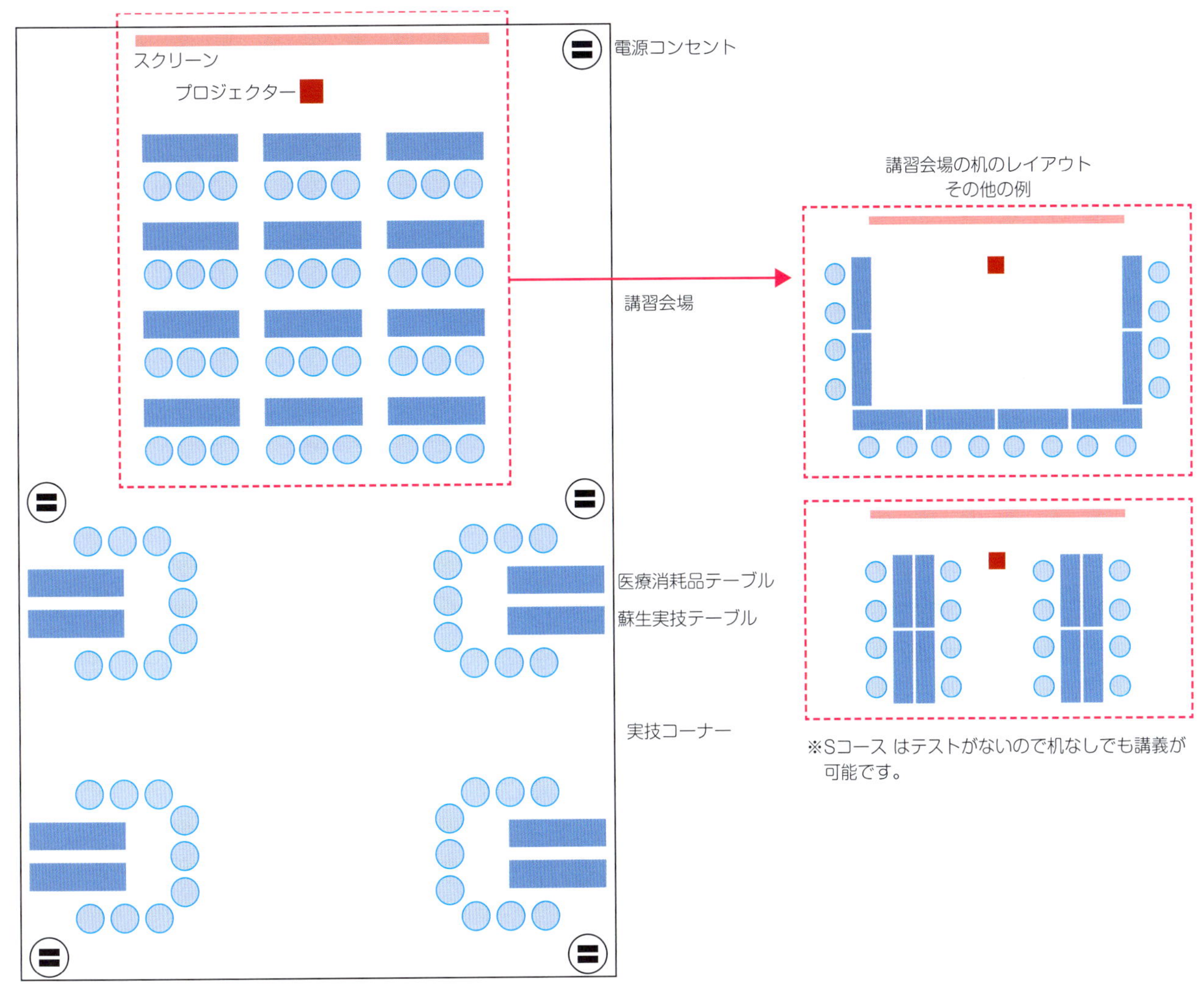

※必ずコンセント位置（講義スライド用・ブース用）を確認する。
※ブースレイアウトは，声が相互干渉しないように配置する。
※1ブースあたり
　Aコース 8名以内　　Pコース 8名以内
　Bコース 10名以内　 Sコース 6名以内
※その他必要な部屋（コーナー）…インストラクターの控室（打ち合わせ・テスト採点・昼食等）

⑤事前打ち合わせ（当日）

インストラクターは講習会1時間前までに集合し，スムーズに講習会を開催できるように進行手順を確認し，タイムマネジメントの担当者を決めます。インストラクターの担当ブースを割り当て，補助インストラクターがいる場合は役割分担を行っておきます。

基本手技実習やシナリオ実習の進め方については，ブース担当者同士で打ち合わせを行っておきましょう。

- □ 進行手順の確認
- □ タイムマネジメント担当者を決める
- □ インストラクターの担当ブースを決める
- □ 補助インストラクターとの役割分担を決める
- □ 基本手技実習やシナリオ実習の進め方の確認

⑥プレテスト

プレテストは，Aコース15分間(25問)，B・Pコースは5分間(10問)です。プレテストの問題は，推奨テキストに掲載されている問題から出題されるため，プレテストの点数で，受講者の事前学習の理解度を測ることができます。遅刻者がいた場合，プレテストが受けられなくても，講義と実習に間に合えば，受講者として参加することができます。

- □ プレテスト：Aコース15分間，B・Pコース5分間
- □ 採点の担当者を決める

> 複数のインストラクターがいる場合は，講義の間に採点を行い，講義後に解説を行うとよいでしょう。

⑦講　義

講義はすべての受講者を対象として，規定のスライド教材を用いて行います。**講義時間の目安はAコース80分間，B・Pコース40分間**です。講習会のタイムスケジュールは厳密に構成されているため，**講義の時間厳守**は重要です。

バッグマスクや喉頭鏡などを準備し，講義中にデモンストレーションができるように工夫すると，その後の実習をより効果的に行うことができます。

講義が終わったら，実習に入る前に採点したプレテストで正答率の低かった問題をいくつかピックアップし，解説を行いましょう。

- □ 講義：Aコース80分間，B・Pコース40分間
- □ 事前にスライド教材を確認し，全体像を把握する
- □ デモ用の物品を準備

> **講義をオンラインで開催したいとき…**
> 受講者からの意見や疑問を聞くことが可能なWEB会議ツール等を使用します。受講者へ事前に時間帯を案内し，全受講者が必ず講義を視聴していることを確認できるようにしましょう。
> また，プレテストは事前に配布・回収し，当日までに採点をしておく方法も可能です。

⑧基本手技実習，シナリオ実習

基本手技実習とシナリオ実習は各グループはブースを変更せず，通しで行うことを原則とします。基本手技実習，シナリオ実習は，受講者によって進むペースが異なってくるので，受講者数に応じて事前に時間配分を設定しておくとよいでしょう。

気管挿管・薬物投与については，受講者の職種に応じて，その介助・準備の実習を行うのみでも可とします。

□ 基本手技実習：Aコース60分間，
　　　　　　　　B・Pコース50分間
□ シナリオ実習：Aコース75分間，
　　　　　　　　B・Pコース60分間
□ 受講者数に応じた時間配分の設定

インストラクター専用ページ・便利ツール
シミュレーションサポーターを活用してみましょう。

⑨ポストテスト

ポストテストの時間はA・B・Pコース共通で15分間です。問題数は25問あり，20問以上正解すると合格です。問題用紙は受講者に返却されませんので，時間があれば，テスト終了後に解説を行ってもよいでしょう。早く問題を解き終わった受講者がいる場合は，問題用紙裏面にあるアンケートの記入をお願いしましょう。

また，テスト終了後に制度編講義スライド(5分間)を用いて認定手続き方法などについての説明を行うとよいでしょう。

□ ポストテスト：全コース共通15分間
□ 終了後はテスト問題・マークシートをすべて回収する

⑩講習会終了後

講習会開催責任者(またはインストラクター代表者)は，NCPRホームページより実施報告(実施証明写真も提出)を行い，NCPR事務局宛てに，以下のものを返送してください。

- プレテスト・ポストテストおよびマークシート
- 受講者全員分の返信用封筒(140円切手貼付)

事務局にすべてが届いてから約1週間で，受講者には合否の通知，合格者には「修了認定申請書類」が届けられます。

□ 実施報告(実施証明写真も提出)をする
□ テスト書類の返送

3 継続学習支援コース(Sコース)の開催について

Sコースは，NCPR資格取得後の修了認定者の継続学習支援として，蘇生技術の質の維持を目的とする復習コースであり，また，修了認定の更新をするためのコースでもあります。Sコースは，A・B・Pコースと同様に，規定スライド教材による講義・基本手技実習・シナリオ実習で構成されるコースですが，テストはありません(表1)。「自己チェックシート」を用いて受講者自らが手技やアルゴリズムを再確認し，振り返りを行います。なお，NCPR講習会の受講経験があっても認定の手続きをしていない人は受講できません。

Sコース概要

- 受講対象者：A・Bコース修了認定者
  ※受講歴があっても修了認定手続きをしていない方はSコースの受講資格はありません。
  ※I・Jインストラクター・Pコース修了認定者の受講も可能です。
- 講習時間：標準3時間
- 受講者数：実習1ブース6名まで(1ブース：インストラクター1名以上必要)

表1　Sコース標準プログラム例(時間の目安)

内容	時間
挨拶：講習の流れの説明・インストラクター紹介※1	0:00～0:10 (10分)
講義：規定のスライド教材による講義	0:10～0:30 (20分)
基本手技実習※2： ①バッグマスクを用いた人工呼吸 ②胸骨圧迫と人工呼吸の組み合わせ その他の基本手技は受講者層に合わせ選択する	0:30～1:40 (70分)
シナリオ実習： 1ブース内でチームに分かれシナリオ実習を行い，シナリオごとに振り返りを行う ①人工呼吸シナリオ ～ デブリーフィング ②胸骨圧迫シナリオ ～ デブリーフィング その他のシナリオは受講者が選択する	1:40～2:50 (70分)
挨拶：総括，アンケート記入	2:50～3:00 (10分)

※1　講習の流れの説明において，アンケートの回収へのご協力をお伝えください。
※2　Sコースの受講者はA・Bコース受講時に基本手技実習を行っているため，手技内容は受講者のニーズと時間を考慮し選択すると良いでしょう。

Sコース開催の手順

①開催の決定と講習機材の手配

開催の決定，講習機材の手配については，A・B・Pコースと同様に行って下さい。

A・B・Pコースと大きく異なる点として，**事前公認申請手続き時に受講者名簿(修了認定番号と有効期限)の入力が必要**です。募集時には受講希望者の認定番号と有効期限を必ず確認してください。

- □ 開催日の決定
- □ 受講者人数と公募の有無の決定
- □ 会場の確保(p.131，会場レイアウト図参照)
- □ インストラクターの確保
- □ 講習会機材の手配
- □ 受講者の認定番号・有効期限の確認

有効期限が切れているが受講を希望する受講者がいる場合…

有効期限が切れている場合は，原則受講資格はありませんが，Sコース受講を機にさかのぼって更新手続きをすることが可能な場合もありますので，NCPR事務局までご相談下さい。

②事前公認申請手続き(～2週間前)

開催日の2週間以上前までにNCPRホームページより事前公認申請手続きを行い，日本周産期・新生児医学会より講習会の公認を受けます。

- 「コース公認番号」が付与され，教材(自己チェックシート，ポケットマニュアル)および，その他の資料が開催前に届きます。
- すべてのSコースは，NCPRホームページで公示されます。NCPRホームページ上で受講者の一般公募をする場合は，受講者名簿を除いた事前公認申請手続きを行い，「募集要項」も提出してください。受講者が確定したら，開催前までに受講者名簿へ入力を行って下さい。

- □ 2週間以上前までに事前公認申請をする
- □ 公募の場合は募集要項の提出
- □ 受講者へ事前学習の推奨
- □ 事務局からの郵送物(教材)到着の確認

Sコースは既認定者を対象とするコースのため，講義は必要最小限の内容となります。受講者にはe-ラーニングやテキストでの事前学習を推奨しましょう。

③受講者名簿の作成

インストラクターの人数に応じて，受講者をグループ分けします。修了認定者が対象のコースなので，修了認定後に**どの程度NCPRの実践経験があるのかなどを考慮してグループ分けを行う**とよいでしょう。

- □ 受講者名簿（職種や施設名を記載）の作成
- □ 名札（グループ名・受講番号）の作成

④講習会会場設営・事前打合せ（～当日）

Ｓコースで使用する物品はＡ・Ｂコースに準じます。ただし，同じ施設内であれば，その施設で使用している物品のみ（バッグマスクの種類など）でも可とします。**受講者の施設環境に合わせた実習ができるように物品の準備**を行い，開始時間までにインストラクター同士で**役割分担と進行手順の打ち合わせ**を行っておきましょう。

- □ 講習機材・物品の準備
- □ 講習機材が正しく機能するか
- □ 講義スライドの動作確認
- □ 進行手順の確認
- □ タイムマネジメント担当者を決める
- □ インストラクターの担当ブースを決める
- □ 補助インストラクターとの役割分担を決める
- □ 基本手技実習やシナリオ実習の進め方の確認

インストラクター専用ページ・便利ツール

Ｓコースの開催方法と自己チェックシートを使った実習の**振り返り動画**がありますので，開催前に確認しておきましょう。

⑤講　義

講義についてもＡ・Ｂ・Ｐコース同様にすべての受講者を対象として，Ｓコース規定のスライド教材を用いて行います。講義時間は20分間です。

- □ 講義：約20分間

⑥基本手技実習，シナリオ実習

受講者は自ら**自己チェックシートを用いた振り返り**を行います。認定取得時の講習会ですでに基本手技実習を行っているので，**手技内容は受講者のニーズと時間を考慮して選択**するとよいでしょう。

- □ 基本手技実習：70分間
- □ シナリオ実習：70分間
- □ 自己チェックシート・ポケットマニュアルを使用して実習を行う

インストラクター専用ページ・便利ツール

インストラクター用チェックシートがダウンロードできますので，活用してみましょう。

⑦アンケートの回収

Sコース終了後，受講者・インストラクター全員がアンケート記入を行って下さい。**アンケートの提出をもってSコースの受講証明・インストラクターの実績証明となります**ので必ず回収してください。

なお，講習会で使用した「自己チェックシート」や「ポケットマニュアル」は受講者に持ち帰ってもらいます。

- □ インストラクター(補助を含む)のアンケートの回収
- □ 受講者のアンケートの回収

⑧講習会終了後

講習会開催責任者(またはインストラクター代表者)は，NCPRホームページから実施報告を行い，NCPR事務局宛てに，参加した受講者およびインストラクターのアンケート用紙を提出してください(Sコースは実施証明写真の提出は不要です)。

- □ 実施報告をする
- □ アンケートの返送

(新生児蘇生法普及事業 事務局)

Ⅳ 資　料

1 CoSTR 2020で検討された22の課題
Systematic Review・PICOST Digest

2020年10月に，国際蘇生連絡委員会(International Liaison Committee on Resuscitation; ILCOR)からConsensus on Science with Treatment Recommendation(CoSTR)2020[1]が発表されました。

ここでは，公表されたCoSTRのうち新生児の蘇生に関する部分に関して，それ以前のCoSTR 2015[2]やCoSTR 2010[3]からの変更点に注目して簡単に紹介します。

今回のCoSTR 2020の改訂では，通常の系統的レビュー(Systematic Review; SysRev)だけでなく，スコーピングレビュー(Scoping Review; ScopRev)や，エビデンスアップデート(Evidence Update; EvUp)といった新しいレビューの形が入ってきました。CoSTR 2020の理解のためには，これら3つのレビューの違いを理解することが必要です(表1)。

SysRevは，明確化された1つあるいは少数の臨床的疑問(PICOST: population, intervention, comparator, outcome, study design, time frame)に対して，通常の系統的レビューを行い，介入の有効性を検討するのが目的であり，その結果に基づいて，CoSTRの改変を行うことができます。一方，ScopRevは，SysRevと異なり，範囲のまだ明確化していない幅広い臨床的疑問や，多数のPICOSTを対象にするレビューで，臨床的疑問を明確化したり，多数のPICOSTの優先度を評価したりする目的で行われます。また，EvUpは，過去にILCORでSysRevが行われたPICOSTに対して，それ以降に発表された文献に限定して検索を行い，最近の文献のレビューを行うものです。これらのScopRevとEvUpの結果により，正式なSysRevを改めて行う必

表1　レビュータイプとその性格

レビュータイプ	レビュー者	内容・目的	ILCOR CoSTRへの影響
システマティックレビュー(SysRev)	システマティックレビュー専門家およびILCORタスクフォース	明確化した臨床的疑問(PICOST: population, intervention, comparator, outcome, study design, time frame)に基づき，通常の系統的レビューを行い，介入の有効性を検討するのが目的。	ILCOR CoSTRの推奨に反映される。
スコーピングレビュー(ScopRev)	ILCORタスクフォースのみ	通常はSysRevより広い内容や、明確化されていない臨床的疑問，をレビューするもので、PICOSTを明確化したり，PICOSTの優先度を評価するのに使用される。次のSysRevにつなげるのが目的。	通常はILCOR CoSTRの推奨には反映されない。推奨を変えるには，改めて正式なSysRevを行う必要がある。
エビデンスアップデート(EvUp)	ILCORタスクフォースおよび国や地域の蘇生協議会会員	過去にILCORでSysRevが行われたPICOSTに対して，それ以降に発表された文献を検索するもので，再度SysRevを行う必要があるかどうかを判断するのが目的。	

要があるかどうかが判断されますが，SysRevと異なり，これらの結果だけに基づいてCoSTRの改変は行われません。ただし，ILCORとしては，各地域の蘇生協議会の蘇生ガイドライン(例えば日本のNCPR)が，ScopRevやEvUpの結果を用いて，ガイドラインを修正するのは許容するとしています。

CoSTR 2020では，7つのSysRev(そのうち2つは，2019年のCoSTR4として発表済)，3つのScopRev，12のEvUpが発表されました(表2)。それぞれの内容を簡単に紹介します。

基本的に，今回の改訂では，治療の推奨の大きな変更はなく，7つのSysRevに基づく治療推奨の微修正にとどまっています。例えば，胎便性羊水混濁のある活気のない新生児に対して，ルーチンの気管内胎便吸引は行わないことが推奨されました。また，適切な換気と胸骨圧迫でも，心拍の改善がない児にはできるだけ早期にアドレナリンの静脈内投与を行うことが強調されました。さらに，すべての推奨された蘇生処置がなされても心肺蘇生を必要とする児では，蘇生の中止の検討を開始することが推奨され，その時間はおおよそ生後20分くらいであると記載されました。その他の特記すべき点としては，表2にある通り，いくつかのScopRevやEvUp(保温戦略，清明羊水の吸引，Tピース蘇生器，低体温新生児の復温，蘇生後血糖管理など)において，近い将来にSysRevを行って推奨を再検討する必要性が示唆されています。今後のILCORからの更新情報を，注視していく必要があるでしょう。

表2　CoSTR 2020で検討された22の課題

	課題	評価法
予測と準備		
1	分娩室での呼吸サポートの必要性の予測	EvUp
	【評価内容】 前回のレビュー以降，すでにガイドラインに含まれているリスク要因を確認する新しいエビデンスが見つかったが，推奨を変更するような新しいエビデンスはなく，新しいSysRevを行う必要性はないと判断された。このため，CoSTR 2020は，CoSTR 2015から変更なく，以下である。 「リスクのない局所麻酔下での帝王切開術での分娩には補助人工呼吸を行うことができるプロバイダーが立ち会うべきであるが，新生児の挿管に熟練したプロバイダーが立ち会う必要はない。」	
2	ブリーフィングと新生児蘇生術後のデブリーフィングの効果	ScopRev
	【評価内容】 このトピックは，前々回CoSTR 2010において検討された。そのときは，成人・小児も含めたEIT(普及教育のための方策)グループと一緒に，蘇生教育やシミュレーションにおける有効性に関する検討が行われ，新生児の臨床的アウトカムは検討されなかった。そのため，CoSTR 2020では，新生児の臨床的アウトカムも含めて臨床現場での有効性の検討を行うために，新たなPICOSTが作成され検討された。 ブリーフィングやデブリーフィングを行った場合と行わなかった場合を直接比較したランダム化比較試験(RCT)は特定されなかった。少数の観察研究から，ビデオを用いたデブリーフィングがケアプロセスや蘇生ガイドラインの順守率を改善させるかもしれないこと[4]，ブリーフィングやデブリーフィングにおけるチェックリストの使用が，チーム内コミュニケーションを改善するかもしれないこと[5, 6]，が示唆された。このほか，1つのRCTでは，新生児蘇生シミュレーション中にデブリーフィングを繰り返す方法(Rapid cycle deliberate practice)と標準的なデブリーフィングとが比較され，前者が短期的な蘇生の質を高めることが報告された[1, 7]。 これらのことから，ブリーフィングやデブリーフィングは，短期的な新生児の臨床的アウトカムと医療従事者のパフォーマンスを向上させる可能性があるが，長期的な臨床成績やパフォーマンスに及ぼす影響は不明であると結論された。CoSTR2020としての明らかな推奨はしていないが，有効性が示唆されていると考えNCPR2020では導入することを推奨する。	

(次頁へつづく)

	課題	評価法
初期評価と介入		
3	保温戦略	EvUp
	【評価内容】EvUpは，CoSTR 2015の推奨を支持する13の研究(5つのSysRevと8つのRCT)を特定した[8]。 2015年の検討は，在胎32週未満の早産児のみが対象であったが，今回のEvUpでは，正期産児も含む，より成熟した児の研究も多く検討された。早期母子接触(skin-to-skin contact)や加温加湿された吸気ガスの使用などの有効性が示唆される一方で，加温マットレスの危険性の可能性が示唆されるなど，さまざまな新しい情報が見つかった。このため，ILCOR タスクフォースは，近い将来にこのトピックのSysRevをする必要があると結論し，再度の検討が行われる予定である。ILCORからの今後の更新情報を注視していく必要がある。	
4	清明羊水の吸引	ScopRev
	【評価内容】前回の検討はCoSTR 2010で，「ルーチンの清明羊水の口腔・咽頭および鼻腔・咽頭吸引は推奨しない」と推奨されていた。それ以降の新しい研究のほとんどは，2010年の推奨を支持するものであった。ただし，2015年以降の研究に限っても1,500人以上の新しい患者データが検討されており，ILCORで新たなSysRevの検討を行うこととなった。新しいSysRevの結果が出るまでは，CoSTR 2020においてもCoSTR 2010から推奨の変更はない。	
5	胎便性羊水混濁のある活気のない新生児への気管挿管と吸引	SysRev
	【評価内容】2015年の推奨は，「胎便性羊水混濁のある活気のない新生児への，ルーチンの気管内胎便吸引を支持する人のデータは不十分」という内容であった。今回のSysRev[9]に，680人の新生児を含む4つの研究(449人対象の3つのRCT[10~12]と，231人対象の1つの観察研究[13])が含まれた。胎便性羊水混濁のある活気のない新生児に対して，ルーチンに出生直後に気管挿管して気管内吸引(あるいは挿管なしで喉頭展開のみ)行うことは，そうしない場合と比べて，死亡やその他の重要な予後に有意な差を認めなかった。これらの結果とともに，喉頭展開，気管挿管，気管内吸引を行うことが蘇生処置の遅延を生じて害となる可能性もあることを踏まえて，COSTR 2020では，「胎便性羊水混濁のある活気のない新生児へのルーチンの喉頭展開(胎便吸引の有無にかかわらず)に反対する」と，より直接的に気管内胎便吸引に反対する推奨となった。 ただし，まれではあるが，気管内の胎便吸引をして気道閉塞の解除が必要な症例もあることも推奨のなかに明記されており，気管吸引が必要な場合もあることを念頭に置いておく必要がある。そのため，胎便性羊水混濁のある児の出生が予想される場合は，気管挿管と気管吸引を行うための人的・物的な準備が必要である。	
生理学的モニタリングとフィードバック装置		
6	新生児蘇生時の心拍モニタリング	EvUp
	【評価内容】CoSTR 2015は，「心拍を迅速かつ正確に測定するために心電図を使用してもよいことを支持する」と推奨した。今回，2015年以降に出版された新しい7つの研究(2つのSysRev[14, 15]，2つのRCT[16, 17]，3つの観察研究[18~20])が特定されたが，すべてCoSTR 2015の推奨を支持するものであり，CoSTR 2020でも推奨の変更はない。 ただし，今回のPICOSTの対象には含まれていない新しい心拍モニタ法の研究〔デジタル聴診器，フォトプレチスモグラム(光電脈波)法，ドプラ超音波など〕が報告されており，今後，これらの検討も必要になってくることが確認された[1]。	
換気と酸素化		
7	持続的肺拡張	SysRev
	【評価内容】2015年以降，多くのRCTが発表された。今回のSysRev[21]は，10個のRCT(対象者1,502人)を含み，生後に陽圧換気(PPV)を要する新生児に対して，持続的肺拡張を行う場合と行わない場合で，主要アウトカム(退院時死亡)やその他の重要な二次アウトカムに有意な差を認めなかった。また，在胎28週未満の早産児のサブグループ解析において，持続的肺拡張を受けた児において，48時間以内死亡の増加や，退院時死亡の増加の可能性が認められた。これらの結果から，CoSTR 2020においても，CoSTR 2015と同様，持続的肺拡張は推奨されなかった。	

(次頁へつづく)

	課題	評価法
8	呼気終末陽圧(PEEP) vs PEEPなし	EvUp
	【評価内容】 CoSTR 2015の推奨以降の新しい研究のほとんどは，CoSTR 2015の推奨(早産児の初期人工換気時にPEEPを使用する)を支持するものであり，新しいSysRevや推奨の変更の必要性はないと考えられた。正期産児に関してはいまだデータが不足しており，前回同様，推奨を作成できなかった。	
9	持続気道陽圧(CPAP) vs 間欠的陽圧換気	EvUp
	【評価内容】 CoSTR 2015では，「努力呼吸がある早産児に対しては，陽圧換気や気管挿管を直ちに行うのではなく，まずCPAPを導入すること」が推奨された。今回，この推奨を変えるような新しいエビデンスは特定されなかったため，CoSTR 2020において推奨の変更はなかった。	
10	Tピース蘇生装置vs 換気用自己膨張式バッグ	ScopRev
	【評価内容】 CoSTR2015の推奨は，どちらかを推奨するにはエビデンスが不十分というものであった。今回のScopRev[22]により，2015年以降に発表された，1つのRCT[23]と1つの観察研究[24]が新たに含まれた。これらの研究は，Tピース蘇生装置が換気用自己膨張式バックと比較して，蘇生室における挿管率の減少，生存率の改善，BPD率の減少をきたす可能性があることを示唆した。このため，ILCORはこのトピックのために新しいSysRevを行うことを決定した。新しいSysRevの結果が出てくるまでは，CoSTR 2020としてはCoSTR 2015の推奨をそのまま継承する。今後，ILCORからの新しい情報を注視していく必要がある。	
11	早産児蘇生のための酸素(2019年CoSTR出版)	SysRev
	【評価内容】 2015年の推奨と同様，2020年の推奨でも，21～30%の初期酸素濃度で開始することが推奨された。2019年に出版されたSysRev[25]は，計5,697人の早産児を含む16個の研究(10個のRCT，2つのフォローアップ研究，4つの観察研究)を含み，呼吸補助が必要な早産児に対して，低い吸入酸素濃度で始める場合と，高い吸入酸素濃度で始める場合とを比較して，すべての重要な患者アウトカムに関して有意な差を認めなかった。 　ただし，ILCORでは，過去の動物実験で示されている酸素の有害性と，正期産児のSysRevで示唆された高濃度酸素使用された児での死亡率の増加という結果を参考にして，早産児においても低い吸入酸素濃度から蘇生を開始することを推奨した。なお，今回のSysRevは，呼吸補助の開始時の初期酸素濃度の高低を問題としており，その後の吸入酸素濃度の調整に関しては検討していなかった。しかし，前記の酸素毒性のことを考慮して，CoSTR 2020では，「投与開始後は，パルスオキシメータを使用して酸素濃度を調整することを推奨する」ことが新たに明記された。	
12	正期産児蘇生のための酸素(2019年CoSTR出版)	SysRev
	【評価内容】 2019年出版のSysRev[26]は，7つのRCT(対象者 1,469人)を含み，出生後に呼吸補助が必要な在胎35週以上の早産児・正期産児に対して，21%酸素の初期酸素濃度を使用した場合，100%の初期酸素濃度の使用した場合と比べて，退院時死亡(あるいは生後30日以内死亡)が優位に減少した(相対危険率 0.73 [95%信頼区間0.57-0.94]，絶対危険差 1,000人あたり46人減少 [95%信頼区間 1,000人当たり10～73人減少])。このため，CoSTR 2015とほぼ同様，CoSTR 2020でも，21%の初期酸素濃度(空気)を使用して呼吸サポートを開始することが推奨された。なお，このSysRevに含まれている研究はすべて2007年以前に行われた古い研究であり，近年のような蘇生中のSpO_2モニタに基づく吸入酸素濃度の調整は一般的ではなかった点は，その結果を解釈するうえで参考になるかもしれない。	
循環補助		
13	新生児蘇生のCPR比	EvUp
	【評価内容】 CoSTR 2015は，「3:1の胸骨圧迫人工換気比を使用する」ことを推奨した。2015年以降の新しい研究は，それを支持するか，または否定しないものであった。このため，CoSTR 2020でも，推奨は2015年から変更はない。	
14	新生児蘇生のための両母指法 vs 2本指法	EvUp
	【評価内容】 2015年の推奨は，「新生児の胸骨圧迫は，胸郭包み込み両母指圧迫法で行う」であったが，2015年以降の研究も，この推奨を支持する研究のみであった。	

(次頁へつづく)

	課題	評価法
薬物と輸液投与		
15	新生児蘇生のためのアドレナリン	SysRev
	【評価内容】 2020年のSysRev[27]では，新たにヒトの新生児のアドレナリン投与のデータが特定されたが，それは同一施設から報告された2つの観察研究で，静脈内投与と気管内投与の有効性を比較できるデータの対象者は97人のみとサンプルサイズが小さく，2群間に有意な差を認めなかった。このため，モデル研究や動物実験も参照された。特に，出生直後の子宮外適応期間に相当する仔ヒツジ仮死モデルを用いた動物実験RCT[28]により，静脈内投与は，気管内投与と比較して，早期に高い血中濃度を達成し，早期に多くの自己心拍再開を達成することが報告された。これらの結果を踏まえて，CoSTR 2020では，CoSTR 2015と同じ投与経路・投与量・投与間隔〔静脈路優先（0.01～0.03mg/kg/回）で，難しければ多い量で気管内投与(0.05～0.1mg/kg/回)し，3～5分ごとの反復〕を推奨した。ただし，静脈内投与の有効性を示唆する動物実験の結果を踏まえて，2020年では，できるだけ早く静脈内投与を行うことが強調された。	
16	緊急アクセスのための骨髄内 vs 臍帯静脈	SysRev
	【評価内容】 本トピックは，2020年にILCORの成人と小児のグループと一緒に共同のSysRev[29]が行われた。新生児における骨髄路の使用に関しては，症例報告や症例集積研究ではあるが，骨髄針使用による重大な合併症が多数報告されていた。このため，CoSTR 2020では，2010年の推奨と比べて，臍帯静脈内投与を第一選択とすることがより強調され，骨髄内投与は，静脈路確保困難時の代替投与経路として認められた。また，蘇生室以外の新生児蘇生においては，臍帯静脈と同様に骨髄路も使用してもよいことが推奨された。	
17	新生児蘇生時の容量負荷	EvUp
	【評価内容】 ILCORによる2010年の推奨(蘇生に反応しない，出血のある新生児に対する早期の容量の補充)以降，新しいヒトの研究は特定されず，新たなSysRevを行って推奨を変更する必要はないと判断された。このため，CoSTR 2020の推奨は，CoSTR 2010から変更はなく，「蘇生に反応しない出血のある新生児に対しては，生理食塩水または赤血球濃厚液による早期の容量の補充が適応となる。換気，胸骨圧迫，アドレナリンに抵抗性の出血を伴わない新生児には，循環血液増量薬をルーチンに行うことを支持するエビデンスは不十分である。出血が潜伏している可能性があるため，蘇生に反応しない新生児には，循環血液増量薬投与の試行を検討してもよい。」	
18	新生児蘇生時の炭酸水素ナトリウム	EvUp
	【評価内容】 CoSTR 2010では，「炭酸水素ナトリウムは，短時間のCPR中は推奨されないが，遷延する心停止状態では，十分に換気が確立され他の治療法に反応がみられない場合に有用であるかもしれない」と推奨された。2010年以降，新しいRCTはなく，新しい観察研究がいくつかあったが，そのほとんどは炭酸水素ナトリウム投与の有害性を報告しているものであった。このため，新しいSysRevやCoSTR 2020における推奨の変更は必要ないと判断された。	
CPR中の予後予測		
19	集中的蘇生時間の影響	SysRev
	【評価内容】 2015年の推奨では，「生後10分で心拍が検出されなければ，蘇生の中止も合理的判断である」としていた。今回新たに行われたSysRev[30]で，生後10分のアプガー値が0点あるいは1点の児でも，脳低温療法をやって，予後良好な児が一定数いることが報告されていた。そのため，2020年では，集中的蘇生のすべてのステップを行い，可逆的な原因を除外したうえで，蘇生チームや家族と中止を検討することを推奨し，その検討を行う妥当な時間は生後約20分あたりであろうと記載された。	
蘇生後のケア		
20	低体温新生児の復温	EvUp
	【評価内容】 2015年の推奨以降，2つの新しい後方視的観察研究(対象者290人)[31, 32]が特定され，それらの研究では，NICU入院時に低体温であった新生児の復温速度は，重要な患者アウトカムに有意に相関しなかった。ただし，そのうち1つの研究[32]では，急速復温(<0.5 ℃/時)が呼吸窮迫症候群(RDS)の減少に関連したと報告していた。この結果を受けて，ILCORは今後，新たな推奨を作成するためにSysRevを行うことが必要であると結論した。	

（次頁へつづく）

	課題	評価法
21	資源が限られた環境下での低体温療法	EvUp
	【評価内容】2015年の推奨以降，新たに13の研究が特定されたが，2015年の推奨を変えるような十分なエビデンスはないと判断された。	
22	蘇生後の血糖管理	EvUp
	【評価内容】今回のEvUpにおいて，2010年の推奨(蘇生後早期のブドウ糖投与の検討)以降，13個の研究が特定された。蘇生後の低血糖や高血糖に注意する必要があること，血糖管理のためのプロトコールを使用すると高血糖や低血糖の予防に有効かもしれないこと，また，そのようなプロトコールは血糖値の大きな変動の予防にも有効かもしれないこと，が示唆された。このため，今後，ILCORで新しいSysRevを行って，推奨の再検討が必要であると判断された。そのSysRevの結果が出るまでは，CoSTR 2020においても，CoSTR 2010から変更なく，「低血糖を回避することを目標に，蘇生後できるだけ早くブドウ糖点滴を検討すべきである」ことが推奨される。	

（諫山哲哉）

文献

1) Wyckoff MH, Wyllie J, Aziz K, et al: Neonatal Life Support: 2020 International Consensus on Cardiopulmonary Resuscitation and Emergency Cardiovascular Care Science With Treatment Recommendations. Circulation 2020; 142: S185-221.
2) Perlman JM, Wyllie J, Kattwinkel J, et al: Part 7: Neonatal Resuscitation: 2015 International Consensus on Cardiopulmonary Resuscitation and Emergency Cardiovascular Care Science With Treatment Recommendations. Circulation 2015; 132: S204-41.
3) Perlman JM, Wyllie J, Kattwinkel J, et al: Part 11: Neonatal resuscitation: 2010 International Consensus on Cardiopulmonary Resuscitation and Emergency Cardiovascular Care Science With Treatment Recommendations. Circulation 2010;122: S516-38.
4) Skåre C, Calisch TE, Saeter E, et al: Implementation and effectiveness of a video-based debriefing programme for neonatal resuscitation. Acta Anaesthesiol Scand 2018; 62: 394-403.
5) Sauer CW, Boutin MA, Fatayerji AN, et al: Delivery room quality improvement project improved compliance with best practices for a community NICU. Sci Rep 2016; 6: 37397.
6) Katheria A, Rich W, Finer N: Development of a strategic process using checklists to facilitate team preparation and improve communication during neonatal resuscitation. Resuscitation 2013; 84: 1552-7.
7) Magee MJ, Farkouh-Karoleski C, Rosen TS: Improvement of immediate performance in neonatal resuscitation through rapid cycle deliberate practice training. J Grad Med Educ 2018; 10: 192-7.
8) Madar J, tePas A, Trevisanuto D: NLS 611 Prediction of need for respiratory support in the delivery room 2020 Evidence Update Worksheet; Neonatal Life Support: 2020 International Consensus on Cardiopulmonary Resuscitation and Emergency Cardiovascular Care Science With Treatment Recommendations. APPENDIX C-1. Circulation 2020; 142: S185-221.
9) Trevisanuto D, Strand ML, Kawakami MD, et al: International Liaison Committee on Resuscitation Neonatal Life Support Task Force. Tracheal suctioning of meconium at birth for non-vigorous infants: a systematic review and meta-analysis. Resuscitation 2020; 149: 117-26.
10) Chettri S, Adhisivam B, Bhat BV: Endotracheal suction for nonvigorous neonates born through meconium stained amniotic fluid: A Randomized Controlled Trial. J Pediatr 2015; 166: 1208-13. e1.
11) Nangia S, Sunder S, Biswas R, et al: Endotracheal suction in term non vigorous meconium stained neonates-A pilot study. Resuscitation 2016; 105: 79-84.
12) Singh SN, Saxena S, Bhriguvanshi A, et al: Effect of endotracheal suctioning just after birth in non-vigorous infants born through meconium stained amniotic fluid: a randomized controlled trial. Clinical Epidemiology and Global Health 2019; 7: 165-70.
13) Chiruvolu A, Miklis KK, Chen E, et al: Delivery room management of meconium-stained newborns and respiratory support. Pediatrics 2018; 142: e20181485.
14) Anton O, Fernandez R, Rendon-Morales E, et al: Heart rate monitoring in newborn babies: a systematic review. Neonatology 2019; 116: 199-210.
15) Johnson PA, Cheung PY, Lee TF, et al: Novel technologies for heart rate assessment during neonatal resuscitation at birth - A systematic review. Resuscitation 2019; 143: 196-207.
16) Katheria A, Arnell K, Brown M, et al: A pilot randomized controlled trial of EKG for neonatal resuscitation. PLoS One 2017; 12: e0187730.
17) Murphy MC, De Angelis L, McCarthy LK, et al: Randomised study comparing heart rate measurement in newly born infants using a monitor incorporating electrocardiogram and pulse oximeter versus pulse oximeter alone. Arch Dis Child Fetal Neonatal Ed 2019; 104: F547-50.
18) Iglesias B, Rodr. Guez MAJ, Aleo E, et al: 3-lead electrocardiogram is more reliable than pulse oximetry to detect bradycardia during stabilisation at birth of very preterm infants. Arch Dis Child Fetal Neonatal Ed 2018; 103: F233-7.
19) Gulati R, Zayek M, Eyal F: Presetting ECG electrodes for earlier heart rate detection in the delivery room. Resuscitation 2018; 128: 83-7.

20) Iglesias B, Rodriguez MJ, Aleo E, et al: [Pulse oximetry versus electrocardiogram for heart rate assessment during resuscitation of the preterm infant]. An Pediatr (Barc) 2016; 84: 271-7.

21) Kapadia VS, Urlesberger B, Soraisham A, et al: Sustained inflations during neonatal resuscitation at birth: a systematic review with meta-analysis. Pediatrics. In press.

22) Roehr CC, Davis PG, Weiner GM, et al: T-piece resuscitator or self-inflating bag during neonatal resuscitation: a scoping review. Pediatr Res.[published online June 11, 2020]

23) Thakur A, Saluja S, Modi M, et al: T-piece or self inflating bag for positive pressure ventilation during delivery room resuscitation: an RCT. Resuscitation 2015; 90: 21-4.

24) Guinsburg R, de Almeida MFB, de Castro JS, et al: T-piece versus self-inflating bag ventilation in preterm neonates at birth. Arch Dis Child Fetal Neonatal Ed 2018; 103: F49-55.

25) Welsford M, Nishiyama C, Shortt C, et al: Initial oxygen use for preterm newborn resuscitation: a systematic review with meta-analysis. Pediatrics 2019;143: e20181828.

26) Welsford M, Nishiyama C, Shortt C, et al: Room air for initiating term newborn resuscitation: a systematic review with meta-analysis. Pediatrics 2019; 143: e20181825.

27) Isayama T, Mildenhall M, Schmölzer GM, et al: The route, dose, and interval of epinephrine for neonatal resuscitation: a systematic review. Pediatrics 2020; 146: e20200586.

28) Vali P, Chandrasekharan P, Rawat M, et al: Evaluation of timing and route of epinephrine in a neonatal model of asphyxial arrest. J Am Heart Assoc 2017; 6: e004402.

29) Granfeldt A, Avis SR, Lind PC, et al: Intravenous vs. intraosseous administration of drugs during cardiac arrest: A systematic review. Resuscitation 2020; 149: 150-7.

30) Foglia EE, Weiner GL, de Almeida MFB, et al: Duration of resuscitation at birth, mortality, and neurodevelopment: a systematic review. Pediatrics 2020; 146: e20201449.

31) Feldman A, De Benedictis B, Alpan G, et al: Morbidity and mortality associated with rewarming hypothermic very low birth weight infants. J Neonatal Perinatal Med 2016; 9: 295-302.

32) Rech Morassutti F, Cavallin F, Zaramella P, et al: Association of rewarming rate on neonatal outcomes in extremely low birth weight infants with hypothermia. J Pediatr 2015; 167: 557-61. e1-2.

2 付録資料

インストラクター養成コースにおける評価導入について

＜目的＞ インストラクター養成コースに評価項目を導入する目的は以下の通りです。

1）NCPR インストラクター養成コースにおける客観的な評価項目を作成し、
受講者評価のばらつきを減少させ、コースにおける評価の標準化に役立てる。

2）NCPR インストラクター養成コースにおける評価項目を受講者に提示することで
講習、評価、合否判定の公正性（フェアネス）を保つ。

3）講習終了後、合否判定とともに受講者への形成的評価をフィードバックし、
その後の継続的な活動（A/B、S など講習会開催）や、
継続学習（フォローアップコース参加など）への動機づけとする。

＜評価の概要＞

インストラクター養成コースにおける評価は以下について行います。

評価項目 1-4　インストラクターとしての望ましい態度
評価項目 5-8　手技トレーニングの指導
評価項目 9-12　シナリオトレーニングの指導

＜評価の方法＞

各項目について以下の３段階で評価を行います。

努力が必要：最低限の能力要件に達していない。
できている：現段階での標準的な能力要件はクリアしている。
優秀：優れたやり方で指導を行っている。

<評価項目の解説>

インストラクターとしての望ましい態度

1）受講者の背景、立場や希望を踏まえ、指導の個別化、効率化に努める
2）安全な学習の場を作り学習を促進する
3）すべての受講者に対して公正である
4）講習中の倫理的正しさを保つ

ここでは講習全般を通じてNCPRインストラクターに求められる望ましい態度について記述しています。インストラクターがNCPR講習を行う際の立ち振る舞いやあり方などについての評価を行います。

1）受講者の背景、立場や希望を踏まえ、指導の個別化、効率化に努める

新生児蘇生法講習会に参加している受講者の方々はさまざまな背景を持っています。医師、看護師、助産師、その他の職種の方が集まります。同じ「医師」という職種でも産婦人科、小児科、小児外科、麻酔科、その他、とバリエーションがあります。看護師、助産師でも総合周産期センター勤務の方から市中のクリニック、さらには看護学校の学生のこともあります。教授だったり初期研修医だったりすることもあると思います。それぞれの背景を尊重し、それぞれのレベルに合わせて丁寧に講習を行う必要があります。NCPRは新生児蘇生の標準化コースですが、指導方略に関しては一つにこだわらず、受講者の状況にあった講習を提供することも必要となります。

2）安全な学習の場を作り学習を促進する

学習の場の安全を保つことはインストラクターの重要な役割の一つです。受講中に受講者が誰かの発言などで傷ついたりしないように、心理的な圧迫で過度の緊張をしないように常に気を遣う必要があります。NCPR講習の場においては失敗が許容され、失敗からも学ぶことができることを明確に伝えることで、受講者の心理的負担を軽減し、学習を促進することが可能となります。

3）すべての受講者に対して公正である

さまざまな職種や職位の人が集まるNCPR講習会ですが、その中でそれぞれの背景を尊重しつつも公正（フェア）に講習を行う必要があります。いわゆるえこひいき、特別扱い、などの行為は、講習会における公正性（フェアネス）を毀損し、講習会の信頼度を著しくおとしめます。また、特定の人に厳しく接する、無視する、なども公正でない（アンフェアな）行為と言えます。

4）講習中の倫理的正しさを保つ

講習の方略に、ある程度の自由度はありますが、大きくNCPRの理念から逸脱するような講習は慎むべきでしょう。また、インストラクター自らが経験した蘇生に関するエピソードは講習を印象深いものにしますが、個人情報などの取り扱いには注意すべきです。テキストや文献などのコピーを安易に受講者に渡すなど著作権の侵害にあたるようなことにも注意が必要です。現在、日本にはさまざまな心肺蘇生法のコースが展開されていて、その理念や方法などはそれぞれのコースにより異なります。他の蘇生法コースを批判することはインストラクターとしては望ましくない行動です。

手技トレーニングの指導

5）デモンストレーションを正確に行う
6）受講者の手技を適切に観察・評価する
7）受講者に合わせた方法で手技完成に導く
8）フィードバックのタイミングを適切に行う

ここでは手技トレーニングの際の望ましい指導方法について記述しています。手技トレーニングでの指導方略について評価を行います。

5）デモンストレーションを正確に行う

NCPR のインストラクターは NCPR に関する手技のすべてを正しく身につけ、必要に応じてデモンストレーションができるようにしておく必要があります。また、NCPR に関する知識なども正確であるべきです。質問に対して正確に答えられるかどうかもインストラクターへの信頼度にかかわります。もし回答に困るような場合は回答を曖昧にせず、コースディレクターや経験の豊かなインストラクターなどに回答を依頼することも必要となるかもしれません。

6）受講者の手技を適切に観察・評価する

受講者の手技を観察し適切に評価することは指導の基本です。受講者の手技のどこが悪いのか、なぜうまくいかないのか、などを観察評価をします。「なんとなくできている」「説明できないがだいたい正しい」などの曖昧さを排除し的確に評価することは、スキルトレーニングにおいて大切な要素と言えます。

7）受講者に合わせた方法で手技完成に導く

初めて NCPR の講習に参加した受講者は蘇生手技を行ったことがないかもしれません。マスクの選択、マスクの当て方、人工呼吸の圧や回数、人工呼吸で状況が改善しない場合のチェックポイント、などいろいろなステップを 1 つずつ、少しずつ(スモール)、段階的に(ステップを踏んで)トレーニングする必要があります（スモールステップ法）。その一方で、すべての受講者に対してスモールステップを行う必要はなく、手技が完成している受講者には不要です。受講者によっては部分的にできていない要素のみ抽出し、演習を行うだけでよいかもしれません。ステップ（各要素）の序列も大切と考えられます。

8）フィードバックのタイミングを適切に行う

手技トレーニングにおいてはフィードバックの手法が大切です。受講者に深い振り返りを求めるような質問は手技トレーニングにおいてはあまり効果的ではありません。その手技ができているかできていないのか、どうやったら良いのか、なぜダメなのか、を承認(Confirmative)、修正(Corrective)するフィードバックが重要となります。できていれば「できています」という承認 (Confirmative)、「できていませんのでここを変えましょう」という修正(Corrective)、できていないときにその場で直ちに(Immediate)フィードバックを与える、そういうフィードバックです。スキルを定着させるには反復した練習が一番です。しっかりと練習を行い、手技を完璧にしなければ臨床の場において赤ちゃんを救うことは不可能であることを伝えることも必要です。

シナリオトレーニングの指導

9）情報提示を適切に行う
10）受講者の行動を適切に観察・評価する
11）振り返りが効果的に行われるよう支援する
12）補助教材を適切に準備・使用する

ここではシナリオトレーニングの際の望ましい指導方法について記述しています。シナリオトレーニングでの指導方略について評価を行います。

9）情報提示を適切に行う

シナリオトレーニングにおいて大切なことは、受講者が望んだタイミングでバイタルの情報を出せるかどうかです。聴診器を胸に当てた瞬間に心拍数を出せる、呼吸は? と聞かれたら、もしくは聞かれる前に適切に呼吸を表現できる、受講者が聴診器を胸に当てていないときは心拍数を出さない、など大切なことはその他にもたくさんあります。情報提示のタイミングももちろんですが、その情報は明確に提示する必要があります。 例えば『弱い呼吸です』という提示は有効な自発呼吸があるのかないのか、受講者の思考・行動 を迷わせてしまう可能性があります。『胸骨圧迫を実施しているのに自発呼吸を認める』『挿管しているのに泣いている』といった臨床現場とは矛盾するような情報提示も避けるべきです。

10）受講者の行動を適切に観察・評価する

受講者の動きや思考を妨げないタイミングで情報を提示するためには受講者の動きから目を離さないでおくことが必要です。受講者が助けを必要としているときに簡潔にヒントを与えたり、ノンバーバルコミュニケーション(ジェスチャーやうなずきで承認)をしたり、受講者の判断を尊重したうえでインストラクターが絶妙な助け舟を出したりすることでシナリオがスムーズに動きます。そのためには受講者の行動をしっかりと観察することが必要になります。無言で口出ししないことが最良とは限りません。受講者の状況に合わせて助けを必要としたときに助けてあげることも良い学びを引き出します。振り返りによって受講者が得た気づきはそれぞれ異なります。それぞれの受講者が得た気づきを尊重し、さらに学習を深める支援を行うことがインストラクターの仕事であると考えます。

11）振り返りが効果的に行われるよう支援する

成人学習において受講者本人が「気づく」ことはとても重要なポイントです。一方的な知識の伝達、間違ったところを指摘するのみでは有効な学びとならないこともあります。シミュレーション基盤型トレーニングは「経験」を提供します。その経験から何に気づいたのか、何を学んだのかは人それぞれです。Open Question を用いたり、考えるための沈黙の時間などを上手く利用し、ディスカッションを進めます。振り返りによって得られた「気づき」はそれぞれ異なります。インストラクターはそれぞれの「気づき」を尊重し、学びを支援する必要があります。

12）補助教材を適切に準備・使用する

アルゴリズムのチャート、心拍数を表現するためのメトロノーム、などはシナリオトレーニングにおいて有効な学習支援ツールとなります。「心拍数は 120 です」とダイレクトに伝えるのもよいですが、メトロノームで 120 のテンポを聞かせて受講者自身に心拍数を評価させるのも良い方法です。アルゴリズム上のどの部分までシナリオが進んでいるのか、受講者がどの判断を迷っているのか、などアルゴリズムのチャートを指し示すことで受講者に気づきを与えることが可能です。

NCPR インストラクターコース評価表

受講者＿＿＿＿＿＿＿＿＿＿＿＿　評価者＿＿＿＿＿＿＿＿＿＿＿＿

インストラクターとしての望ましい態度

	努力が必要	できている	優秀
1）受講者の背景、立場や希望を踏まえ指導の個別化、効率化に努める	□	□	□
2）安全な学習の場を作り学習を促進する	□	□	□
3）すべての受講者に対して公正である	□	□	□
4）講習中の倫理的正しさを保つ	□	□	□

手技トレーニングの指導

	努力が必要	できている	優秀
5）デモンストレーションを正確に行う	□	□	□
6）受講者の手技を適切に観察・評価する	□	□	□
7）受講者に合わせた方法で手技を完成に導く	□	□	□
8）フィードバックのタイミングを適切に行う	□	□	□

シナリオトレーニングの指導

	努力が必要	できている	優秀
9）情報提示を適切に行う	□	□	□
10）受講者の行動を適切に観察・評価する	□	□	□
11）振り返りを効果的に行う	□	□	□
12）補助教材を適切に使用する	□	□	□

付録資料3

NCPR インストラクター養成コース　フィードバックシート

受講者氏名＿＿＿＿＿＿＿＿さん　　受講年月日＿＿年＿＿月＿＿日

1-4　インストラクターとしての態度　　5-8 手技トレーニングの指導　　9-12　シナリオトレーニングの指導

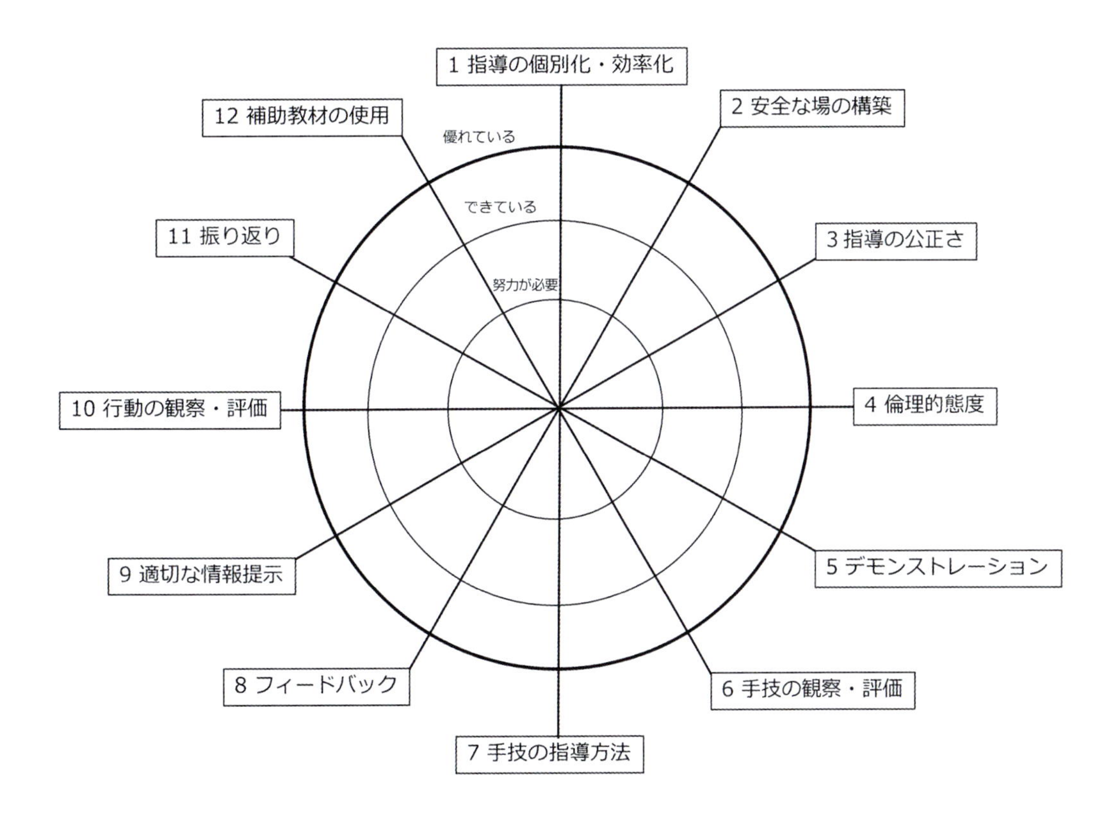

評価コメント＿＿＿＿＿＿＿＿＿＿＿＿＿＿＿＿＿＿＿＿

評価者氏名＿＿＿＿＿＿＿＿＿＿

Sコースインストラクター スキルのポイント解説

FSコースでは午後に開催される一般公募のSコースのインストラクター及び見学者に対し、注目すべきインストラクタースキルのポイントの幾つかを提示し、インストラクターとしての技術向上を支援します。当日インストラクターとして活動する受講者の皆さんには自身のインストラクションの注意点として、また見学者の皆さんには見学時の注目ポイントとして活用します。

〈ポイントの概要〉

Sコースにおけるインストラクタースキルのポイントは以下の項目を設定しました。

評価項目1-5　手技トレーニングの指導
評価項目6-10　シナリオトレーニングの指導

〈見学者の注意点〉

各項目について以下の3段階評価に基づきチェックをしながら見学を進めます。

努力が必要：最低限の能力要件に達していない。　△
できている：現段階で最低限の能力要件はクリアしている。　○
優秀：　特に優れたやり方で指導を行っている。　◎

〈各ポイントの解説〉

手技トレーニングの指導

1）デモンストレーションを正確に行う
2）学習者の手技を適切に観察･評価する
3）学習者に合わせた方法で手技完成に導く
4）フィードバックのタイミングを適切に行う
5）チェックシートを適切に活用する

ここでは手技トレーニングの際の望ましい指導方法について記述しています。

1）デモンストレーションを正確に行う

NCPRのインストラクターはNCPRに関する手技の全てを正しく身につけ、必要に応じてデモンストレーションができるようにしておく必要があります。また、NCPRに関する知識なども正確であるべきです。質問に対して正確に答えられるかどうかもインストラクターへの信頼度に関わります。もし回答に困るような場合は回答を曖昧にせず、コースディレクターや経験の豊かなインストラクターなどに回答を依頼することも必要となるかもしれません。

2）学習者の手技を適切に観察･評価する

学習者の手技を観察し適切に評価することは指導の基本です。受講者の手技のどこが悪いのか、なぜうまくいかないのか、などを観察評価をします。「なんとなくできている」「説明できないがだいたい正しい」などの曖昧さを排除し的確に評価することは、スキルトレーニングにおいて大切な要素と言えます。

3）学習者に合わせた方法で手技完成に導く

初めてNCPRの講習に参加した受講者は蘇生手技を行ったことがないかもしれません。マスクの選択、マスクの当て方、人工呼吸の圧や回数、人工呼吸で状況が改善しない場合のチェックポイント、などいろいろなステップを1つずつ、少しずつ（スモール）、段階的に（ステップを踏んで）トレーニングする必要があります（スモールステップ法）。その一方で、すべての受講者に対してスモールステップを行う必要はなく、手技が完成している受講者には不要です。受講者によっては部分的に出来ていない要素のみ抽出し、演習を行うだけで良いかもしれません。ステップ（各要素）の序列も大切と考えられます。

4）フィードバックのタイミングを適切に行う

手技トレーニングにおいてはフィードバックの手法が大切です。学習者に深い振り返りを求めるような質問は手技トレーニングにおいてはあまり効果的ではありません。その手技ができているかできていないのか、どうやったら良いのか、なぜダメなのか、を承認（Confirmative）、修正（Corrective）するフィードバックが重要となります。できていれば「できています」という承認（Confirmative）、「できていませんのでここを変えましょう」という修正（Corrective）、できていない時にその場で直ちに（Immediate）フィードバックを与える、そういうフィードバックです。スキルを定着させるには反復した練習が一番です。しっかりと練習を行い、手技を完璧にしなければ臨床の場において赤ちゃんを救うことは不可能であることを伝えることも必要です。

5）チェックシートを適切に活用する

まず学習者が自分でチェックすること、それを踏まえてインストラクターは指導を組み立てます。学習者本人ができると思っていてもできていないことがあり得ます。インストラクターがチェックリストを預かることで学習者ができると思っていても実際にはできていない部分をチェックすることが可能です。また実習終了後チェック漏れがないことを確認することで学習者の手技に対する自信や到達度も評価できます。このように学習者とのコミュニケーションツールとして、自分自身の指導のチェックリストとして、また手技の重要な要素の質問にチェックシートを上手に活用します。

手技トレーニングにおける望ましくない行動例

間違ったスキルを教える・一方的に教える・手技が完成しない受講者をそのままにする・手技に関する知識が曖昧である・間違いを指摘しない・デモンストレーションが正しくできない・チェックシートを使用しない、など

シナリオトレーニングの指導

6）情報提示を適切に行う
7）学習者の行動を適切に観察・評価する
8）自己内省を促す（V.E）
9）議論を促進する（C.T）
10）次への行動を支援する（O.R）

ここではシナリオトレーニングの際の望ましい指導方法について記述しています。
「自己内省」に焦点を置いて開発されたNCPRオリジナルの構造化デブリーフィングの手法：
V.E.C.T.O.R. Approach に注目します。一番の特徴はシナリオ終了後にチェックシートを使い、個人でシナリオを振り返る時間を持ったことです。この個人の振り返りをもとにしてケースレビューとディスカッ

ションを行います(ディスカッションのための予習を各自でできることになります)。その後チームで次の目標を決めて同難度のシナリオで再トライをします。この再トライで行動変容を体感できることと思います。このVent, Examine, Case review, Talk, Organize, Retryという各ステップは経験学習のサイクルとの整合性を保っています。

6) 情報提示を適切に行う

シナリオトレーニングにおいて大切なことは、学習者が望んだ時にジャストタイミングでバイタルの情報を出せるかどうかです。聴診器を胸に当てた瞬間に心拍数を出せる、呼吸は?と聞かれたら、もしくは聞かれる前に適切に呼吸を表現出来る、学習者が聴診器を胸に当てていない時は心拍数を出さない、など大切なことはその他にもたくさんあります。情報提示のタイミングももちろんですが、その情報は明確に提示する必要があります。例えば『弱い呼吸です』という提示は有効な自発呼吸があるのか無いのか、学習者の思考·行動を迷わせてしまう可能性があります。『胸骨圧迫を実施しているのに自発呼吸を認める』『挿管しているのに泣いている』といった臨床現場とは矛盾するような情報提示も避けるべきです。

7) 学習者の行動を適切に観察·評価する

学習者の動きや思考を妨げないタイミングで情報を提示するためには学習者の動きから目を離さないでおくことが必要です。学習者が助けを必要としている時に簡潔にヒントを与えたり、ノンバーバルコミュニケーション(ジェスチャーやうなずきで承認)をしたり、学習者の判断を尊重した上でインストラクターが絶妙な助け舟を出したりすることでシナリオがスムーズに動きます。そのためには受講者の行動をしっかりと観察することが必要になります。無言で口出ししないことが最良とは限りません。学習者の状況に合わせて助けを必要とした時に助けてあげることも良い学びを引き出します。振り返りによって受講者が得た気づきはそれぞれ異なります。それぞれの受講者が得た気づきを尊重し、さらに学習を深める支援を行うことがインストラクターの仕事であると考えます。

8) 自己内省を促進する(V.E)

デブリーフィング前に、受講者各自の自己内省を促すために、次の2ステップを行います。

〈V. Vent 受講者の緊張を解く〉

学習者の緊張を解くことはデブリーフィングに向かう上でとても大切なことです。緊張を持ったままデブリーフィングに入ることは危険でもあります。というのは、非常にシビアなシナリオに没入していたチームはなかなかシナリオの世界から戻ってこれないことがあります。もし没入したシナリオの中で失敗があって、いつまでもいつまでもそこに拘泥してしまい、デブリーフィングでも指摘され、結局傷ついてしまう、、、シミュレーショントラウマと言われる状態です。それを避けるためにはシナリオが終わった段階で一度、緊張を解放してシナリオの外にメンバーを導く、すなわちメタ認知の(自分を客観視できる)状態にする、ことが大切になります。

〈E. Examine your activity チェックシートを使って個人で振り返る〉

日本人には「自己内省が先に立つ」という傾向があることについては共感していただけると思います。「人に言われる前に自分の行動を正すことが美徳」といった感覚です。「自分の失敗を人に指摘されることが恥ずかしいこと」という感覚が日本人のデブリーフィングセッションにおける議論を違和感あるものにしていると推察されます。その反面、日本人は「自己内省の能力」は高いと考えます。そこに着目して、デブリーフィングセッションに入る前に「自己内省」の時間をとることにしました。その際に自己内省をシステマチックに行うために「チェックシートを導入」することとしました。

9）議論を促進する（C.T）

デブリーフィング時の議論を促進するために次の2ステップを行います。

〈C. Case review インストラクターとともにケースを振り返る〉

個人でチェックシートを用いて振り返りを行った後、インストラクターとともにケースの振り返りを行います。インストラクターは振り返りをよりシステマチックに整理するためにディスカッションのまとめ役となります。ケースレビューはチームメンバーの考えたことを共有する時間です。インストラクターはディスカッションを導き、学習者の意見を聞き、気づきを整理します。ディスカッションを支援（自分が中心にならない）し質問などに答え、インストラクターが気づいたことを伝え、偏ったメンバーからのみ意見が出ないように配慮します。またデブリーフィングは受講者中心、と言われますが、一方でインストラクターには伝えるべきことがあります。　学習者を尊重するあまり、インストラクターが伝えるべきことを伝えないことの危険性を常に考えるべきです。 批判的、建設的、というのはこのようなことです。受講者がおとなしい時はこちらから積極的に話しかけ、活発な時には黙る、そのようなファシリテーションの技術も必要になります。

T. Talk each other お互いに話し合う〉

ケースレビューを終えると（もしくは途中で）、学習者同士の議論が活発化します。その段階ではインストラクターは少し対応を変え、ディスカッションの主導権を学習者たちに与えます。多くの場合一度話し始めるとディスカッションは学習者間で進んで行くのでインストラクターはにこやかに笑顔でディスカッションを見守り、少し話を整えるくらいの介入で大丈夫でしょう。質問があれば、それに対応します。受講者のチェックシートには「より良い蘇生へのヒント」という項目が書かれています。これはノンテクニカルスキルをわかりやすく書いたものです。そのヒントについて考えることを促したりしながら次の O.：次の目標のステップに誘導します。

10）次への行動を支援する（O.R）

議論が終わったら次への行動を支援するために次の2ステップを行います。

〈O. Organize next plan. 次の目標を決める〉

ディスカッションが一通り終わったら2回目のシナリオの際に注意する点を「学習者自身（チームで）」に明確に決めてもらいます。あまり多くなく2、3項目程度にまとめてもらいます。学習者にまとめてもらった目標をインストラクターが確認します。ここで目標が曖昧すぎると達成は困難で、その評価も不可能です。2回目のシナリオの前に、インストラクターは提示された曖昧な目標を噛み砕き、より具体的にして学習者に理解してもらう必要があります。

例）×「コミュニケーションをしっかりします！」
　　○「吸引、刺激など行動をしっかり言葉に出します！」

〈R. Retry 再挑戦〉

シナリオ再挑戦は学習者自らが自分たちの行動変容を体感できる良いチャンスです。それを客観的にインストラクターが評価をすることで学習者にモーティベーションを与えることにもなります。どこがどう変わったかを伝え、今後も臨床の場で赤ちゃんを救えそうだ、もっとトレーニングをすればもっと良くなりそうだ、などの動機づけを心がけましょう。

手技トレーニングにおける望ましくない行動例

ふりかえりをしない・過剰に介入する・受講者の思考を邪魔する・正しい情報提示をしない受講者に発言の機会を与えない・受講者の行動を見ない・V.E.C.T.O.R. Approachを実践しない、など

上記のポイントはあくまで望ましいインストラクタースキルの一部です。この他講習会全体を通じて、学習者の背景を配慮する、公平さを保つ等のインストラクターとしての態度、また講習会のスケジュールを適切に管理する等といったことも大切なポイントになります。

これらのポイントを踏まえ、皆さんのインストラクションのスキルアップを目指しましょう。

付録資料5

スキルトレーニング ポイント表

見学者：

対象インストラクター：

スキルトレーニングの指導法	ポイント	評価＊
デモンストレーションを正確に行う	NCPRに必要な手技を正確に再現したか？	
	質問に対しての的確かつ明確に回答したか？	
学習者の手技を適切に観察・評価する	学習者の手技を適切に観察したか？	
	学習者の手技を適切に評価したか？	
学習者に合わせた方法で手技完成に導く	必要に応じスモールステップ法を活用したか？	
フィードバックを適切に行う	適切なタイミングでフィードバックを行ったか？	
	Confirmative FB（承認）／Corrective FB（修正）を行ったか？	
チェックシートを適切に活用する	実技演習前にチェックシートを活用したか？	
	実技演習後にチェックシートを活用したか？	

＊評価は…努力が必要：△　出来ている：○　優秀◎

メモ：

このスキルトレーニングポイント表は「インストラクター・主催者の専用ページ」の「便利ツール」からダウンロードできます。

シナリオトレーニング ポイント表

見学者：

対象インストラクター：

シナリオトレーニングの指導法	ポイント		評価＊
情報提示を適切に行う	適切なタイミングで情報を提示したか？		
	明確で適切な情報を提示したか？		
学習者の行動を適切に観察・評価する	学習者の行動を適切に観察したか？		
	学習者の行動を適切に評価したか？		
自己内省を促進する（V.E）	**V**ent：緊張を解く	学習者の緊張を解き、心理的な側面に配慮したか？	
	Examine your activity：自己振り返り	チェックシートを使用し、個人による振り返りを促したか？	
議論を促進する（C.T）	**C**ase review：ケースレビュー	システマチックに振り返りをリードしたか？	
		学習者に発言の機会を与え・促したか？	
		学習者の行動を批判的・建設的に指摘したか？	
	Talk each other：お互いに話し合う	学習者のディスカッションを支援したか？	
		学習者の質問や要望に適切に対応したか？	
次への行動を支援する（O.R）	**O**rganize next plan：次の目標を立てる	目標をより具体的に構成し直すことができたか？	
	Retry：再トライ	再トライ後に学習者の行動変容を確認したか？	
		学習者への動機づけが出来たか？	

＊評価は…努力が必要：△　出来ている：○　優秀◎

メモ：

このシナリオトレーニングポイント表は「インストラクター・主催者の専用ページ」の「便利ツール」からダウンロードできます。

付録資料6

NCPR S コース インストラクター フィードバックシート

インストラクター氏名＿＿＿＿＿＿＿＿＿＿さん

受講年月日＿＿＿＿年＿＿＿＿月＿＿＿＿日

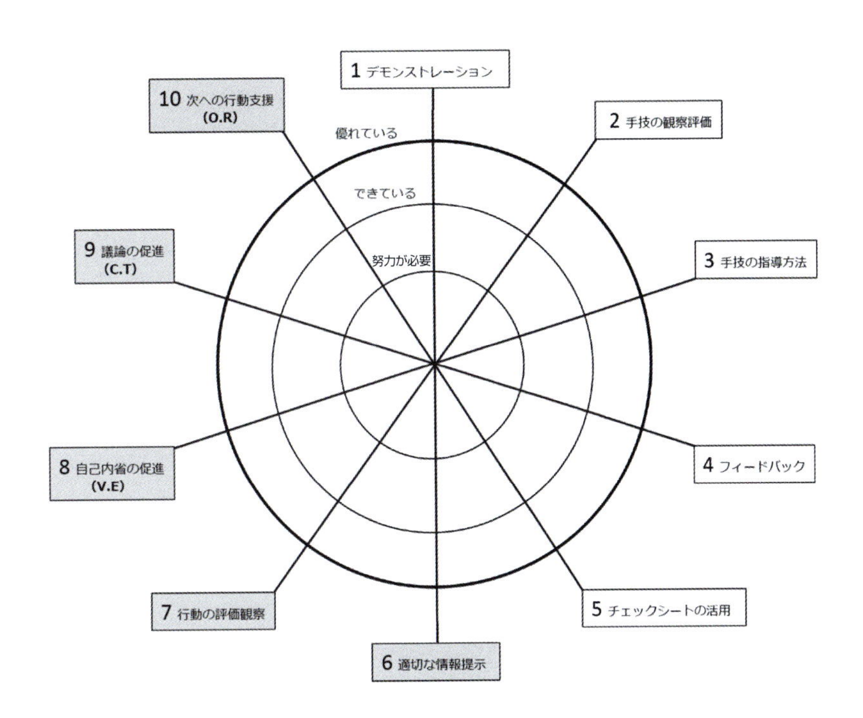

コメント＿＿＿＿＿＿＿＿＿＿＿＿＿＿＿＿＿＿＿＿

記載者氏名＿＿＿＿＿＿＿＿＿＿

索引 ※ vは別冊

た

な・は

ま・や・ら

数字・欧文

NCPR 利益相反（COI）リスト（掲載順）

細野茂春

学術上の利益相反：

1) Hosono S, Isayama T, Sugiura T, et al: Management of infants born to mothers with suspected or confirmed SARS-CoV-2 infection in the delivery room: A tentative proposal 2020. Pediatr Int 2021 ; 63 (3) : 260-3.
2) Wyckoff MH, Wyllie J, Aziz K, et al (8th/22) : Neonatal Life Support 2020 International Consensus on Cardiopulmonary Resuscitation and Emergency Cardiovascular Care Science With Treatment Recommendations. Resuscitation 2020 ; 156 : A156-87.
3) Wyckoff MH, Wyllie J, Aziz K, et al (8th/22) : Neonatal Life Support: 2020 International Consensus on Cardiopulmonary Resuscitation and Emergency Cardiovascular Care Science With Treatment Recommendations. Circulation 2020 ; 142 (16 suppl 1) : S185-221.
4) Seidler AL, Duley L, Katheria AC, et al (12th/26) : Systematic review and network meta-analysis with individual participant data on cord management at preterm birth (iCOMP) : study protocol. BMJ Open 2020 ; 10 (3) : e034595.
5) Soar J, Maconochie I, Wyckoff MH, et al (55th/123) : 2019 International Consensus on Cardiopulmonary Resuscitation and Emergency Cardiovascular Care Science With Treatment Recommendations. Resuscitation 2019 ; 145 : 95-150.
6) Soar J, Maconochie I, Wyckoff MH, et al (55th/123) : 2019 International Consensus on Cardiopulmonary Resuscitation and Emergency Cardiovascular Care Science With Treatment Recommendations: Summary From the Basic Life Support; Advanced Life Support; Pediatric Life Support; Neonatal Life Support; Education, Implementation, and Teams; and First Aid Task Forces. Circulation 2019 ; 140 (24) : e826-80.
7) Hosono S, Tamura M, Isayama T, et al: Neonatal cardiopulmonary resuscitation project in Japan. Pediatr Int 2019 ; 61 (7) : 634-40.
8) Kayama K, Hosono S, Yoshikawa K, et al: Heart-rate evaluation using fetal ultrasonic Doppler during neonatal resuscitation. Pediatr Int 2020 ; 62 (8) : 926-31.
9) Shibasaki J, Mukai T, Tsuda K, et al (11th/13) : Outcomes related to 10-min Apgar scores of zero in Japan. Arch Dis Child Fetal Neonatal Ed 2020 ; 105 (1) : 64-8.
10) Kato R, Hosono S, Takahashi S: Reference Value of Brain Tissue Oxygen Saturation in Newborns Immediately After Birth. Adv Exp Med Biol 2020 ; 1232 : 19-24.
11) Tsuda K, Iwata S, Mukai T, et.al (16th /18) : Body Temperature, Heart Rate, and Short-Term Outcome of Cooled Infants. Ther Hypothermia Temp Manag 2019 ; 9 (1) : 76-85.
12) Katheria A, Hosono S, El-Naggar W: A new wrinkle: Umbilical cord management (how, when, who). Semin Fetal Neonatal Med 2018 ; 23 (5) : 321-6.
13) Nakamura T, Asanuma H, Kusuda S, et al (5th/11) : Multicenter study for brain/body hypothermia for hypoxicischemic encephalopathy: Changes in HMGB-1. Pediatr Int 2017 ; 59 (10) : 1074-9.
14) Taguchi Y, Hosono S, Kayama K, et al: Target value of oxygen saturation during the first 10 min after birth. Pediatr Int 2017 ; 59 (10) : 1064-8.
15) Tsuda K, Mukai T, Iwata S, et al (15th/17) : Therapeutic hypothermia for neonatal encephalopathy: a report from the first 3 years of the Baby Cooling Registry of Japan. Sci Rep 2017 ; 7 : 39508.
16) Sugiura T, Urushibata R, Komatsu K, et al (9th/10) : Oxygen delivery using neonatal self-inflating bags without reservoirs. Pediatr Int 2017 ; 59 (2) : 154-8.
17) Hine K, Hosono S, Kawabata K, et al: Nasopharynx is well-suited for core temperature measurement during hypothermia therapy. Pediatr Int 2017 ; 59 (1) : 29-33.
18) Oei JL, Ghadge A, Coates E, et al (10th/23) : Clinicians in 25 countries prefer to use lower levels of oxygen to resuscitate preterm infants at birth. Acta Paediatr 2016 ; 105 (9) : 1061-6.
19) Guillén Ú, Weiss EM, Munson D, et al (14th/20) : Guidelines for the Management of Extremely Premature Deliveries: A Systematic Review. Pediatrics 2015 ; 136 (2) : 343-50.
20) Hosono S, Mugishima H, Takahashi S, et al: One-time umbilical cord milking after cord cutting has same effectiveness as multiple-time umbilical cord milking in infants born at <29 weeks of gestation: a retrospective study. J Perinatol 2015 ; 35 (8) : 590-4.
21) Hosono S, Tamura M, Kunikata T, et al: Survey of delivery room resuscitation practices at tertiary perinatal centers in Japan. Pediatr Int 2015 ; 57 (2) : 258-62.
22) Hosono S, Hine K, Nagano N, et al: Residual blood volume in the umbilical cord of extremely premature infants. Pediatr Int 2015 ; 57 (1) : 68-71.

研究費：

国立研究開発法人日本医療研究開発機構研究費　分担研究者
課題番号：19hk0302002s0303
事業名：開発途上国・新興国等における医療技術等実用化研究事業
研究開発課題名：安全なバッグ換気のためのモニタ
期間：2017～2020年

蘇生に関する提言などを出している委員会：

日本周産期・新生児医学会 新生児蘇生法委員会委員長，国際蘇生連絡委員会 Task Force，日本蘇生協議会理事，救急医療財団心肺蘇生法委員会委員

茨　聡

学術上の利益相反：

1) Hosono S, Isayama T, Sugiura T, et al (6th/7) : Management of infants born to mothers with suspected or confirmed SARS-CoV-2 infection in the delivery room: A tentative proposal 2020. Pediatr Int 2021; 63(3): 260-3.

蘇生に関する提言などを出している委員会：

日本周産期・新生児医学会 新生児蘇生法委員会副委員長，日本周産期・新生児医学会 新生児蘇生法委員会 トレーニングサイト運営小委員会委員長

木下大介

蘇生に関する提言などを出している委員会：

日本周産期・新生児医学会 新生児蘇生法委員会 トレーニングサイト運営小委員会，日本周産期・新生児医学会 新生児蘇生法委員会 インストラクターの質向上ワーキンググループ

大橋　敦

蘇生に関する提言などを出している委員会：

日本周産期・新生児医学会 新生児蘇生法委員会 インストラクターの質向上ワーキンググループ，日本周産期・新生児医学会 新生児蘇生法委員会 eラーニング改定ワーキンググループ

山本正仁

蘇生に関する提言などを出している委員会：

日本周産期・新生児医学会 新生児蘇生法委員会 インストラクターの質向上ワーキンググループ

嶋岡　鋼

蘇生に関する提言などを出している委員会：

日本周産期・新生児医学会 新生児蘇生法委員会委員，日本周産期・新生児医学会 新生児蘇生法委員会 eラーニング改定ワーキンググループ委員長，日本周産期・新生児医学会 新生児蘇生法委員会 インストラクターの質向上ワーキンググループ

安田真之

研究費：

1)独立行政法人日本学術振興会 科学研究費助成事業　分担研究者
課題番号：17K10178
研究課題名：脳循環酸素代謝変化を指標とした新しい新生児蘇生法の確立
期間：2017～2021年
2)独立行政法人日本学術振興会 科学研究費助成事業　分担研究者
課題番号：19K08253
研究課題名：水素ガス吸入を用いた新規新生児蘇生法の開発
期間：2019～2022年

蘇生に関する提言などを出している委員会：

日本周産期・新生児医学会 新生児蘇生法委員会 新フォローアップコースワーキンググループ

荒堀仁美

蘇生に関する提言などを出している委員会：

日本周産期・新生児医学会 新生児蘇生法委員会委員，日本蘇生協議会 新生児の蘇生(NCPR)作業部会会員，日本周産期・新生児医学会 新生児蘇生法普及事業 インストラクターの質向上ワーキンググループ委員長，日本周産期・新生児医学会 新生児蘇生法委員会 トレーニングサイト運営小委員会，日本周産期・新生児医学会 新生児蘇生法普及事業 eラーニング改定ワーキンググループ

草川　功

学術上の利益相反：

1) Hosono S, Isayama T, Sugiura T, et al (4th/7) : Management of infants born to mothers with suspected or confirmed SARS-CoV-2 infection in the delivery room: A tentative proposal 2020. Pediatr Int 2021; 63(3): 260-3.
2) Hosono S, Tamura M, Isayama T, et al (5th/6) : Summary of Japanese Neonatal Cardiopulmonary

Resuscitation Guidelines 2015. Pediatr Int 2020 ; 62(2): 128-39.
3) Hosono S, Tamura M, Isayama T, et al (5th/6): Neonatal cardiopulmonary resuscitation project in Japan. Pediatr Int 2019 ; 61(7): 634-40.
4) Hosono S, Tamura M, Isayama T, et al (5th/6): Neonatal cardiopulmonary resuscitation project in Japan. Pediatr Int 2019 ; 61(7): 634-40.
5) Shimabukuro R, Takase K, Ohde S, et al (4th/4): Handheld fetal Doppler device for assessing heart rate in neonatal resuscitation. Pediatr Int 2017 ; 59(10): 1069-73.
6) Nakagawa M, Ishida Y, Nagaoki Y, et al (8th/8): Correlation between umbilical cord hemoglobin and rate of jaundice requiring phototherapy in healthy newborns. Pediatr Int 2015 ; 57(4): 626-8.

蘇生に関する提言などを出している委員会：

日本周産期・新生児医学会 新生児蘇生法委員会委員，日本周産期・新生児医学会　新生児蘇生法委員会 制度改革推進小委員会委員長

水本　洋

学術上の利益相反：

1) Mizumoto H, Motokura K, Kurosaki A, et al: Introduction of laryngeal mask airway in Japan, and its rescue use for newborns. Pediatr Int 2018 ; 60(10): 954-6.
2) Mizumoto H, Tomotaki S, Shibata H, et al: Electrocardiogram shows reliable heart rates much earlier than pulse oximetry during neonatal resuscitation. Pediatr Int 2012 ; 54(2): 205-7.

蘇生に関する提言などを出している委員会：

日本周産期・新生児医学会　新生児蘇生法委員会 トレーニングサイト運営小委員会，日本周産期・新生児医学会 新生児蘇生法委員会 新フォローアップコースワーキンググループ

甘利昭一郎

学術上の利益相反：

1) 伊東 藍，甘利昭一郎，小澤悠里，ほか：ヒト臍帯を用いた臍帯カテーテルの留置のためのタスクトレーナーの作製について．日本シミュレーション医療教育学会雑誌 2019；7：1-7．

研究費：

国立成育医療研究センター 成育医療研究開発費 研究代表者
課題番号：29-15C
研究課題名：周産期医療におけるSimulation-based training(SBT)の実践、評価と新たなトレーニングプログラムの開発
研究期間：2017～2019年度

蘇生に関する提言などを出している委員会：

日本周産期・新生児医学会 新生児蘇生法委員会 eラーニング改定ワーキンググループ

北野裕之

蘇生に関する提言などを出している委員会：

日本周産期・新生児医学会 新生児蘇生法委員会 トレーニングサイト運営小委員会

岩永甲午郎

学術上の利益相反：

1) Nishimoto N, Yaguang W, Matsumura K, et al (6th/7): Training Simulator for Resuscitation of Neonate with High Effectiveness and Low Introduction Cost. Chen YW, Tanaka S, Howlett RJ, et al. eds, KES-InMed, p273-6, Springer, Switzerland, 2017.
2) Nishimoto N, Watanabe R, Noma H, et al (6th/7): Self-Skill Training System for Chest Compressions in Neonatal Resuscitation Workshop. Chen YW, Tanaka S, Howlett RJ, et al. eds, Innovation in Medicine and Healthare, p81-9, Springer, Switzerland, 2020.

研究費：

1)総務省 戦略的情報通信研究開発推進事業
研究課題名：どこからでも学べる遠隔新生児蘇生法講習シミュレータの研究開発
期間：2018～2020年度
2)独立行政法人日本学術振興会 科学研究費助成事業 研究代表者
課題番号：20K02428
研究課題名：地域連携と人材育成を促進する新生児遠隔診療支援システムの有用性検証
期間：2020～2022年度
3)公益財団法人 医学教育振興財団 医学教育研究助成
研究課題名：新生児蘇生講習会におけるアクティブラーニングのための教育システムの開発
期間：2018年度
4)公益財団法人ファイザーヘルスリサーチ振興財団 国際共同研究
研究課題名：教育資源の乏しい地域での，低コストの新生児蘇生法シミュレータ開発と蘇生指導者育成
期間：2019年度

5)公益財団法人 大川情報通信基金 研究助成
研究課題名：病院間連携を強化するための，ICTを利用した周産期医療ネットワーク基盤の構築と運用検証
期間：2020年度
6)公益財団法人 ひと・健康・未来研究財団
研究課題名：一次医療機関の重症患者を迅速かつ適切に治療および患者搬送するための，ICTを利用した周産期医療ネットワーク構築～地域医療安全強化と医師の偏在化対策の検証～
期間：2020年度
7)独立行政法人日本学術振興会 科学研究費助成事業 研究協力者
課題番号：19K19642
研究課題名：遠隔支援可能な新生児蘇生シミュレーション教育支援ツールの開発と有効性検証
期間：2019～2020年度
8)独立行政法人日本学術振興会 科学研究費助成事業 研究協力者
課題番号：19K23315
研究課題名：ICTを利用した蘇生教育用ツール開発および反復訓練を促す学習支援システムの確立
期間：2019～2020年度
9)独立行政法人日本学術振興会 科学研究費助成事業 研究協力者
課題番号：21K10740
研究課題名：電子ポートフォリオと連動した，反復学習を促す蘇生教育支援システムの開発と運用検証
期間：2021～2023年度

蘇生に関する提言などを出している委員会：

日本周産期・新生児医学会 新生児蘇生法委員会 新フォローアップコースワーキンググループ

杉浦崇浩

学術上の利益相反：

1) Hosono S, Isayama T, Sugiura T, et al: Management of infants born to mothers with suspected or confirmed SARS-CoV-2 infection in the delivery room: A tentative proposal 2020. Pediatr Int 2021; 63 (3): 260-3.
2) Hosono S, Tamura M, Isayama T, et al (4th/6): Summary of Japanese Neonatal Cardiopulmonary Resuscitation Guidelines 2015. Pediatr Int 2020; 62: 128-39.
3) Hosono S, Tamura M, Isayama T, et al (4th/6): Neonatal cardiopulmonary resuscitation project in Japan. Pediatr Int 2019; 61: 634-40.
4) Nagano N, Saito M, Sugiura T, et al: Benefits of umbilical cord milking versus delayed cord clamping on neonatal outcomes in preterm infants: A systematic review and meta-analysis. PLoS ONE 2018; 13 (8):e0201528.
5) Sugiura T, Urushibata R, Komatsu K, et al: Oxygen delivery using neonatal self-inflating bags withoutreservoirs. Pediatr Int 2017; 59(2): 154-8.

蘇生に関する提言などを出している委員会：

日本周産期・新生児医学会 新生児蘇生法委員会委員，国際蘇生連絡委員会 Task Force，日本蘇生協議会 新生児の蘇生(NCPR)，作業部会 共同座長

宮園弥生

研究費：

救急振興財団 平成28年度 救急救命の高度化の推進に関する調査研究事業
「救急現場における周産期救急～わが国の実態調査と病院前周産期救急教育の在り方に関する検討～」
期間：2016年

蘇生に関する提言などを出している委員会：

日本周産期・新生児医学会　新生児蘇生法委員会 トレーニングサイト運営小委員会，日本周産期・新生児医学会 新生児蘇生法委員会 病院前新生児蘇生法ワーキンググループ

小西恵理

蘇生に関する提言などを出している委員会：

日本周産期・新生児医学会 新生児蘇生法委員会 病院前新生児蘇生法ワーキンググループ

諫山哲哉

学術上の利益相反：

1) Hosono S, Isayama T, Sugiura T, et al: Management of infants born to mothers with suspected or confirmed SARS-CoV-2 infection in the delivery room: A tentative proposal 2020. Pediatr Int 2021; 63 (3): 260-3.
2) Wyckoff MH, Wyllie J, Aziz K, et al (9th/22): Neonatal Life Support: 2020 International Consensus on Cardiopulmonary Resuscitation and Emergency Cardiovascular Care Science With Treatment Recommendations. Circulation 2020; 142(16 suppl 1): S185-221.
3) Wyckoff MH, Wyllie J, Aziz K, et al (9th/22): Neonatal Life Support 2020 International Consensus on Cardiopulmonary Resuscitation and Emergency Cardiovascular Care Science With Treatment Recommendations. Resuscitation 2020; 156: A156-87.

4) Isayama T, Mildenhall L, Schmölzer GM, et al: The Route, Dose, and Interval of Epinephrine for Neonatal Resuscitation: A Systematic Review. Pediatrics 2020 : e20200586.
5) Hosono S, Tamura M, Isayama T, et al: Summary of Japanese Neonatal Cardiopulmonary Resuscitation Guidelines 2015 . Pediatr Int 2020 ; 62(2): 128-39.
6) Soar J, Maconochie I, Wyckoff MH, et al (57th/123) : 2019 International Consensus on Cardiopulmonary Resuscitation and Emergency Cardiovascular Care Science With Treatment Recommendations: Summary From the Basic Life Support; Advanced Life Support; Pediatric Life Support; Neonatal Life Support; Education, Implementation, and Teams; and First Aid Task Forces. Circulation 2019 ; 140(24): e826-80.
7) Soar J, Maconochie I, Wyckoff MH, et al (57th/123) : 2019 International Consensus on Cardiopulmonary Resuscitation and Emergency Cardiovascular Care Science With Treatment Recommendations. Resuscitation 2019 ; 145 : 95-150.
8) Helenius K, Morisaki N, Kusuda S, et al (13th/17): Survey shows marked variations in approaches to redirection of care for critically ill very preterm infants in 11 countries. Acta Paediatr 2020 ; 109(7): 1338-45.
9) Isayama T: The clinical management and outcomes of extremely preterm infants in Japan: past, present, and future. Transl Pediatr 2019 ; 8(3): 199-211.
10) Hosono S, Tamura M, Isayama T, et al: Neonatal Resuscitation Committee, Japan Society of Perinatal and Neonatal Medicine. Neonatal Cardiopulmonary Resuscitation Project in Japan. Pediatr Int 2019 ; 61(7): 634-40.
11) Ozawa Y, Takahashi S, Miyahara H, et al (8th/8) : Utilizing Video versus Direct Laryngoscopy to Intubate Simulated Newborns while Contained within the Incubator: A Randomized Crossover Study. Am J Perinatol 2020 ; 37(5): 519-24.
12) Welsford M, Nishiyama C, Shortt C, et al (6th/8): Initial Oxygen Use for Preterm Newborn Resuscitation: A Systematic Review With Meta-analysis. Pediatrics 2019 ; 143(1): e20181828.
13) Welsford M, Nishiyama C, Shortt C, et al (4th/9) : Room Air for Initiating Term Newborn Resuscitation: A Systematic Review With Meta-analysis. Pediatrics 2019 ; 143(1): e20181825.
14) Mildenhall LFJ, Isayama T: What to do if A + B doesn't work. Semin Fetal Neonatal Med 2018 ; 23(5): 355-60.
15) Beltempo M, Isayama T (co-primary author) , Vento M, et al: Respiratory Management of Extremely Preterm Infants: An International Survey. Neonatology 2018 ; 114(1): 28-36.
16) Helenius K, Sjörs G, Shah PS, et al (15th/17): Survival in Very Preterm Infants: An International Comparison of 10 National Neonatal Networks. Pediatrics 2017 ; 140(6): e20171264.
17) Grabovac M, Karim JN, Isayama T, et al: What is the safest mode of birth for extremely preterm breech singleton infants who are actively resuscitated? A systematic review and meta-analyses. BJOG 2018 ; 125(6): 652-63.
18) Morisaki N, Isayama T, Samura O, et al: Socioeconomic inequity in survival for deliveries at 22 -24 weeks of gestation. Arch Dis Child Fetal Neonatal Ed 2018 ; 103(3): F202-F207.
19) Lyu Y, Ye XY, Isayama T, et al: Admission Systolic Blood Pressure and Outcomes in Preterm Infants of ≤ 26 Weeks' Gestation. Am J Perinatol 2017 ; 34(13): 1271-8.
20) Park CK, Isayama T, McDonald SD: Antenatal Corticosteroid Therapy Before 24 Weeks of Gestation: A Systematic Review and Meta-analysis. Obstet Gynecol 2016 ; 127(4): 715-25.

研究費：

1)国立成育医療研究センター 成育医療研究開発費 100万円超500万円未満
2)国立研究開発法人日本医療研究開発機構研究費　分担研究者
課題番号：19hk0302002s0303
事業名：開発途上国・新興国等における医療技術等実用化研究事業
研究開発課題名：安全なバッグ換気のためのモニタ
期間：2019～2020年

蘇生に関する提言などを出している委員会：

日本周産期・新生児医学会 新生児蘇生法委員会委員(2015年～), 国際蘇生連絡委員会 Task Force(2015年～), 新生児成育医学会 医療の標準化委員会委員長(2020年11月～)

柳　貴英

蘇生に関する提言などを出している委員会：

日本周産期・新生児医学会 新生児蘇生法委員会 新フォローアップコースワーキンググループ

加藤文典

蘇生に関する提言などを出している委員会：

日本周産期・新生児医学会 新生児蘇生法委員会 トレーニングサイト運営小委員会, 日本周産期・新生児医学会 新生児蘇生法委員会 新フォローアップコースワーキンググループ

日本版救急蘇生ガイドライン2020に基づく

第5版　新生児蘇生法インストラクターマニュアル

2008年3月20日　第1版第1刷発行
2011年1月20日　第2版第1刷発行
2013年7月20日　第3版第1刷発行
2016年5月1日　第4版第1刷発行
2021年5月20日　第5版第1刷発行
2024年11月20日　　　　第4刷発行

■監　修　細野茂春　ほそのしげはる

■発行者　吉田富生

■発行所　株式会社メジカルビュー社
〒162-0845 東京都新宿区市谷本村町2-30
電話　03(5228)2050(代表)
ホームページ https://www.medicalview.co.jp/

営業部　FAX 03(5228)2059
E-mail eigyo@medicalview.co.jp

編集部　FAX 03(5228)2062
E-mail ed@medicalview.co.jp

■印刷所　シナノ印刷株式会社

ISBN978-4-7583-2126-6 C3047

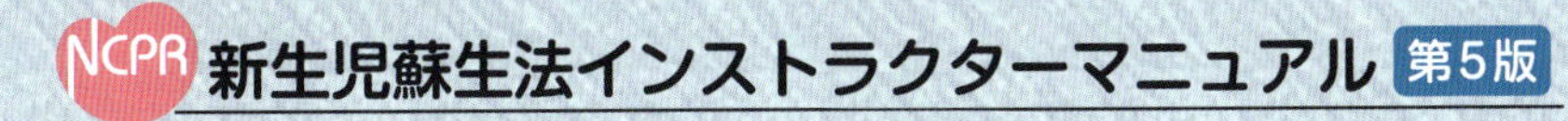

V シナリオ集

V シナリオ集

1 A，Bコース

A・Bコースシナリオ

A・Bコースシナリオ❶ ルーチンケアから安定化の流れに進む

学習目標

（A・Bコース共通）

- 出生前のブリーフィング，感染予防，物品の確認の方法を学ぶ。
- ルーチンケアにおける行動を理解する。
- 「更なる評価」では努力呼吸とチアノーゼを評価し，必要なら安定化の流れに進む。

シナリオ設定

妊娠週数	推定体重（g）	羊水	リスク因子
38	2,700	清明	骨盤位のため選択的帝王切開

環境設定

コース	出生場所	酸素ブレンダー	CPAP	立ち会いスタッフ
A	病院	有	可	小児科医もしくは看護師１名
B	産院	無	不可	助産師１名

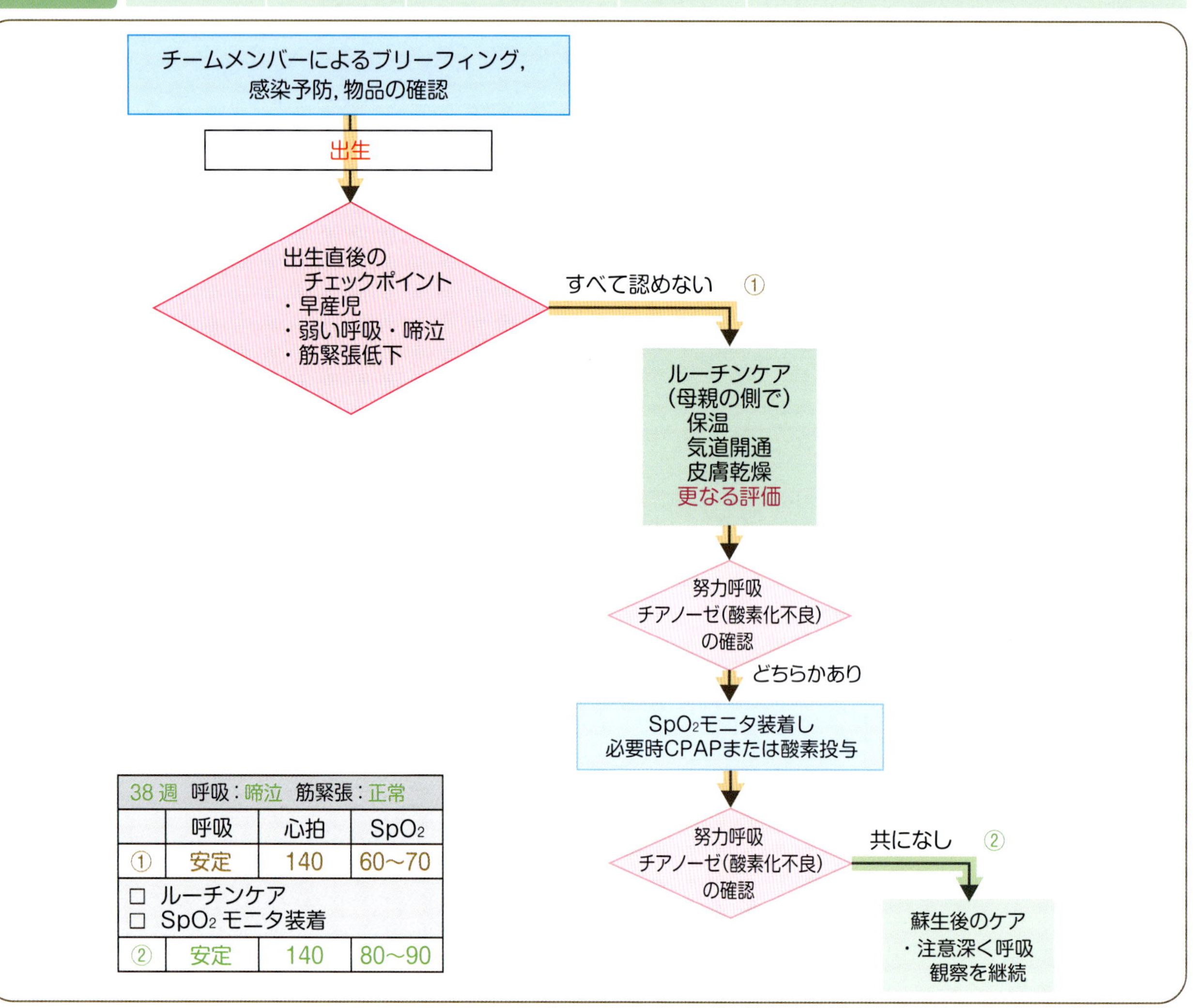

38 週　呼吸：啼泣　筋緊張：正常			
	呼吸	心拍	SpO_2
①	安定	140	60～70
□ ルーチンケア □ SpO_2 モニタ装着			
②	安定	140	80～90

時間	インストラクターが提示する情報と質問	期待する答え・行動	蘇生チームリーダー	蘇生チームメンバー
	「妊娠38週，前回既往のため選択的帝王切開となりました。推定体重は2,700 gです。 ほかに何か確認しておくことはありますか？」	「感染情報」 →B型肝炎，C型肝炎，HIVなど 「リスク因子」 →p.88(蘇生シナリオの進め方)から選択		
	※感染情報が陽性の場合の追加質問例 「感染予防のための準備は万全ですか？」	「マスク･手袋･エプロン(ゴーグル･キャップ)を装備する」		
	※リスク因子が陽性の場合の追加質問例 「蘇生にかかわるスタッフは十分ですか？」 「オンコール医師は確保されていますか？」	「新生児蘇生を担当するスタッフが○名。気管挿管を実施できる医師にも連絡」		
	「今回リーダーは○○さんにお願いします。 予想される問題と物品の準備，役割分担をお願いします」	･蘇生のステップごとに必要な物品を確認する。 1．初期処置 タオル(羊水清拭用･肩枕用)，ラジアントウォーマーの出力調整，吸引カテーテル，圧調整 2．呼吸補助(CPAP，人工呼吸) マスク，蘇生バッグ(動作確認)，酸素，パルスオキシメータ，聴診器，心電図 追加：気管挿管，薬物投与など	「タオルを2枚敷いて，肩枕も入れてください」 「10 F rのカテーテルを準備して，100mmHgを超えないように調整してください」 「酸素が使えることを確認してください」 「適切な大きさのマスクがあり，蘇生バッグを使ってしっかり加圧できることを確認してください」 「パルスオキシメータを準備してください」	➡リーダーの指示に従い，物品の準備と動作確認を行う
		･リーダーを中心に，各ステップの処置の役割分担をする。	「○○さんは頭側に立って，吸引･体位･バギングを担当。△△さんは横から羊水清拭と，必要に応じてモニタ装着をお願いします」	
	「出生しました。何を確認しますか？」 ・在胎週数：38週 ・呼吸：元気に泣いています ・筋緊張：良好です	「(在胎週数・)呼吸と筋緊張」		

時間	インストラクターが提示する情報と質問	期待する答え・行動	蘇生チームリーダー	蘇生チームメンバー
	「どうしますか？」	「ルーチンケアをお母さんのそばで行う」		
	「ルーチンケアでは何をしますか？」	・保温 ・顔・体を拭く ・水分を拭き取り乾燥させる	「顔と体を拭いてください」 「濡れたタオルを取り除きましょう」	➡ウォーマーの下に児を置き，顔と体を拭く ➡タオルを取り除く
	気道開通の方法は？ 「ゴロゴロと分泌物が溜まっています」	・気道確保の体位をとる ・分泌物を拭く ・必要ならば吸引をする	「スニッフィングポジションに整えてください」 「口・鼻の順に吸引してください」	➡肩枕を入れて体位を整える ➡口・鼻を吸引する
	「その後も元気に泣いています。どんなことに注意して，様子をみますか？」	「努力呼吸がないかどうか・中心性チアノーゼが徐々に消失するかどうかを観察」		
初期処置終了	「努力呼吸はありませんが，中心性チアノーゼが続いています。どうしますか？」	「パルスオキシメータを装着して評価」	「パルスオキシメータを右手に装着して下さい」	➡パルスオキシメータを装着
30秒経過	「30秒経過しました。何を確認しますか？」 ・呼吸：元気に泣いています	「呼吸と心拍」		
	「パルスオキシメータはまだ表示されていませんが，心拍はどのように評価しますか？」 ・心拍：6秒間に14回	「左胸の聴診か，臍帯の触診」	「聴診で心拍を確認してください」	➡聴診する
	「さらに何を確認しますか？」 ・努力呼吸：なし ・中心性チアノーゼ：あり	「努力呼吸と中心性チアノーゼ」		
	「パルスオキシメータが表示されました。心拍は140，SpO_2は63，64，65 ……少しずつ上昇しています。どうしますか？」	「生後1分でSpO_2が60以上あり，上昇傾向なのでこのまま経過観察」		

時間	インストラクターが提示する情報と質問	期待する答え・行動	蘇生チームリーダー	蘇生チームメンバー
30秒経過	「さらに30秒経過しました。元気に泣いており，努力呼吸はありません。パルスオキシメータの表示は心拍140，SpO_2は80を超えました。81，82，83……中心性チアノーゼも消失したようです。どうしますか？」	「努力呼吸と中心性チアノーゼをともに認めないので，『蘇生後のケア』に進んで注意深く呼吸観察を継続」		

引き続き保温に注意しながら，母親のそばで観察を継続します

A・Bコースシナリオ❷ 初期処置(羊水混濁あり)

学習目標

(A・Bコース共通)

- 出生前のブリーフィング，感染予防，物品の確認の方法を学ぶ。
- 初期処置における行動を理解する。
- 羊水混濁がある場合の対応の違いを理解する。

シナリオ設定

妊娠週数	推定体重(g)	羊水	リスク因子
41	3,200	混濁	羊水混濁・母体発熱

環境設定

コース	出生場所	酸素ブレンダー	CPAP	立ち会いスタッフ
A	病院	有	可	小児科医もしくは看護師１名
B	産院	無	不可	助産師１名

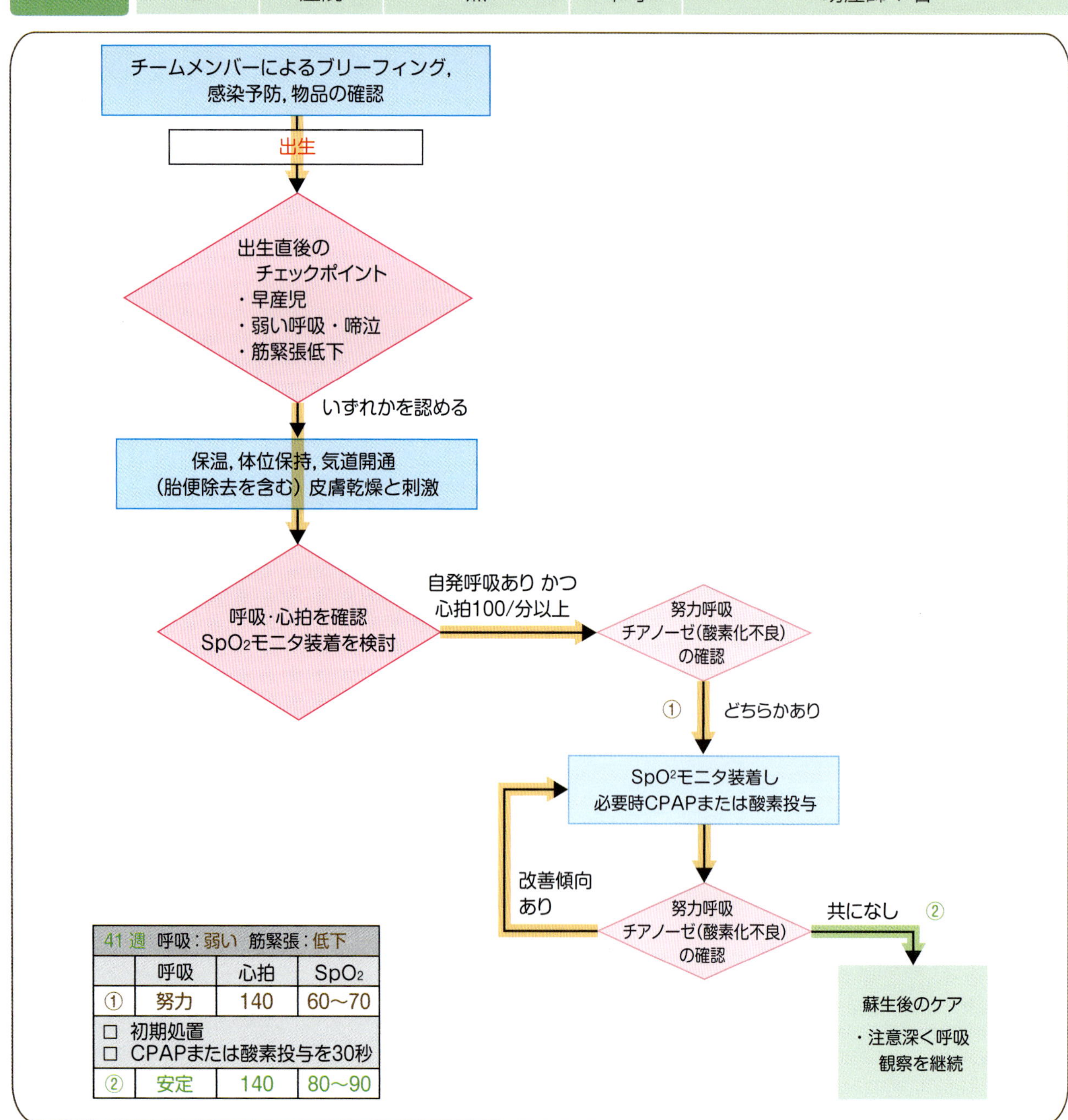

41週 呼吸：弱い 筋緊張：低下			
	呼吸	心拍	SpO_2
①	努力	140	60～70
□ 初期処置 □ CPAPまたは酸素投与を30秒			
②	安定	140	80～90

時間	インストラクターが提示する情報と質問	期待する答え	蘇生チームリーダー	蘇生チームメンバー
出生前	「妊娠41週，推定体重は3,300gです。経腟分娩進行中に38℃の母体発熱を認め，破水後に著明な羊水混濁が判明しました。赤ちゃんは間もなく生まれます。ほかに何か確認しておくことはありますか？」	「感染情報」 →B型肝炎，C型肝炎，HIVなど 「リスク因子」 →p.88(蘇生シナリオの進め方)から選択		
	※感染情報が陽性の場合の追加質問例 「感染予防のための準備は万全ですか？」	「マスク・手袋・エプロン(ゴーグル・キャップ)を装備」		
	※リスク因子が陽性の場合の追加質問例 「蘇生にかかわるスタッフは十分ですか？」 「オンコール医師は確保されていますか？」	「新生児蘇生を担当するスタッフが○名。気管挿管を実施できる医師にも連絡」		
	「今回リーダーは○○さんにお願いします。 予想される問題と物品の準備，役割分担をお願いします。」	・蘇生のステップごとに必要な物品を確認する 1. 初期処置 タオル(羊水清拭用・肩枕用)，ラジアントウォーマーの出力調整，吸引カテーテル，圧調整 2. 呼吸補助(CPAP，人工呼吸) マスク，蘇生バッグ(動作確認)，酸素，パルスオキシメータ，聴診器，心電図 追加：気管挿管，薬物投与など	「タオルを2枚敷いて，肩枕も入れてください」 「12Frのカテーテルを準備して，100mmHgを超えないように調整してください」 「酸素が使えることを確認してください」 「適切な大きさのマスクがあり，蘇生バッグを使ってしっかり加圧できることを確認してください」 「パルスオキシメータを準備してください」	➡リーダーの指示に従い，物品の準備と動作確認を行う
		・リーダーを中心に，各ステップの処置の役割分担をする	「○○さんは頭側に立って，吸引・体位・バギングを担当。△△さんは横から羊水清拭と，必要に応じてモニタ装着をお願いします」	
	「羊水混濁があると，準備に何か違いがありますか？」	「12～14Frのカテーテルを準備」		

時間	インストラクターが提示する情報と質問	期待する答え	蘇生チームリーダー	蘇生チームメンバー
0秒	「出生しました。何を確認しますか？」 ・在胎週数：41週 ・呼吸：弱いです ・筋緊張：低下しています	「(在胎週数・)呼吸と筋緊張」		
	「どうしますか？」	「初期処置を開始」		
	「リーダーが指示を出して，蘇生の初期処置を行ってください」	・保温 ・顔・体を拭く ・水分を拭き取り乾燥させる	「ラジアントウォーマーに収容し，体位を整えてください」 「顔と体を拭いてください。濡れたタオルを取り除きましょう」	➡ラジアントウォーマーの下に児を置き，肩枕を入れて体位を整える ➡顔と体を拭く ➡タオルを取り除く
	「混濁した羊水が溢れ，吸引が必要なようです。吸引カテーテルのサイズは？」	「12～14Fr」		
	「吸引の順序は？」	「口から鼻」	「口・鼻の順に吸引してください」	➡口・鼻を吸引する
	「まだ呼吸は弱いです。どうしますか？」	「呼吸を促す刺激」		
	「刺激する部位は？」	「足底か背中を擦る」	「呼吸を刺激してください」	➡足底・背中を刺激する
初期処置終了	「ここまで処置を終えて十分な呼吸が出現しました。さらに何を確認しますか？」	「心拍」		
	「心拍はどのように評価しますか？」 ・心拍：6秒間に14回	「左胸の聴診か，臍帯の触診」	「聴診で心拍を確認してください」	➡聴診する
	「さらに何を確認しますか？」 ・努力呼吸があります ・中心性チアノーゼを認めます	「努力呼吸と中心性チアノーゼ」		
	「どうしますか？」	「パルスオキシメータを装着して評価」 「CPAP(またはフリーフロー酸素)によるサポートを開始」	「パルスオキシメータを右手に装着してください」	➡パルスオキシメータを装着する

時間	インストラクターが提示する情報と質問	期待する答え	蘇生チームリーダー	蘇生チームメンバー
	※CPAPを選択した場合 「CPAPの圧，酸素濃度はいくらにしますか？」	「5～6cmH_2O程度で，8cmH_2Oを超えない。最初は空気(21%酸素)で開始」	「CPAPを空気で開始してください」	➡CPAPを開始する
	※酸素投与を選択した場合 「フリーフローの流量は？」 (ブレンダーがある場合) 「酸素の濃度は？」	「5～10L/分」 「30～60%で開始。その後はSpO_2の値を見ながら調節する」	「○○%で酸素放流を○リットルで開始してください」	➡酸素放流を開始する
30秒経過	「30秒経過しました。何を確認しますか？」 ・呼吸：十分に呼吸をしています	「呼吸と心拍」		
	「パルスオキシメータはまだ表示されていません」 ・心拍：6秒間に14回		「聴診で心拍を確認してください」	➡聴診する
	「さらに何を確認しますか？」 ・努力呼吸：消失 ・中心性チアノーゼ：消失	「努力呼吸と中心性チアノーゼ」		
	「パルスオキシメータが表示されました。心拍は140，SpO_2は84，85，86……少しずつ上昇しています。どうしますか？」	「CPAPを中止する。または酸素濃度・流量を下げる」	「CPAPを中止してください」 「酸素濃度を○○%に下げてください」 「酸素流量を○リットルに下げてください」	➡CPAPを中止する ➡酸素濃度を下げる ➡酸素流量を下げる
30秒経過	「さらに30秒経過しました。何を確認しますか？」 ・呼吸：十分に呼吸をしている ・心拍(パルスオキシメータ)：140 ・努力呼吸：消失 ・中心性チアノーゼ：消失(SpO_2 80～90)	「呼吸と心拍(パルスオキシメータ表示)，さらに努力呼吸と中心性チアノーゼ(SpO_2)」		
	「どうしますか？」	「努力呼吸と中心性チアノーゼをともに認めないので，『蘇生後のケア』に進んで注意深く呼吸観察を継続」		

保温に注意しながら，パルスオキシメータによる評価を継続し，呼吸状態を観察します

A・Bコースシナリオ③ 人工呼吸

学習目標	
	（A・Bコース共通）
	●人工呼吸の準備段階として，初期処置を確実に実行できる。 ●二次性無呼吸に対して，遅くとも生後60秒以内に人工呼吸を開始できる

シナリオ設定	妊娠週数	推定体重(g)	羊水	リスク因子
	39	3,200	清明	Variable deceleration，吸引分娩

環境設定	コース	出生場所	酸素ブレンダー	CPAP	立ち会いスタッフ
	A	病院	有	可	小児科医もしくは看護師１名
	B	産院	無	不可	助産師１名

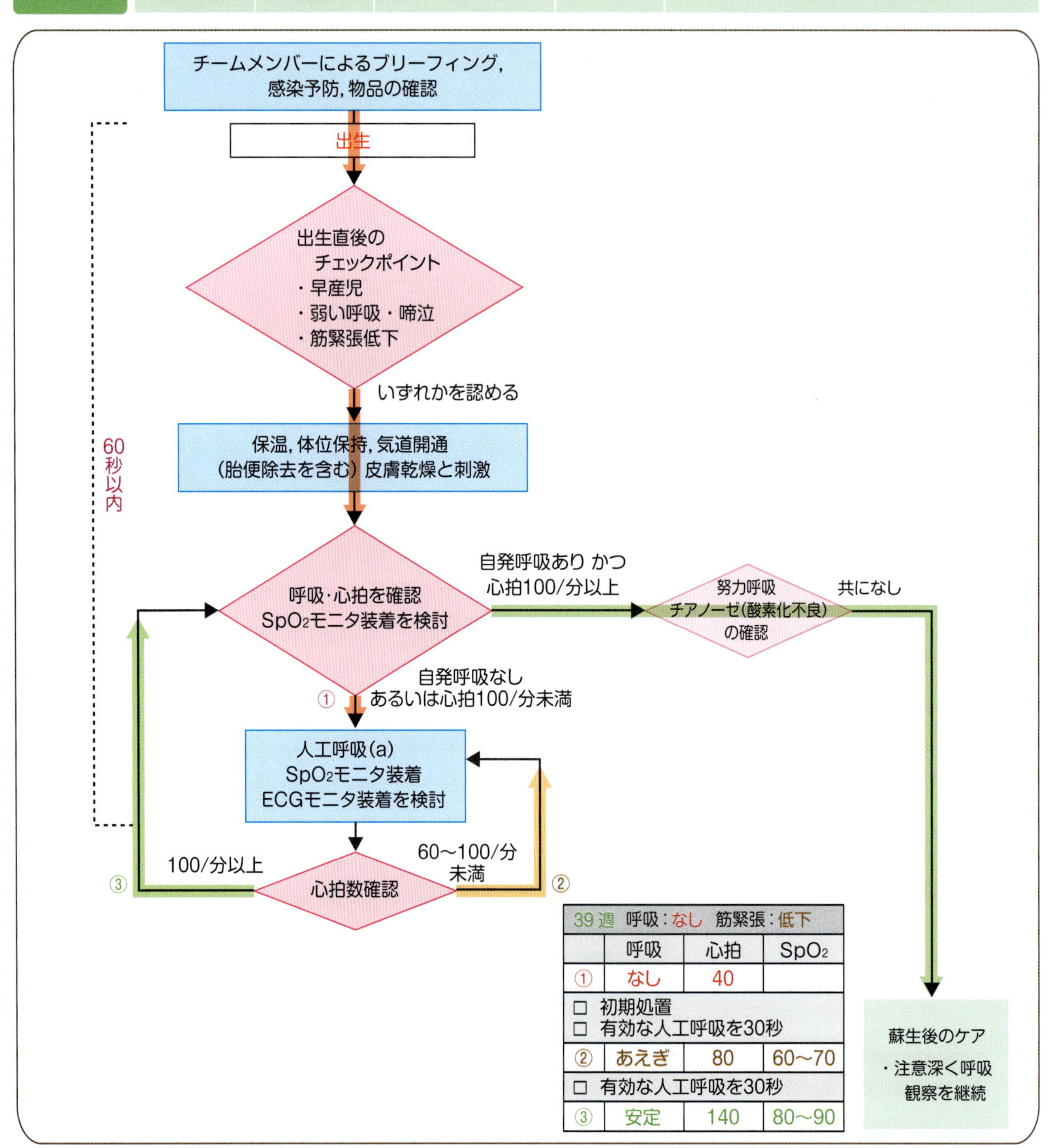

39週 呼吸：なし 筋緊張：低下			
	呼吸	心拍	SpO_2
①	なし	40	
□ 初期処置 □ 有効な人工呼吸を30秒			
②	あえぎ	80	60～70
□ 有効な人工呼吸を30秒			
③	安定	140	80～90

時間	インストラクターが提示する情報と質問	期待する答え	蘇生チームリーダー	蘇生チームメンバー
出生前	「妊娠39週，推定体重は3,200gです。経膣分娩進行中に胎児心音低下を頻繁に認め，今から吸引分娩になります。羊水混濁はありません。赤ちゃんは間もなく生まれます。ほかに何か確認しておくことはありますか？」	「感染情報」 →B型肝炎，C型肝炎，HIVなど 「リスク因子」 →p.88（蘇生シナリオの進め方」）から選択		
	※感染情報が陽性の場合の追加質問例 「感染予防のための準備は万全ですか？」	「マスク・手袋・エプロン（ゴーグル・キャップ）を装備」		
	※リスク因子が陽性の場合の追加質問例 「蘇生にかかわるスタッフは十分ですか？」 「オンコール医師は確保されていますか？」	「新生児蘇生を担当するスタッフが○名。気管挿管を実施できる医師にも連絡」		
	「今回リーダーは○○さんにお願いします。 予想される問題と物品の準備，役割分担をお願いします。」	・蘇生のステップごとに必要な物品を確認する 1．初期処置 タオル（羊水清拭用・肩枕用），ラジアントウォーマーの出力調整，吸引カテーテル，圧調整 2．呼吸補助（CPAP，人工呼吸） マスク，蘇生バッグ（動作確認），酸素，パルスオキシメータ，聴診器，心電図 追加：気管挿管，薬物投与など	「タオルを2枚敷いて，肩枕も入れてください」 「10 F rのカテーテルを準備して，100mmHgを超えないように調整してください」 「酸素が使えることを確認してください」 「適切な大きさのマスクがあり，蘇生バッグを使ってしっかり加圧できることを確認してください」 「パルスオキシメータを準備してください」	➡リーダーの指示に従い，物品の準備と動作確認を行う
		・リーダーを中心に，各ステップの処置の役割分担をする	「○○さんは頭側に立って，吸引・体位・バギングを担当。△△さんは横から羊水清拭と，必要に応じてモニタ装着をお願いします」	

時間	インストラクターが提示する情報と質問	期待する答え・行動	蘇生チームリーダー	蘇生チームメンバー
0秒	「出生しました。何を確認しますか？」 ・在胎週数：39週 ・呼吸：呼吸をしていません ・筋緊張：低下しています	「（在胎週数・）呼吸と筋緊張」		
	「どうしますか？」	「初期処置を開始」		
	「リーダーが指示を出して，蘇生の初期処置を行ってください」	・保温 ・顔・体を拭く ・水分を拭き取り乾燥させる	「ラジアントウォーマーに収容し，体位を整えてください」 「顔と体を拭いてください。濡れたタオルを取り除きましょう」	➡ラジアントウォーマーの下に児を置き，肩枕を入れて体位を整える ➡顔と体を拭く ➡タオルを取り除く
	「口と鼻から羊水が溢れ，吸引が必要なようです。吸引カテーテルのサイズは？」	「10Fr」		
	「吸引の順序は？」	「口から鼻」	「口・鼻の順に吸引してください」	➡口・鼻を吸引する
	「まだ呼吸は弱いです。どうしますか？」	「呼吸を促す刺激」		
	「刺激する部位は？」	「足底か背中を擦る」	「呼吸を刺激してください」	➡足底・背中を刺激する
	「気道確保のために体位を整える方法は？」	「肩枕を使用してスニッフィングポジションを保つ」	「肩枕を入れてスニッフィングポジションを保ってください」	➡肩枕を入れて気道確保の体位をとる
初期処置終了	「ここまで処置を終えて，まだ呼吸はありません。さらに何を確認しますか？」 ・心拍：6秒間に4回	「心拍」	「聴診で心拍を確認してください」	➡聴診する
	「どうしますか？」	「人工呼吸を開始」 「パルスオキシメータを装着」 「心電図を装着」		
	「人工呼吸を開始するときの酸素濃度は？」 「人工呼吸の回数は？」 「圧の目安は？」	「正期産児では空気を用いる」 「1分間に40～60回」 「最初の数回は20～30cmH_2O。その後は胸の上がりをみて判断する」	「空気で人工呼吸を開始してください」 「パルスオキシメータを右手に装着してください」 「心電図を装着してください」	➡人工呼吸を開始する ➡パルスオキシメータを装着する ➡心電図を装着する

時間	インストラクターが提示する情報と質問	期待する答え	蘇生チームリーダー	蘇生チームメンバー
	「人工呼吸において換気が適切かどうかをどうやって確認しますか？」	「徐脈の改善か胸郭の上昇から確認する」		
30秒経過	「有効な人工呼吸を30秒実施しました。何を確認しますか？」 ・呼吸：あえぎ呼吸 ・心拍：6秒間に8回 （心電図は毎分80回を表示）	「呼吸と心拍（心電図・SpO_2値表示）」	「聴診で心拍を確認してください」	➡聴診する
	「心電図は毎分80回を表示しています。パルスオキシメータはまだ表示されません」			
	「次にどうしますか？」	「人工呼吸を継続」	「人工呼吸を続けてください」	➡人工呼吸を継続する
30秒経過	「さらに30秒経過しました。何を確認しますか？」 ・呼吸：十分に呼吸をしている ・心拍： 心電図・パルスオキシメータ：140 聴診：6秒間に14回	「呼吸と心拍（心電図・パルスオキシメータ表示）」	「聴診で心拍を確認してください」	➡聴診する
	「どうしますか？」 ・努力呼吸：なし ・中心性チアノーゼ：なし（SpO_2 80～90）	「人工呼吸中止。努力呼吸と中心性チアノーゼ（SpO_2）を確認」	「人工呼吸を中止してください」	➡人工呼吸を中止する
	「どうしますか？」	「努力呼吸と中心性チアノーゼをともに認めないので，『蘇生後のケア』に進んで注意深く呼吸観察を継続」		

保温に注意しながら，パルスオキシメータによる評価を継続し，呼吸状態を観察します

A・Bコースシナリオ❹ 人工呼吸(手技修正)

学習目標	(A・Bコース共通)
	●二次性無呼吸に対して，遅くとも生後60秒以内に人工呼吸を開始できる。 ●人工呼吸によって有効な換気が得られていることを確認できる。 ●換気が有効ではない場合，人工呼吸の手技を修正できる。

シナリオ設定	妊娠週数	推定体重(g)	羊水	リスク因子
	36	2,500	清明	NRFS，緊急帝王切開

環境設定	コース	出生場所	酸素ブレンダー	CPAP	立ち会いスタッフ
	A	病院	有	可	小児科医と看護師1名
	B	産院	無	不可	助産師2名

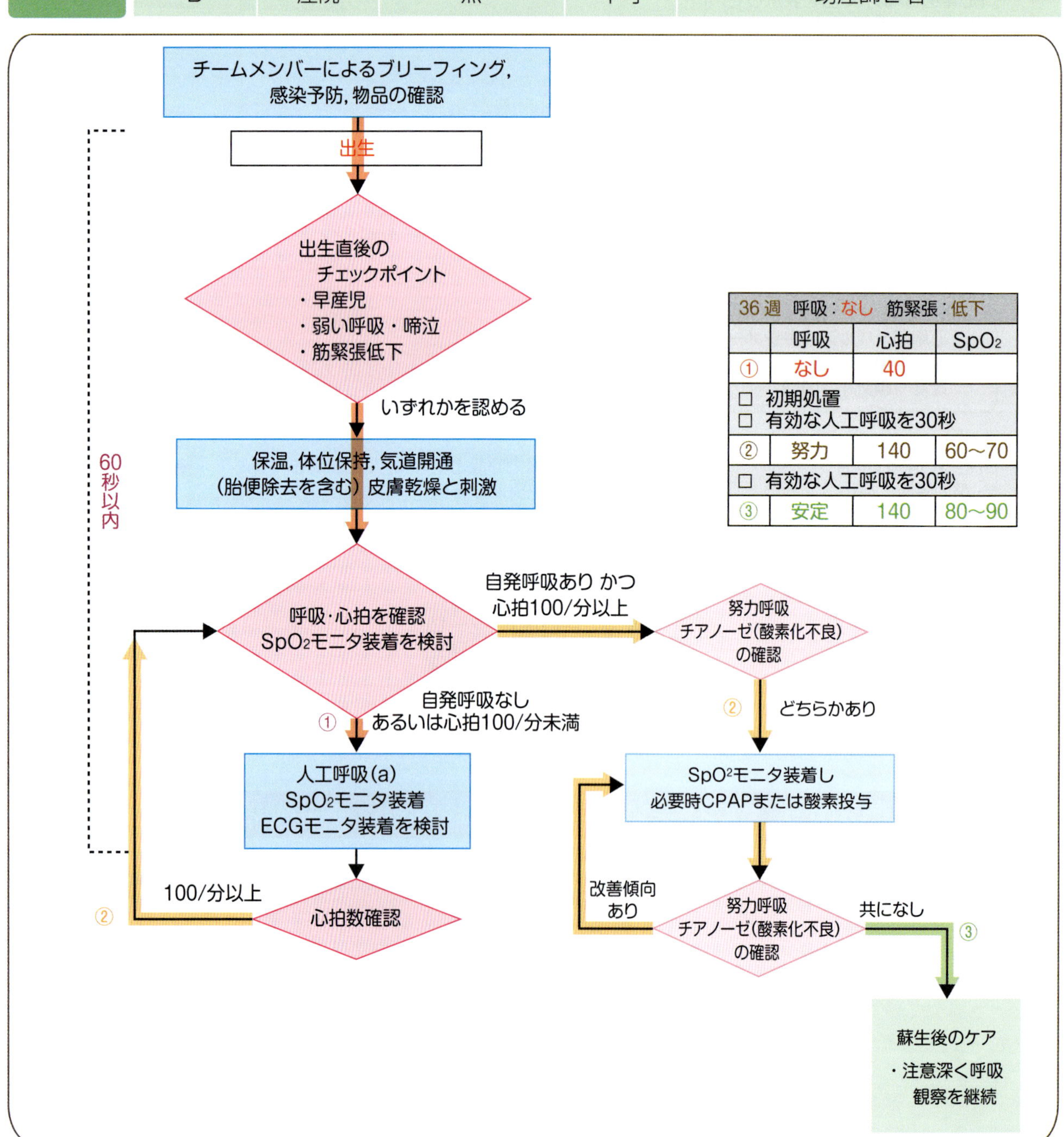

36週 呼吸：なし 筋緊張：低下			
	呼吸	心拍	SpO_2
①	なし	40	
□ 初期処置 □ 有効な人工呼吸を30秒			
②	努力	140	60〜70
□ 有効な人工呼吸を30秒			
③	安定	140	80〜90

時間	インストラクターが提示する情報と質問	期待する答え	蘇生チームリーダー	蘇生チームメンバー
出生前	「妊娠36週，推定体重は2,500gです。胎児遷延性徐脈のため緊急帝王切開となりました。羊水混濁はありません。赤ちゃんは間もなく生まれます。ほかに何か確認しておくことはありますか？」	「感染情報」 →B型肝炎，C型肝炎，HIVなど 「リスク因子」 →p.88(蘇生シナリオの進め方)から選択		
	※感染情報が陽性の場合の追加質問例 「感染予防のための準備は万全ですか？」	「マスク・手袋・エプロン(ゴーグル・キャップ)を装備」		
	※リスク因子が陽性の場合の追加質問例 「蘇生にかかわるスタッフは十分ですか？」 「オンコール医師は確保されていますか？」	「新生児蘇生を担当するスタッフが〇名。気管挿管を実施できる医師にも連絡」		
	「今回リーダーは〇〇さんにお願いします。 予想される問題と物品の準備，役割分担をお願いします。」	・蘇生のステップごとに必要な物品を確認する 1. 初期処置 タオル(羊水清拭用・肩枕用)，ラジアントウォーマーの出力調整，吸引カテーテル，圧調整 2. 呼吸補助(CPAP，人工呼吸) マスク，蘇生バッグ(動作確認)，酸素，パルスオキシメータ，聴診器，心電図 追加：気管挿管，薬物投与など	「タオルを2枚敷いて，肩枕も入れてください」 「10Frのカテーテルを準備して，100mmHgを超えないように調整してください」 「酸素が使えることを確認してください」 「適切な大きさのマスクがあり，蘇生バッグを使ってしっかり加圧できることを確認してください」 「パルスオキシメータを準備してください」	→リーダーの指示に従い，物品の準備と動作確認を行う
		・リーダーを中心に，各ステップの処置の役割分担をする	「〇〇さんは頭側に立って，吸引・体位・バギングを担当。△△さんは横から羊水清拭と，必要に応じてモニタ装着をお願いします」	

時間	インストラクターが提示する情報と質問	期待する答え・行動	蘇生チームリーダー	蘇生チームメンバー
0秒	「出生しました。何を確認しますか？」 ・在胎週数：36週 ・呼吸：呼吸をしていません ・筋緊張：低下しています	「（在胎週数・）呼吸と筋緊張」		
	「どうしますか？」	「初期処置を開始」		
	「リーダーが指示を出して，蘇生の初期処置を行ってください」	・保温 ・顔・体を拭く ・水分を拭き取り乾燥させる	「ラジアントウォーマーに収容し，体位を整えてください」 「顔と体を拭いてください。濡れたタオルを取り除きましょう」	➡ウォーマーの下に児を置き，肩枕を入れて体位を整える ➡顔と体を拭く ➡タオルを取り除く
	「口と鼻から羊水が溢れ，吸引が必要なようです。吸引カテーテルのサイズは？」	「10Fr」		
	「吸引の順序は？」	「口から鼻」	「口・鼻の順に吸引してください」	➡口・鼻を吸引する
	「まだ呼吸をしていません」	「呼吸を促す刺激」		
	「刺激する部位は？」	「足底か背中を擦る」	「呼吸を刺激してください」	➡足底・背中を刺激する
	「気道確保のために体位を整える方法は？」	「肩枕を使用してスニッフィングポジションを保つ」	「肩枕を入れてスニッフィングポジションを保ってください」	➡肩枕を入れて気道確保の体位をとる
初期処置終了	「ここまで処置を終えて，まだ呼吸はありません。さらに何を確認しますか？」 ・心拍：6秒間に4回	「心拍」	「聴診で心拍を確認してください」	➡聴診する
	「どうしますか？」	「人工呼吸を開始」 「パルスオキシメータを装着」 「心電図を装着」		
	「人工呼吸を開始するときの酸素濃度は？」 「人工呼吸の回数は？」 「圧の目安は？」	「正期産児では空気を用いる」 「1分間に40～60回」 「最初の数回は20～30cmH_2O。その後は胸の上がりをみて判断する」	「空気で人工呼吸を開始してください」 「パルスオキシメータを右手に装着してください」 「心電図を装着してください」	➡人工呼吸を開始する ➡パルスオキシメータを装着する ➡心電図を装着する

時間	インストラクターが提示する情報と質問	期待する答え	蘇生チームリーダー	蘇生チームメンバー
	「人工呼吸において換気が適切かどうかをどうやって確認しますか？」	「徐脈の改善か，胸郭の上昇から確認する」		
	「人工呼吸を開始したのですが，まったく胸が上がっていません」 (心電図を使用していれば「心拍が40のまま上がりません」) 「何を確認しますか？」	「マスクの密着，気道開通，圧不足」		
	「有効な換気が得られるように手技を改善してください」	・マスクを顔に当てなおす。流量膨張式バッグならば，膨らみを確認する ・口腔内を吸引する。スニッフィングポジションに整える。 ・吸気圧を上げてみる	「マスクを顔に当てなおして，リークをなくしてください」 「口・鼻をもう1度吸引して，体位を整えてください」 「吸気圧を○○cmH_2Oまで上げてください」	➡マスクを当てなおす ➡口・鼻を吸引し，体位を整える ➡吸気圧を上げて人工呼吸を行う
	「胸が上がるようになりました」			
30秒経過	「有効な人工呼吸を30秒実施して，十分な呼吸が出現しました。何を確認しますか？」 ・呼吸：十分に呼吸をしている ・心拍： 心電図・パルスオキシメータ：140 聴診：6秒間に14回	「呼吸と心拍(心電図・パルスオキシメータ表示)」	「聴診で心拍を確認してください」	➡聴診する
	「さらに何を確認しますか？」 ・努力呼吸があります ・中心性チアノーゼを認めます SpO_2：60〜70	「努力呼吸と中心性チアノーゼ」		
	「どうしますか？」	「CPAP（またはフリーフロー酸素）によるサポートを開始」		
	※CPAPを選択した場合 「CPAPの圧，酸素濃度はいくらにしますか？」	「5〜6cmH_2O程度で，8cmH_2Oを超えない。最初は空気(21%酸素)で開始」	「CPAPを空気で開始してください」	➡CPAPを開始する
	※酸素投与を選択した場合 「フリーフローの流量は？」 (ブレンダーがある場合) 「酸素の濃度は？」	「5〜10L/分」 「30〜60%で開始。その後はSpO_2の値をみながら調節する」	「○○%で酸素放流を，○リットルで開始してください」	➡酸素放流を開始する

時間	インストラクターが提示する情報と質問	期待する答え	蘇生チームリーダー	蘇生チームメンバー
30秒経過	「30秒経過しました。何を確認しますか？」 ・呼吸：十分に呼吸をしています ・心拍： 心電図・パルスオキシメータ：140 聴診：6秒間に14回	「呼吸と心拍」	「聴診で心拍を確認してください」	➡聴診する
	「さらに何を確認しますか？」 ・努力呼吸：消失 ・中心性チアノーゼ：消失（SpO_2 80〜90）	「努力呼吸と中心性チアノーゼ」		
	「SpO_2は84，85，86……少しずつ上昇しています。どうしますか？」	「CPAPを中止する。または酸素濃度・流量を下げる」	「CPAPを中止してください」 「酸素濃度を○○％に下げてください」 「酸素流量を○リットルに下げてください」	➡CPAPを中止する ➡酸素濃度を下げる ➡酸素流量を下げる
30秒経過	「さらに30秒経過しました。何を確認しますか？」 ・呼吸：十分に呼吸をしている ・心拍（パルスオキシメータ）：140 ・努力呼吸：消失 ・中心性チアノーゼ：消失（SpO_2 80〜90）	「呼吸と心拍（パルスオキシメータ表示），さらに努力呼吸と中心性チアノーゼ（SpO_2）」		
	「どうしますか？」	「努力呼吸と中心性チアノーゼをともに認めないので，『蘇生後のケア』に進んで注意深く呼吸観察を継続」		

保温に注意しながら，パルスオキシメータによる評価を継続し，呼吸状態を観察します

A・Bコースシナリオ⑤ 人工呼吸と胸骨圧迫

学習目標

（A・Bコース共通）

- 有効な人工呼吸を実施しても徐脈が改善しない場合に，適切な手技で胸骨圧迫を開始することができる。
- ラリンゲアルマスク（Aコースでは気管挿管）を考慮してもよい。

シナリオ設定

妊娠週数	推定体重（g）	羊水	リスク因子
39	3,400	血性	常位胎盤早期剥離，緊急帝王切開（全身麻酔）

環境設定

コース	出生場所	酸素ブレンダー	CPAP	立ち会いスタッフ
A	病院	有	可	小児科医2名と看護師1名
B	産院	無	不可	看護師・助産師2名

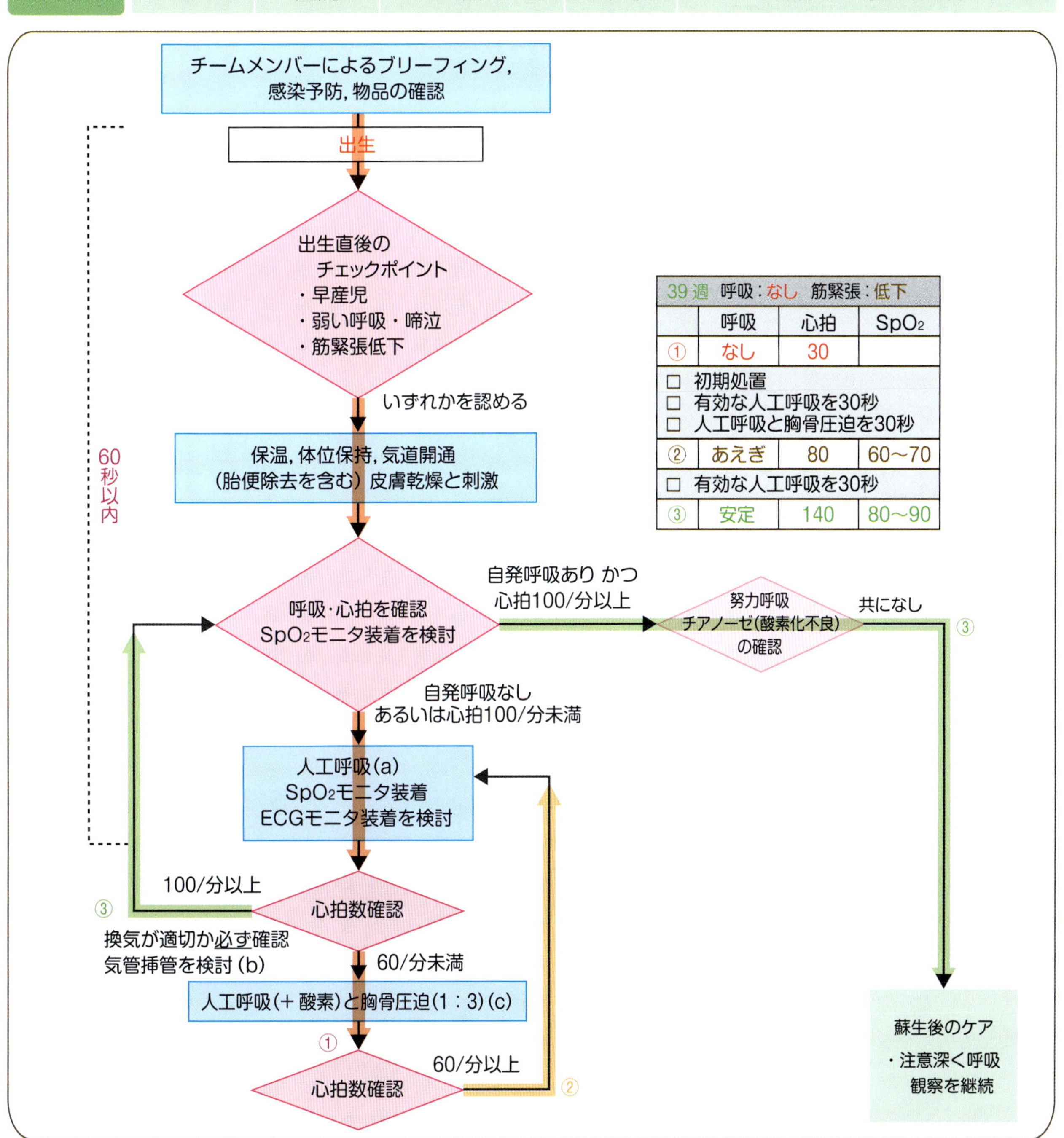

時間	インストラクターが提示する情報と質問	期待する答え	蘇生チームリーダー	蘇生チームメンバー
出生前	「妊娠39週，推定体重は3,400g です。常位胎盤早期剥離のため，緊急帝王切開となりました。全身麻酔で赤ちゃんは間もなく生まれます。羊水は血性のようです。ほかに何か確認しておくことはありますか？」	「感染情報」 →B型肝炎，C型肝炎，HIVなど 「リスク因子」 →p.88（蘇生シナリオの進め方）から選択		
	※感染情報が陽性の場合の追加質問例 「感染予防のための準備は万全ですか？」	「マスク・手袋・エプロン（ゴーグル・キャップ）を装備」		
	※リスク因子が陽性の場合の追加質問例 「蘇生にかかわるスタッフは十分ですか？」 「オンコール医師は確保されていますか？」	「新生児蘇生を担当するスタッフが○名。気管挿管・薬物投与を実施できる医師にも連絡」		
	「今回リーダーは○○さんにお願いします。 予想される問題と物品の準備，役割分担をお願いします。」	・蘇生のステップごとに必要な物品を確認する 1. 初期処置 タオル（羊水清拭用・肩枕用），ラジアントウォーマーの出力調整，吸引カテーテル，圧調整 2. 呼吸補助（CPAP，人工呼吸） マスク，蘇生バッグ（動作確認），酸素，パルスオキシメータ，聴診器，心電図 3. 高度な気道確保（ラリンゲアルマスク，喉頭鏡，チューブ，呼気CO_2検出器） 4. 薬物投与（アドレナリン，生理食塩水）	※初期処置準備は割愛 「蘇生バッグが十分に加圧できることを確認してください」 「喉頭鏡が明るく点灯することと，3.5mmと3.0mmの気管チューブ，固定用テープを準備しましょう」 「新生児用ラリンゲアルマスクも準備しましょう」 「10倍希釈したアドレナリン，生理食塩水，そして静脈路確保の準備もお願いします」	➡リーダーの指示に従い，物品の準備と動作確認を行う
		・リーダーを中心に，各ステップの処置の役割分担をする ・気道確保 ・聴診 ・モニタ装着 ・人工呼吸 ・気管挿管，ラリンゲアルマスク ・胸骨圧迫 ・薬物投与	「○○さんは頭側に立って，吸引・体位・バギングを担当。△△さんは横から羊水清拭と，必要に応じてモニタ装着，胸骨圧迫をお願いします」	

時間	インストラクターが提示する情報と質問	期待する答え・行動	蘇生チームリーダー	蘇生チームメンバー
0秒	「出生しました。何を確認しますか？」 ・在胎週数：39週 ・呼吸：呼吸をしていません ・筋緊張：低下しています	「(在胎週数・)呼吸と筋緊張」		
	「どうしますか？」	「初期処置を開始」		
	「リーダーが指示を出して，蘇生の初期処置を行ってください」	・保温 ・顔・体を拭く	「ラジアントウォーマーに収容し，体位を整えてください」 「顔と体を拭いてください」	➡ウォーマーの下に児を置き，肩枕を入れて体位を整える ➡顔と体を拭く
	「口と鼻から羊水が溢れ，吸引が必要なようです」	・吸引	「口・鼻の順に吸引してください」	➡口・鼻を吸引する
	「まだ呼吸をしていません」	・刺激	「呼吸を刺激してください」	➡足底・背中を刺激する
	「気道確保のために体位を整える方法は？」	・体位保持	「肩枕を入れてスニッフィングポジションを保ってください」	➡肩枕を入れて気道確保の体位をとる
初期処置終了	「ここまで処置を終えて，まだ呼吸はありません。さらに何を確認しますか？」 ・心拍：6秒間に3回	「心拍」	「聴診で心拍を確認してください」	➡聴診する
	「どうしますか？」	「人工呼吸を開始」 「パルスオキシメータを装着」 「心電図を装着」		
	「人工呼吸を開始するときの酸素濃度は？」 「人工呼吸の回数は？」 「圧の目安は？」	「正期産児では空気を用いる」 「1分間に40～60回」 「最初の数回は20～30cmH_2O。その後は胸の上がりをみて判断する」	「空気で人工呼吸を開始してください」 「パルスオキシメータを右手に装着してください」 「心電図を装着してください」	➡人工呼吸を開始する ➡パルスオキシメータを装着する ➡心電図を装着する
	「人工呼吸において換気が適切かどうかを，どうやって確認しますか?」	「徐脈の改善か，胸郭の上昇から確認する」		

時間	インストラクターが提示する情報と質問	期待する答え	蘇生チームリーダー	蘇生チームメンバー
30秒経過	「人工呼吸を30秒実施しました。何を確認しますか？」 ・呼吸：なし ・心拍： 心電図：30 パルスオキシメータ：表示されず 聴診：6秒間に3回	「呼吸と心拍（心電図・パルスオキシメータ表示）」	「聴診で心拍を確認してください」	➡聴診する
	「どうしますか？」	「酸素を使用した人工呼吸に加えて胸骨圧迫を開始」	「酸素を使ってください（流量か濃度を指示）」 「胸骨圧迫を開始してください」	➡酸素を開始する ➡胸骨圧迫を開始する
	「胸骨圧迫の適応基準は？」	「有効な人工呼吸を30秒実施しても心拍が60/分未満」		
	「胸骨圧迫開始前に確認することは？」	「換気の有効性（胸郭上昇）」		
	「胸骨圧迫について ①指を当てる位置は？ ②圧迫の深さは・ ③人工呼吸との割合，ペースは？」	①胸骨の下1/3 ②胸郭前後径の1/3 ③胸骨圧迫3回に人工呼吸1回，1サイクル2秒		

気管挿管またはラリンゲアルマスクを選択可能

※気管挿管

インストラクターが提示する情報と質問	期待する答え	蘇生チームリーダー	蘇生チームメンバー
		気管挿管をしてください	➡気管挿管
「推定体重は3.4kgです。気管チューブの内径は？」	3.5mm（入らなければ3.0mm）		
「口角固定位置の目安は？」	口角9.5cm		
「気管チューブの先端位置確認の方法は？」	聴診，胸郭上昇，チューブ内腔の曇り，バイタルサインの改善，呼気 CO_2 検出器		

※ラリンゲアルマスク

インストラクターが提示する情報と質問	期待する答え	蘇生チームリーダー	蘇生チームメンバー
		ラリンゲアルマスクを挿入してください	➡ラリンゲアルマスクを挿入
「ラリンゲアルマスクを使用できる週数の条件は？」	在胎34週以上		
「ラリンゲアルマスクによって気道が開通していることを確認する方法は？」	聴診，胸郭上昇，バイタルサインの改善，呼気 CO_2 検出器		

時間	インストラクターが提示する情報と質問	期待する答え	蘇生チームリーダー	蘇生チームメンバー
30秒経過	「人工呼吸と胸骨圧迫を30秒実施しました。何を確認しますか？」 ・呼吸：なし ・心拍：6秒間に8回 心電図，パルスオキシメータ：80 SpO_2：60～70	「呼吸と心拍（心電図・SpO_2値表示）」	「聴診で心拍を確認してください」	➡聴診する
	「次にどうしますか？」	「胸骨圧迫を中止して人工呼吸を継続」	「胸骨圧迫を中止し人工呼吸を続けてください」	➡人工呼吸を継続する
30秒経過	「さらに30秒経過しました。何を確認しますか？」 ・呼吸：十分に呼吸をしている ・心拍：6秒間に14回 心電図・パルスオキシメータ：140	「呼吸と心拍（心電図・パルスオキシメータ表示）」	「聴診で心拍を確認してください」	➡聴診する
	「どうしますか？」 ・努力呼吸：なし ・中心性チアノーゼ：なし（SpO_2 80～90）	「人工呼吸中止。努力呼吸と中心性チアノーゼ（SpO_2）を確認」	「人工呼吸を中止してください」	➡人工呼吸を中止する
	「どうしますか？」	「努力呼吸と中心性チアノーゼをともに認めないので，『蘇生後のケア』に進んで注意深く呼吸観察を継続」		

保温に注意しながら，パルスオキシメータによる評価を継続し，呼吸状態を観察します

A・Bコースシナリオ⑥ 努力呼吸の持続

学習目標	（A・Bコース共通）
	●安定化の流れに入る条件を理解し，適切に介入できる。 ●適切にCPAP・フリーフロー酸素投与を行うことができる。 ●努力呼吸や中心性チアノーゼが続く場合に，原因検索を行いながら対応できる。

シナリオ設定	妊娠週数	推定体重(g)	羊水	リスク因子
	40	3,200	悪臭	母体発熱，胎児頻脈

環境設定	コース	出生場所	酸素ブレンダー	CPAP	立ち会いスタッフ
	A	病院	有	可	小児科医と看護師１名
	B	産院	無	不可	助産師１名

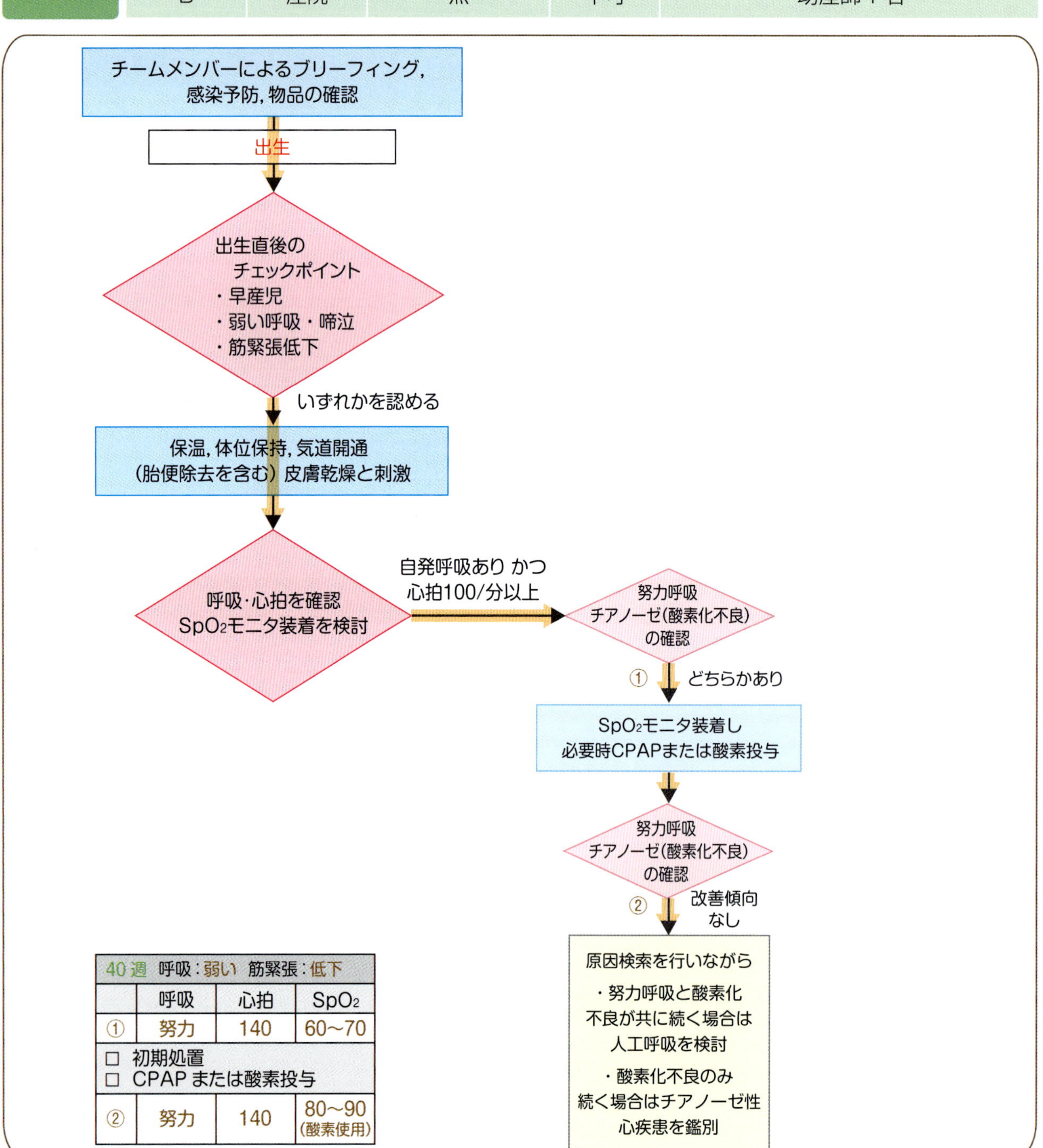

40週　呼吸：弱い　筋緊張：低下			
	呼吸	心拍	SpO2
①	努力	140	60〜70
□ 初期処置 □ CPAP または酸素投与			
②	努力	140	80〜90（酸素使用）

シナリオのポイント

- 胎便吸引症候群や肺炎などの呼吸器疾患，チアノーゼ性心疾患を合併している場合，安定化のステップだけで「努力呼吸」「中心チアノーゼ」は改善しない。どこかで見切りをつけて，検査や治療を行うことのできる施設への搬送も考慮しなければならない。
- 出生直後は筋緊張が低下し，呼吸も弱かったが，初期処置後に十分な呼吸が出現する。初期処置後の評価において「呼吸が弱い」と表現すると，安定化ではなく救命の流れに進んで人工呼吸を選択されることがある。「努力呼吸がある」，もしくはより具体的に「陥没呼吸が著明です。呼吸数も毎分80回くらい。呻吟もあります」と表現すると，状況が伝わりやすい。
- CPAPまたは酸素投与を開始することによって，バイタルサインを①から②に移行させる。しかし，何分経過しても，「努力呼吸が消失しないし，SpO_2も上がりきらない」という情報を提示する。

ディスカッション

- 出生後に呼吸障害が遷延する児に対して，どこまでをNCPRの対応範囲とするかは定義されていないが，継続的に評価と介入が必要な児であることを認識できることが重要である。
- 出生後の安定化の流れから改善せず，そのままNICUに搬送された経験をもつ受講者がいれば，ディスカッションが盛り上がるかもしれない。
- 母体発熱がある場合の，感染防護対応についてディスカッションしてもよい。

A・Bコースシナリオ⑦ 人工呼吸も気管挿管も困難な状況(ラリンゲアルマスク)

学習目標	(A・Bコース共通)
	●人工呼吸によって適切な換気が得られていることを確認できる。 ●人工呼吸の手技を修正しても換気が得られない場合,ラリンゲアルマスクを使用できる。

シナリオ設定	妊娠週数	推定体重(g)	羊水	リスク因子
	37	2,800	清明	胎児心音低下

環境設定	コース	出生場所	酸素ブレンダー	CPAP	立ち会いスタッフ
	A	病院	有	可	小児科医または看護師1名
	B	産院	無	不可	助産師1名

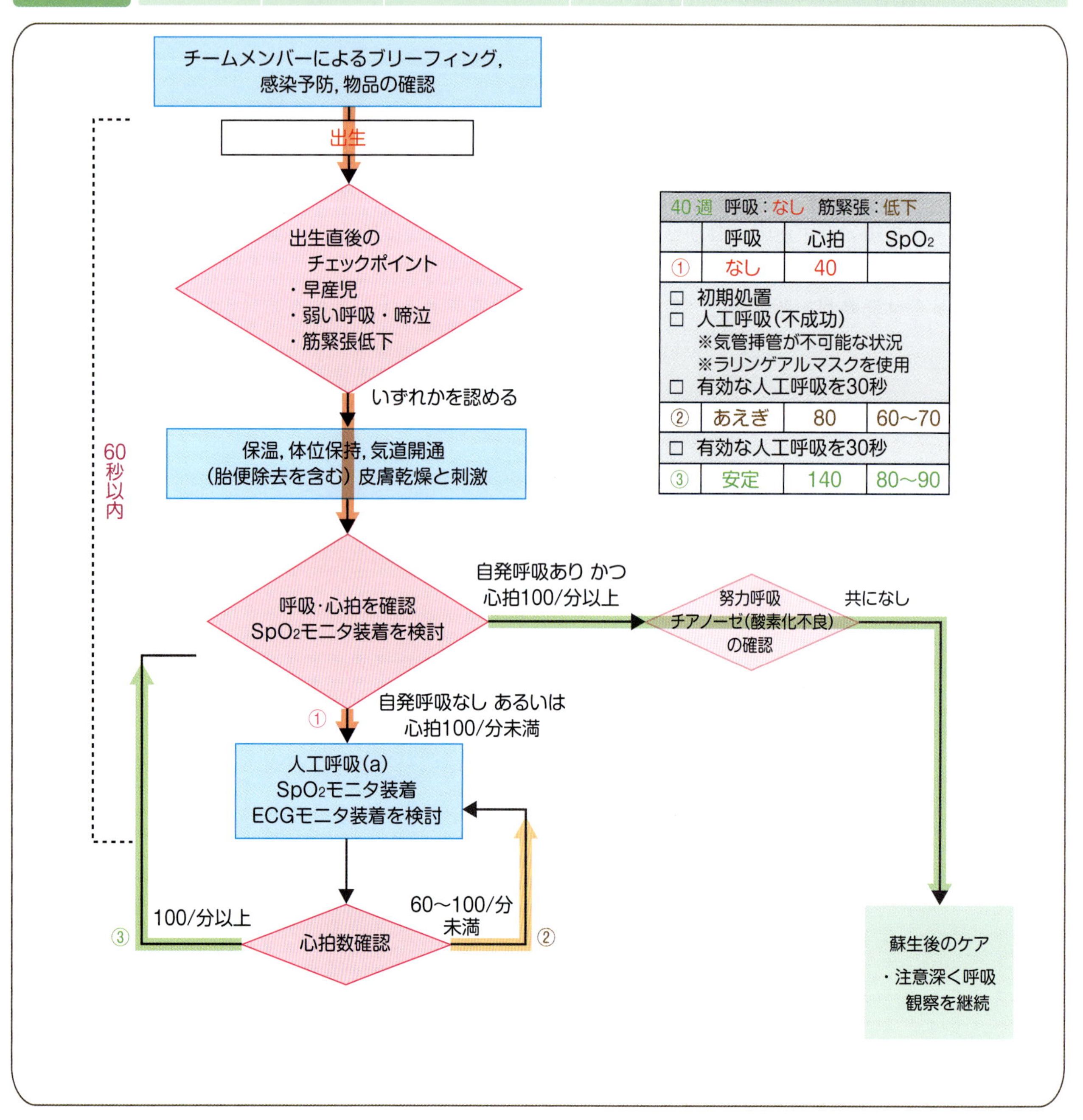

シナリオのポイント

- 適切な人工呼吸だけで回復する症例であるが,「顎が小さい」「舌が大きい」などの理由により,どうしても人工呼吸が成功しない状況を想定する。さらに「気管挿管を実施できる医師がいない(Bコース)」,もしくは「医師が何回か気管挿管を試みたが成功しない(Aコース)」という状況を設定する。
- このような“換気も挿管もできない状況”は最も恐ろしい場面であり,ある程度の緊張感があったほうがよい。
- いきなりラリンゲアルマスクを選択するのではなく,まずは基本に沿って,「マスク密着」「気道開通」「吸気圧不足」を確認する。
- ラリンゲアルマスクを使用できる新生児蘇生モデルを選択すること(詳細は p.60,「ラリンゲアルマスク」を参照)。

ディスカッション

- ラリンゲアルマスクを使用できる条件を確認する。
- 気管挿管と比較した場合の,ラリンゲアルマスクの利点・欠点についてディスカッションする。

A・Bコースシナリオ⑧ 超低出生体重児

学習目標	
	（A・Bコース共通）
	●早産児の蘇生におけるポイントについて理解を確認する。 保温，CPAP，サーファクタント投与，臍帯ミルキング

シナリオ設定	妊娠週数	推定体重(g)	羊水	リスク因子
	26	800	清明	母体妊娠高血圧症候群(HDP)のため準緊急で帝王切開 母体ステロイド投与あり

環境設定	コース	出生場所	酸素ブレンダー	CPAP	立ち会いスタッフ
	A	病院	有	可	小児科医と看護師2～3名

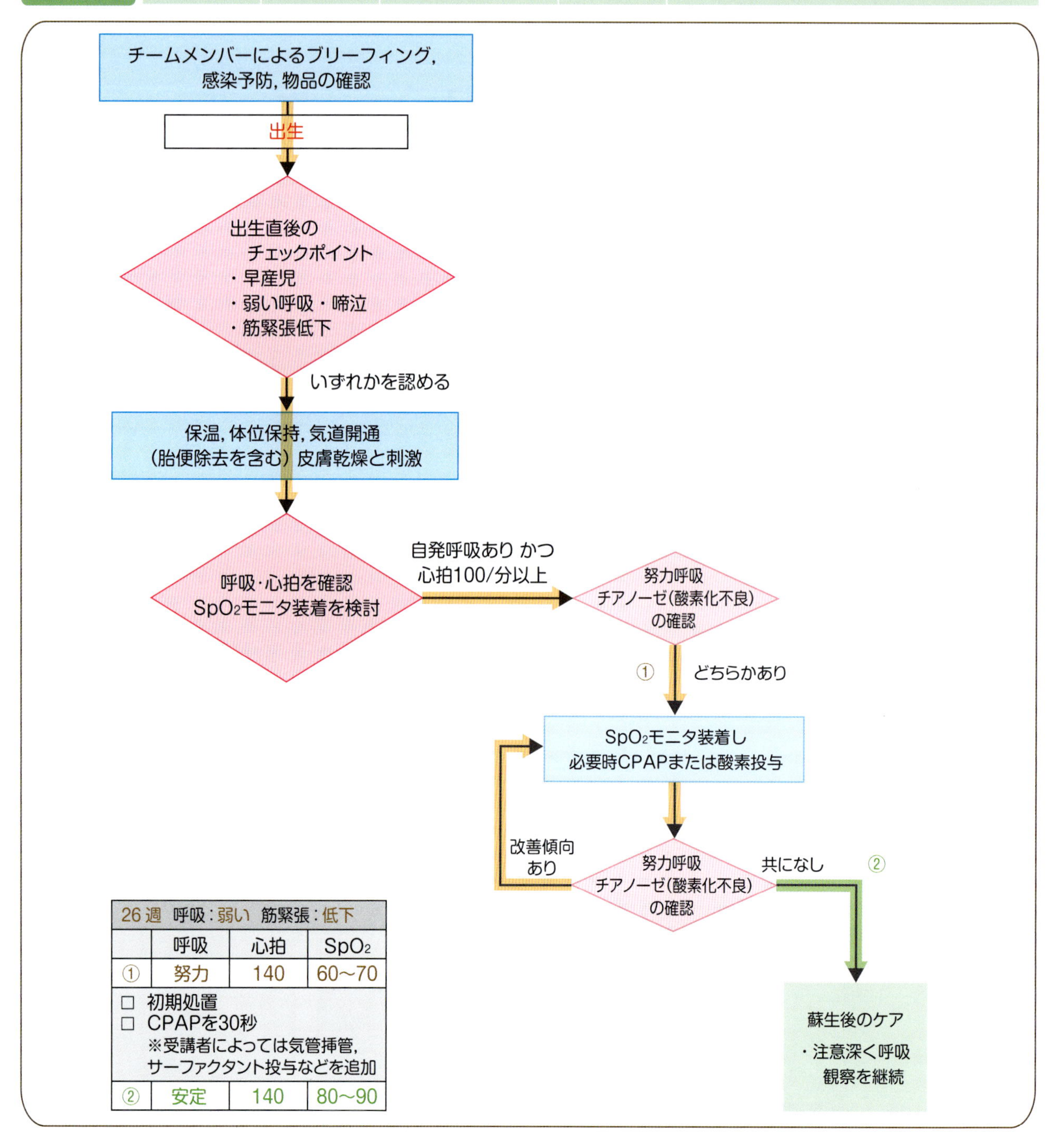

26週 呼吸：弱い 筋緊張：低下			
	呼吸	心拍	SpO_2
①	努力	140	60～70
□ 初期処置 □ CPAPを30秒 ※受講者によっては気管挿管，サーファクタント投与などを追加			
②	安定	140	80～90

シナリオのポイント

- 超低出生体重児を診療する病院勤務者が対象となる。
- 超低出生体重児の大きさの新生児蘇生モデルを使用できればベストであるが，なければ通常の新生児蘇生モデルを使用して，「超低出生体重児のつもりで」手技を行う。
- 保温のために必要なラップ，サーファクタント投与に必要なシリンジ，臍帯ミルキングを実演できる臍モデルなどは，必要に応じて追加で準備しておく。
- 「全例直ちに気管挿管・サーファクタント投与よりも，まずはCPAPを試みる」ことを伝えるならば，「結構元気ですね。泣いていますし四肢もよく動かしています」と，出生後の状態が良いことを提示し，誘導してもよい。
- 必要なサポートが届かなければSpO_2は上昇しないし，徐脈になる可能性もある。必要なサポートがCPAPなのか，サーファクタント投与なのかは，受講者の背景やレベルに応じて調整する。

ディスカッション

- 早産児の蘇生に関するガイドラインのポイントを整理する。
  - ①保温の重要性：出生からNICU入院まで36.5～37.5℃に保つために，いくつかの方法を組み合わせる。
  - ②努力呼吸への初期対応：全例一律気管挿管(サーファクタント投与)するよりも，まずはCPAPを試みる。
  - ③人工呼吸：開始酸素濃度は21～30%，PEEPを使用する。
  - ④臍帯結紮遅延，または臍帯ミルキングが推奨される。

A・Bコースシナリオ⑨ 薬物投与

学習目標	（A・Bコース共通）
	●重症新生児仮死に対して，気管挿管と気管内アドレナリン投与まで実施できる。 ●蘇生が成功しない場合に，見逃してはならない原因を挙げることができる。

シナリオ設定	妊娠週数	推定体重(g)	羊水	リスク因子
	39	2,900	血性	臍帯脱出，胎児遷延性徐脈 緊急帝王切開(全身麻酔)

環境設定	コース	出生場所	酸素ブレンダー	CPAP	立ち会いスタッフ
	A	病院	有	可	小児科医・看護師2～3名
	B	産院	無	不可	医師1名・助産師1～2名

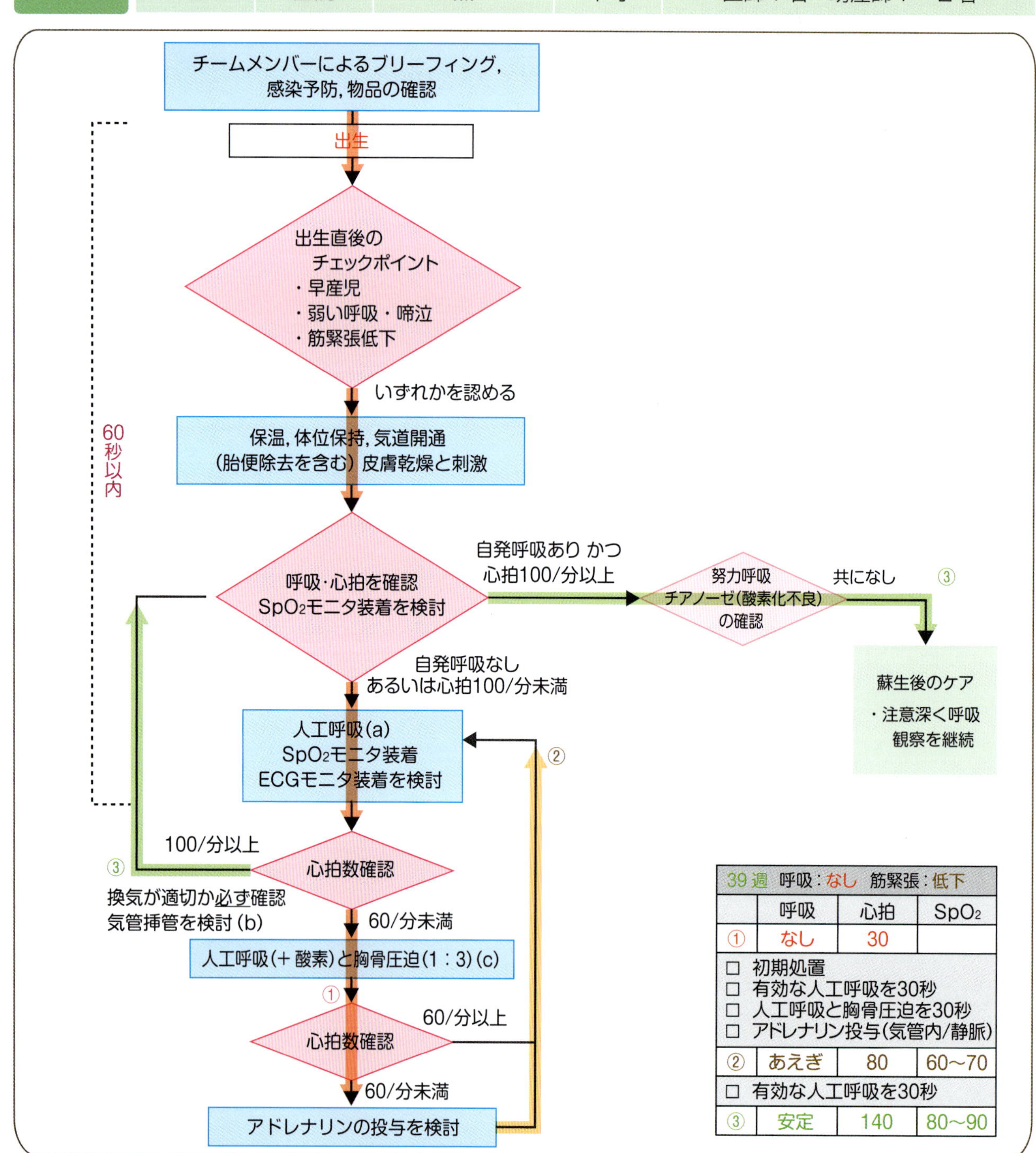

39週 呼吸：なし 筋緊張：低下			
	呼吸	心拍	SpO2
①	なし	30	
□ 初期処置 □ 有効な人工呼吸を30秒 □ 人工呼吸と胸骨圧迫を30秒 □ アドレナリン投与(気管内/静脈)			
②	あえぎ	80	60～70
□ 有効な人工呼吸を30秒			
③	安定	140	80～90

シナリオのポイント

- 胸骨圧迫，アドレナリンまで要する重症仮死である。Bコースでも，「介助」の視点から使用してもよい。
- 人工呼吸と胸骨圧迫に加えて1回目のアドレナリン投与を終えるまで，提示するバイタルサインはずっと①である。この重症度の仮死では，しばらく自発呼吸が回復しないこともあるため，呼吸は「なし」のまま，心拍と酸素化不良が改善するまでをゴールとしてもよい。
- メンバーの習熟度によっては，「アドレナリンを2回投与(初回は気管内，2回目は静脈路)」をバイタルサイン移行の条件としてもよい。

ディスカッション

- 2020年ガイドラインでは，アドレナリンの投与経路は静脈路が第一選択とされている。気管内投与は，あくまでも静脈路確保までの一時的な措置である。
- 蘇生が成功しない場合の原因検索
  ①人工呼吸中の胸郭上昇
  ②酸素の使用
  ③適切な胸骨圧迫
  ④気管チューブ先端位置
  ⑤アドレナリン投与方法
  ⑥失血(静脈路を確保し，生理食塩水負荷を検討)

A・Bコースシナリオ⑩ 出生直後ではない新生児の蘇生

学習目標	（A・Bコース共通）
	●出生直後ではない新生児が蘇生を必要とする場合の対応を理解する。 ●蘇生器具やモニタが限られた状況での蘇生について学ぶ。

シナリオ設定	妊娠週数	推定体重(g)	羊水	リスク因子
	41	3,000	−	生後24時間

環境設定	コース	出生場所	酸素ブレンダー	CPAP	立ち会いスタッフ
	A	病院	有	可	看護師1名
	B	産院	無	不可	助産師1名

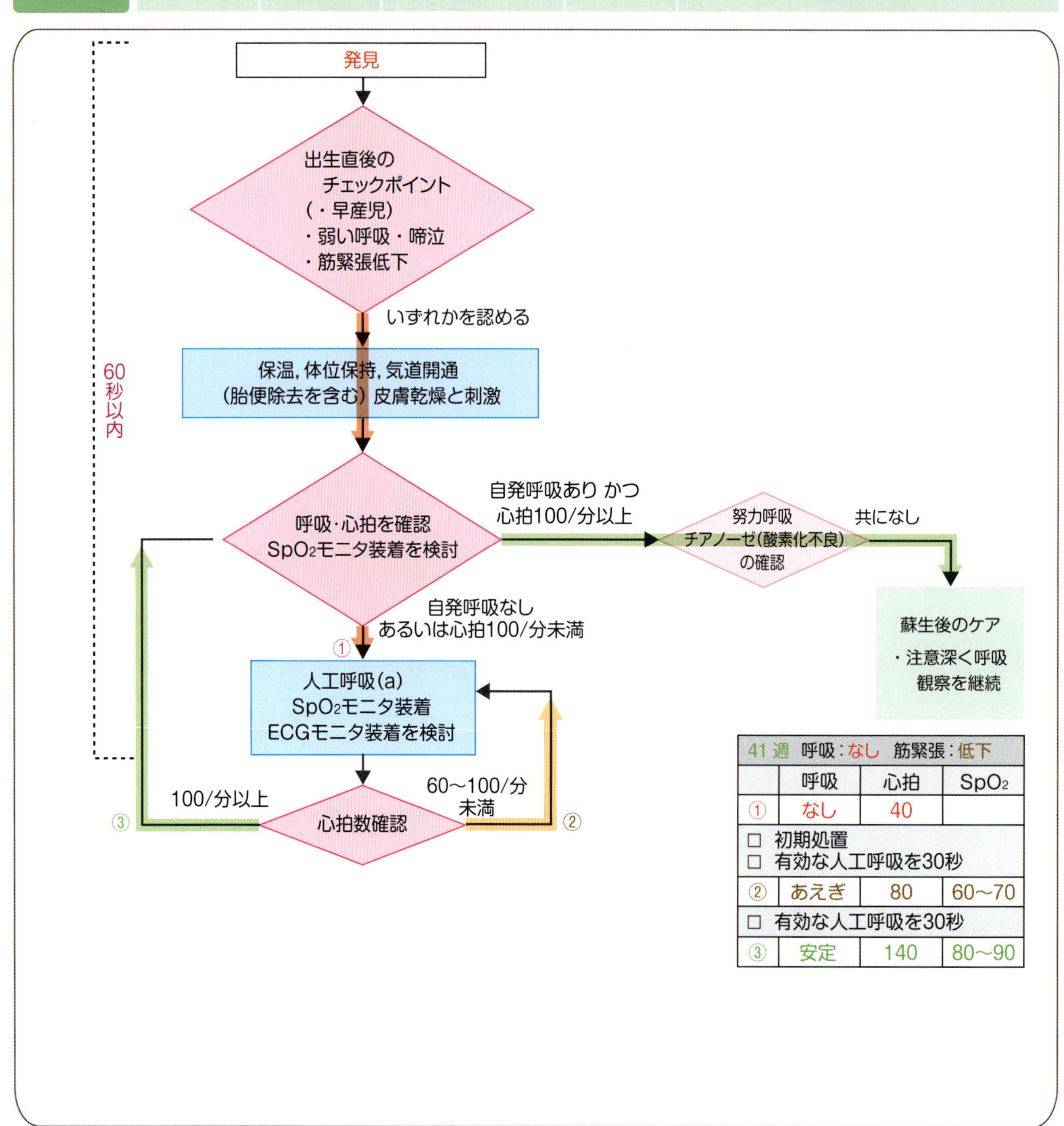

41週 呼吸：なし 筋緊張：低下			
	呼吸	心拍	SpO_2
①	なし	40	
□ 初期処置 □ 有効な人工呼吸を30秒			
②	あえぎ	80	60〜70
□ 有効な人工呼吸を30秒			
③	安定	140	80〜90

シナリオのポイント

- 「正常新生児室で無呼吸アラームが鳴った」「同室中のお母さんから，赤ちゃんの顔色が悪いとナースコールがあった」「NICUに入院した新生児が，無呼吸・徐脈の状態で発見された」など，さまざまな状況が想定できる。発見時には低酸素症が進行し，二次性無呼吸にまで至っている設定とする。
- 分娩室における蘇生と違って，蘇生器具やモニタが限られている。
- 「発見後，二次性無呼吸であることを認識して，できるだけ早く人工呼吸を開始する」というコンセプトは変わらない。

ディスカッション

- 受講者の勤務地においてこのような状況が発生しうる場面を挙げてもらい，物品や人員が限られた状況において，どのような対応が考えられるかディスカッションしてもよい。
- 出生直後の蘇生と異なる点
  ①羊水を拭き取る必要はないが，保温の準備ができないため体温管理は重要である。
  ②パルスオキシメータを装着する部位は右手でなくてもよい。
  ③臍帯動脈の触診や臍帯静脈路の確保ができない。

（水本　洋）

memo

Sコース自己チェックシート（手技）

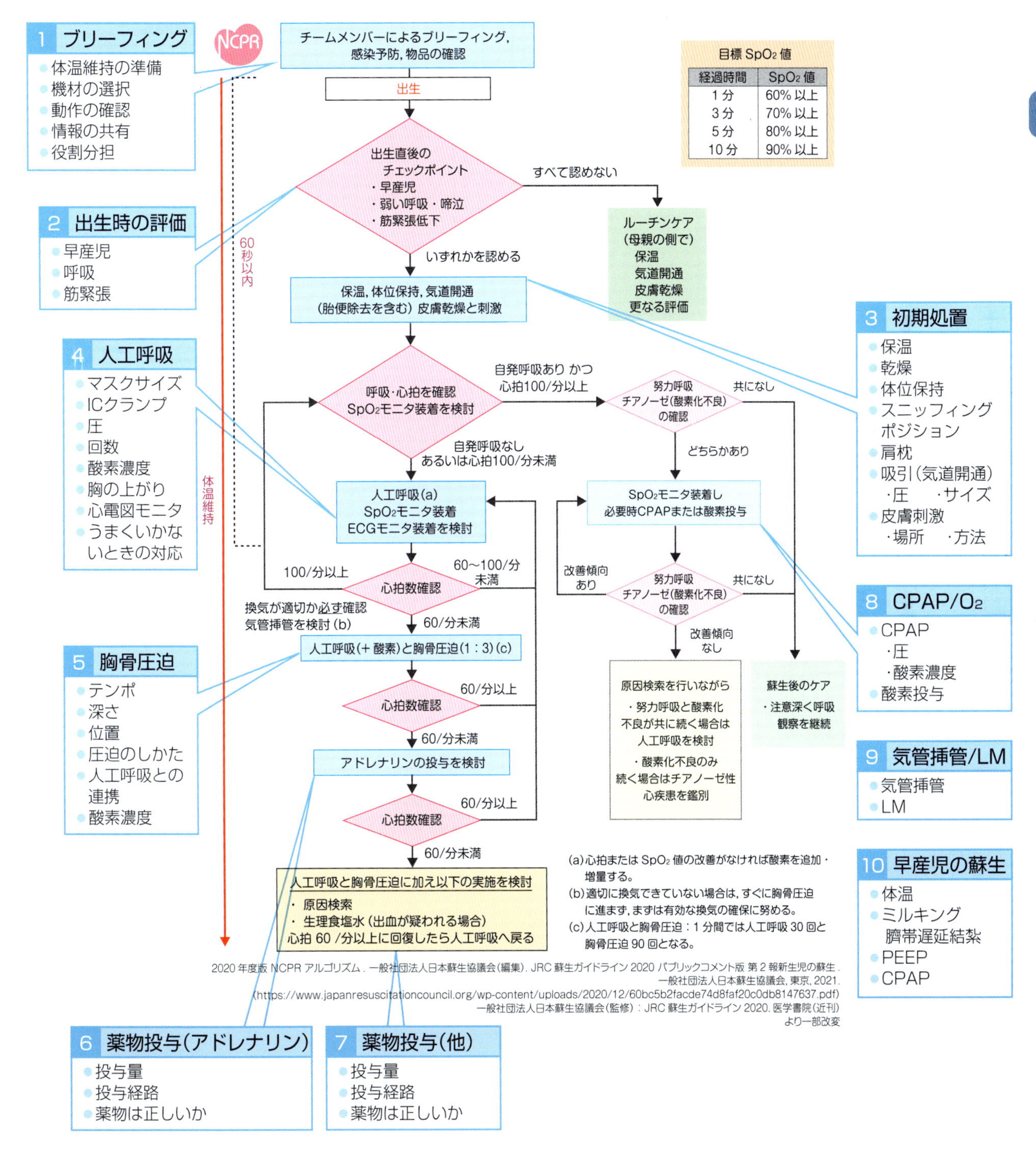

2020 年度版 NCPR アルゴリズム．一般社団法人日本蘇生協議会（編集）．JRC 蘇生ガイドライン 2020 パブリックコメント版 第 2 報新生児の蘇生．一般社団法人日本蘇生協議会，東京，2021．（https://www.japanresuscitationcouncil.org/wp-content/uploads/2020/12/60bc5b2facde74d8faf20c0db8147637.pdf）一般社団法人日本蘇生協議会（監修）：JRC 蘇生ガイドライン 2020．医学書院（近刊）より一部改変

1 ブリーフィング

名前

メモ

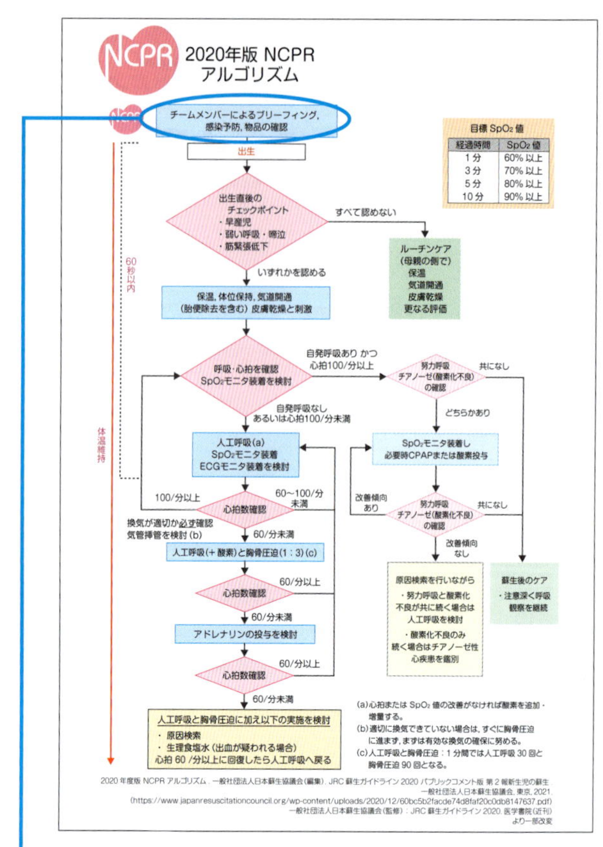

2020 年度版 NCPR アルゴリズム．一般社団法人日本蘇生協議会(編集)．JRC 蘇生ガイドライン 2020 パブリックコメント版 第 2 報新生児の蘇生．一般社団法人日本蘇生協議会，東京，2021．(https://www.japanresuscitationcouncil.org/wp-content/uploads/2020/12/60bc5b2facde74d8faf20c0db8147637.pdf)
一般社団法人日本蘇生協議会(監修)：JRC 蘇生ガイドライン 2020．医学書院(近刊)より一部改変

※手技実習前に「しっかりと理解している」・「実施できると思う」項目に☑を入れてみましょう。実習後，「しっかりと理解できた」・「実施できた」と思う項目に☑を入れてみましょう。

	チェック項目	実習前	実習後
知識	蘇生前の，チームメンバーによるブリーフィングの必要性を理解している	□	□
実技	感染予防のために必要な措置を話し合う	□	□
	蘇生機器を確認する	□	□
	役割分担の確認を行う	□	□

2 出生時の評価

名前

メモ

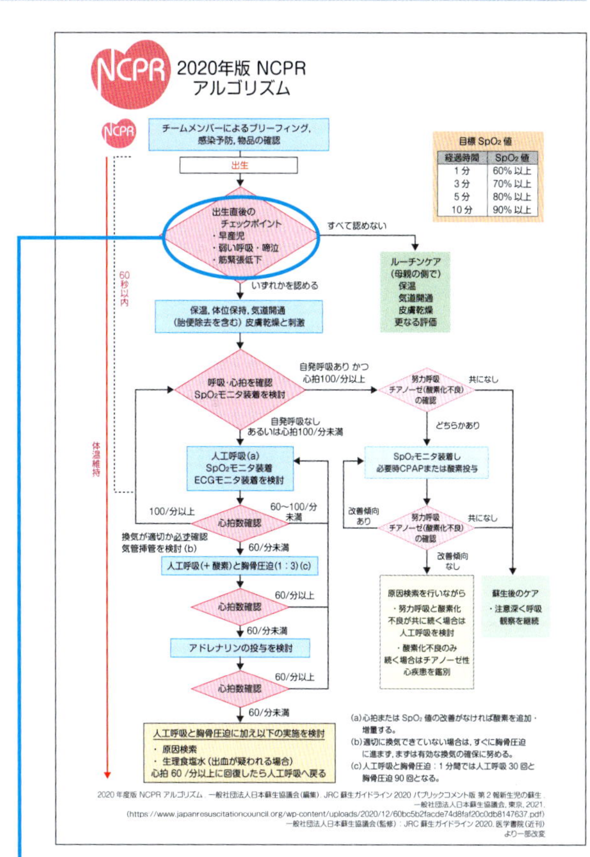

2020 年度版 NCPR アルゴリズム．一般社団法人日本蘇生協議会(編集)．JRC 蘇生ガイドライン 2020 パブリックコメント版 第 2 報新生児の蘇生．一般社団法人日本蘇生協議会，東京，2021．(https://www.japanresuscitationcouncil.org/wp-content/uploads/2020/12/60bc5b2facde74d8faf20c0db8147637.pdf)
一般社団法人日本蘇生協議会(監修)：JRC 蘇生ガイドライン 2020．医学書院(近刊)より一部改変

※手技実習前に「しっかりと理解している」·「実施できると思う」項目に☑を入れてみましょう。実習後，「しっかりと理解できた」·「実施できた」と思う項目に☑を入れてみましょう。

	チェック項目	実習前	実習後
知識	・出生直後の 3 つのチェックポイントは何かを言える →早産児かどうか，弱い呼吸・啼泣を認めるか，筋緊張が低下しているか	□	□
	・出生直後，どのような場合に蘇生の初期処置を必要とするか →出生直後の 3 つのチェックポイントのうち，1 つでも当てはまれば蘇生の初期処置を行う	□	□
実技	・早産児かどうか確認する	□	□
	・呼吸や啼泣の状態を確認する	□	□
	・筋緊張の状態を確認する	□	□

3 初期処置

名前

メモ

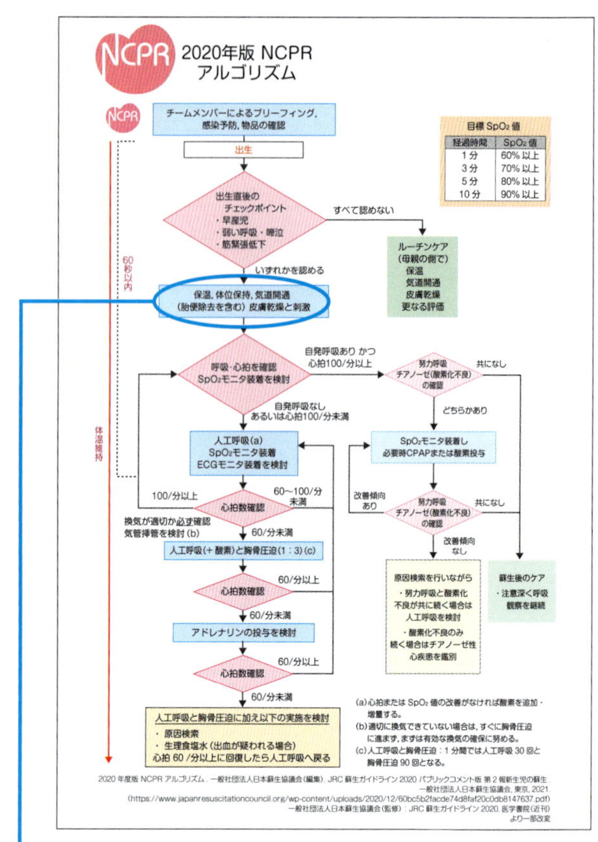

2020 年度版 NCPR アルゴリズム．一般社団法人日本蘇生協議会（編集）．JRC 蘇生ガイドライン 2020 パブリックコメント版 第 2 報新生児の蘇生．一般社団法人日本蘇生協議会，東京，2021．(https://www.japanresuscitationcouncil.org/wp-content/uploads/2020/12/60bc5b2facde74d8faf20c0db8147637.pdf)
一般社団法人日本蘇生協議会（監修）：JRC 蘇生ガイドライン 2020．医学書院（近刊）より一部改変

※手技実習前に「しっかりと理解している」・「実施できると思う」項目に☑を入れてみましょう。実習後，「しっかりと理解できた」・「実施できた」と思う項目に☑を入れてみましょう。

	チェック項目		実習前	実習後
準備	適切なサイズの吸引カテーテルを選択できる	・羊水が清明な正期産児 → 10Fr または 8Fr	☐	☐
		・羊水が清明な低出生体重児 → 8Fr または 6Fr	☐	☐
		・胎便による羊水混濁がある場合 → 12Fr または 14Fr	☐	☐
実技	保温・皮膚乾燥ができる	・ラジアントウォーマーに収容する	☐	☐
		・あらかじめ温めておいた，乾いたタオルで羊水を拭きとる	☐	☐
		・濡れたタオルを取り除く	☐	☐
	体位保持ができる	・肩枕を使用し，スニッフィングポジションをとる	☐	☐
	気道開通ができる	・カテーテルを深く入れすぎない	☐	☐
		・1 回の吸引時間は 5 秒程度にする	☐	☐
		・鼻腔，口腔の吸引順序がわかる →口腔，鼻腔の順	☐	☐
		・吸引圧は，100mmHg（13kPa）を超えないように設定する	☐	☐
	皮膚刺激	・温めたタオルを用いて背部・体幹・四肢を優しくこする	☐	☐
		・足底を平手で 2，3 回叩く，または指先で優しく弾く	☐	☐

4-1 人工呼吸（自己膨張式バッグ）

名前

メモ

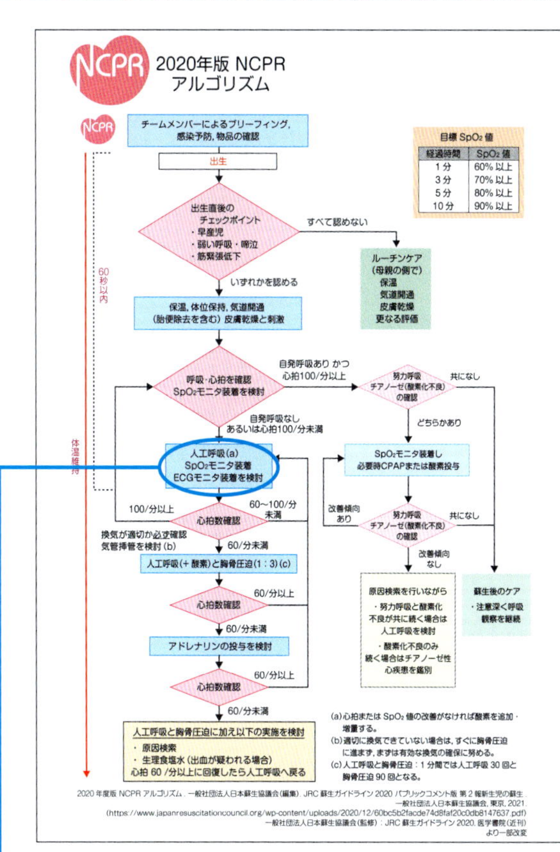

2020 年度版 NCPR アルゴリズム．一般社団法人日本蘇生協議会（編集）．JRC 蘇生ガイドライン 2020 パブリックコメント版 第 2 報新生児の蘇生．一般社団法人日本蘇生協議会，東京，2021．(https://www.japanresuscitationcouncil.org/wp-content/uploads/2020/12/60bc5b2facde74d8faf20c0db8147637.pdf)
一般社団法人日本蘇生協議会（監修）：JRC 蘇生ガイドライン 2020．医学書院（近刊）より一部改変

※手技実習前に「しっかりと理解している」・「実施できると思う」項目に☑を入れてみましょう。実習後，「しっかりと理解できた」・「実施できた」と思う項目に☑を入れてみましょう。

	チェック項目	実習前	実習後
知識	・人工呼吸の開始基準を述べることができる →蘇生の初期処置を行った後，無呼吸または 100/ 分未満の徐脈を認める場合	☐	☐
	・初期処置に反応しない場合，おそくとも生後 60 秒までに，有効な人工呼吸を開始しなければいけないことを理解する	☐	☐
	・正期産児の場合，人工呼吸開始時の酸素濃度がわかる →21%，すなわち空気を用いる	☐	☐
準備	・バッグは，新生児用を準備する	☐	☐
	・使用前点検をする（過剰加圧防止弁の作動・バッグ破損等）	☐	☐
	・マスクのサイズを選択する基準を述べることができる →口と鼻を覆うが，眼にかからないサイズを選択する	☐	☐
実技	・肩枕を使用しスニッフィングポジションをとる	☐	☐
	・IC クランプ法でマスクと児の下顎を保持する	☐	☐
	・マスクを顔に密着させる	☐	☐
	・40 ～ 60/分で人工呼吸を行う	☐	☐
	・胸部の動きを確認する	☐	☐

4-2 人工呼吸（流量膨張式バッグ）

名前

メモ

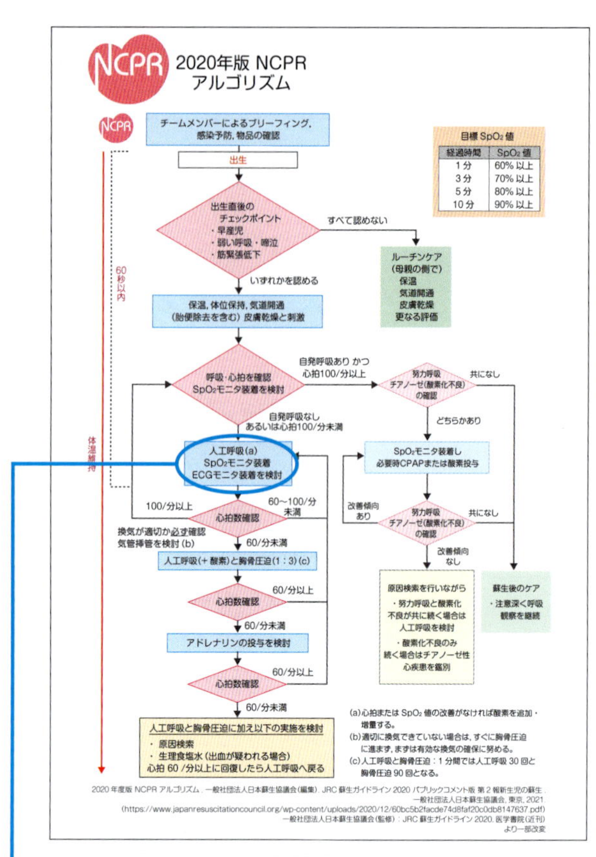

※手技実習前に「しっかりと理解している」・「実施できると思う」項目に☑を入れてみましょう。実習後，「しっかりと理解できた」・「実施できた」と思う項目に☑を入れてみましょう。

	チェック項目	実習前	実習後
知識	・人工呼吸の開始基準を述べることができる →蘇生の初期処置を行った後，無呼吸または 100/ 分未満の徐脈を認める場合	☐	☐
	・初期処置に反応しない場合，おそくとも生後 60 秒までに，有効な人工呼吸を開始しなければいけないことを理解する	☐	☐
	・正期産児の場合，人工呼吸開始時の酸素濃度がわかる → 21%，すなわち空気を用いる	☐	☐
準備	・マノメーター（圧力計）が装着されている	☐	☐
	・流量は 5 ～ 10L/ 分を使用する	☐	☐
	・マスクのサイズを選択する基準を述べることができる →口と鼻を覆うが，眼にかからないサイズを選択する	☐	☐
実技	・肩枕を使用しスニッフィングポジションをとる	☐	☐
	・IC クランプ法でマスクと児の下顎を保持する	☐	☐
	・マスクを顔に密着させる	☐	☐
	・20 ～ 30cmH_2O の圧で人工呼吸を開始する	☐	☐
	・40 ～ 60/ 分で人工呼吸を行う	☐	☐
	・胸部の動きを確認する	☐	☐

4-3 人工呼吸（T ピース蘇生装置）

名前

メモ

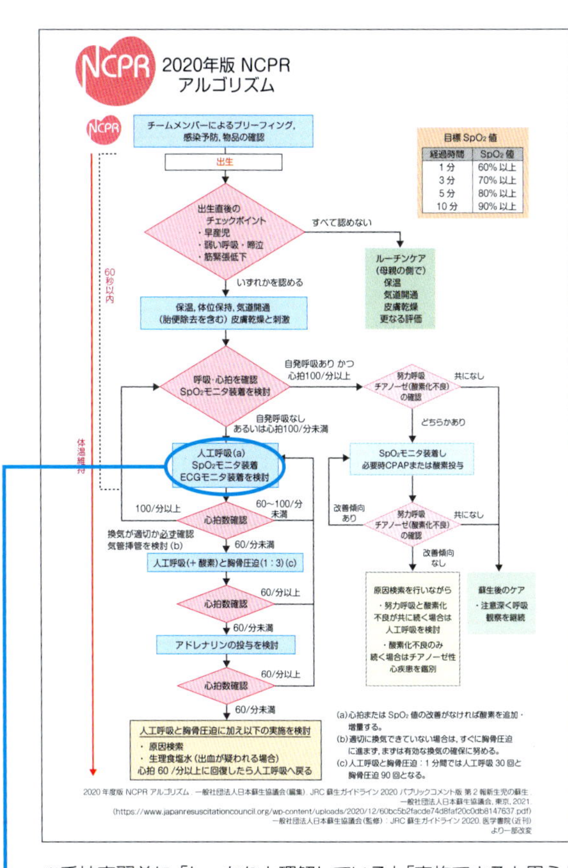

※手技実習前に「しっかりと理解している」・「実施できると思う」項目に☑を入れてみましょう。実習後，「しっかりと理解できた」・「実施できた」と思う項目に☑を入れてみましょう。

	チェック項目	実習前	実習後
知識	・人工呼吸の開始基準を述べることができる →蘇生の初期処置を行った後，無呼吸または 100/ 分未満の徐脈を認める場合	□	□
	・初期処置に反応しない場合，おそくとも生後 60 秒までに，有効な人工呼吸を開始しなければいけないことを理解する	□	□
	・正期産児の場合，人工呼吸開始時の酸素濃度がわかる → 21%，すなわち空気を用いる	□	□
準備	・自施設の供給ガス源を確認する（酸素 or 空気 or 酸素・空気混合ガス）	□	□
	・供給ガス接続口と流量源をつなぐ（ガス供給チューブまたはパイピング接続ホース）	□	□
	・専用回路を取り付ける	□	□
	・流量は 5 ～ 10 L / 分を使用する	□	□
	・テストバッグを使用し，最大吸気圧（PIP）を 20 ～ 30cmH₂O に，呼気終末陽圧（PEEP）を 5cmH₂O に設定する	□	□
	・マスクのサイズを選択する基準を述べることができる →口と鼻を覆うが，眼にかからないサイズを選択する	□	□
実技	・肩枕を使用しスニッフィングポジションをとる	□	□
	・IC クランプ法でマスクと児の下顎を保持する	□	□
	・マスクを顔に密着させる	□	□
	・PEEP/PIP 切替口を開閉し，40 ～ 60/分で人工呼吸を行う	□	□
	・胸部の動きを確認する	□	□

4-4 人工呼吸がうまくいかないときの対応

名前

メモ

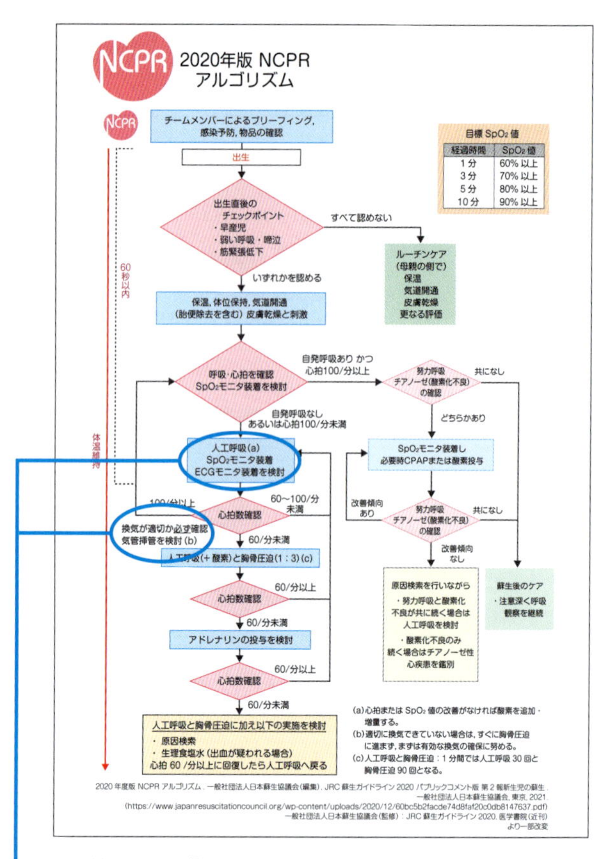

※手技実習前に「しっかりと理解している」・「実施できると思う」項目に☑を入れてみましょう。実習後，「しっかりと理解できた」・「実施できた」と思う項目に☑を入れてみましょう。

	チェック項目		実習前	実習後
知識	人工呼吸がうまくいっているかを確認する方法を述べることができる	・心拍が改善していることを確認する	☐	☐
		・胸郭の上がりをもう一度確認する	☐	☐
		・呼気 CO_2 検出器を用いて換気を確認する（挿管中）	☐	☐
実技	人工呼吸がうまくいっていないときに，ステップに従って改善を試みる	・マスクの密着（IC クランプ）を確認する	☐	☐
		・気道確保の体位を確認する	☐	☐
		・口腔内吸引をする	☐	☐
		・換気圧を上昇させる	☐	☐
		・他の換気方法を考慮する	☐	☐

5-1 胸骨圧迫(両母指法)

名前

メモ

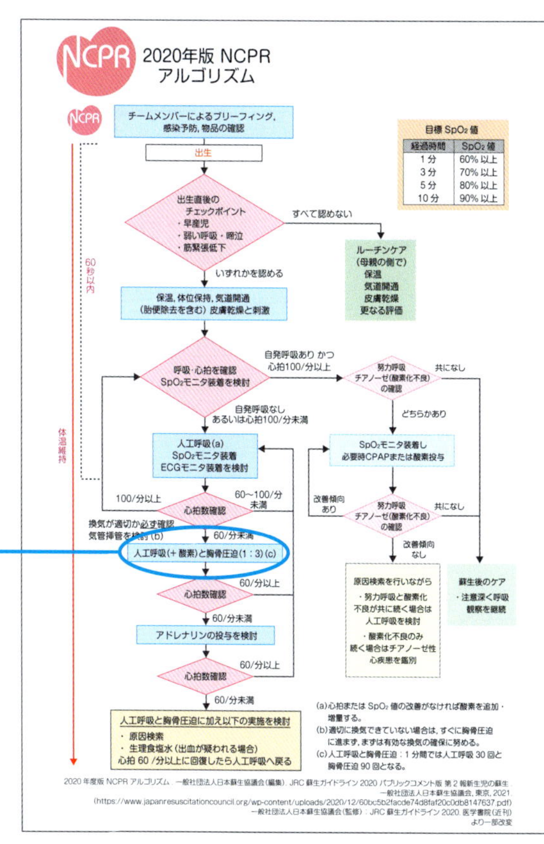

2020 年度版 NCPR アルゴリズム. 一般社団法人日本蘇生協議会(編集). JRC 蘇生ガイドライン 2020 パブリックコメント版 第2報新生児の蘇生. 一般社団法人日本蘇生協議会, 東京, 2021. (https://www.japanresuscitationcouncil.org/wp-content/uploads/2020/12/60bc5b2facde74d8faf20c0db8147637.pdf) 一般社団法人日本蘇生協議会(監修):JRC 蘇生ガイドライン 2020. 医学書院(近刊) より一部改変

※手技実習前に「しっかりと理解している」・「実施できると思う」項目に☑を入れてみましょう。実習後,「しっかりと理解できた」・「実施できた」と思う項目に☑を入れてみましょう。

	チェック項目	実習前	実習後
知識	・胸骨圧迫を開始する基準を述べることができる →有効な人工呼吸を 30 秒行っても心拍が 60/ 分未満の場合	□	□
	・胸骨圧迫を開始するときは, 酸素を使用することを理解している	□	□
	・胸骨圧迫を中止する基準を述べることができる →心拍が 60/ 分以上	□	□
実技	・両手で児の胸郭を包み込むように保持する	□	□
	・胸骨の下部 1/3 のところを圧迫する	□	□
	・圧迫期は, 胸壁の厚さの 1/3 程度がへこむ強さで圧迫する	□	□
	・圧迫解除期にも指は胸壁から離さない	□	□
	・胸骨圧迫と人工呼吸は 3 対 1(1 サイクル 2 秒)の割合で行う	□	□
	・1 分間に 120 回(胸骨圧迫 90 回と人工呼吸 30 回)のペースで圧迫する	□	□
	・胸骨圧迫施行者が, 声を出してペースメーカーの役割を果たす	□	□

5-2 胸骨圧迫（2本指法）

名前

メモ

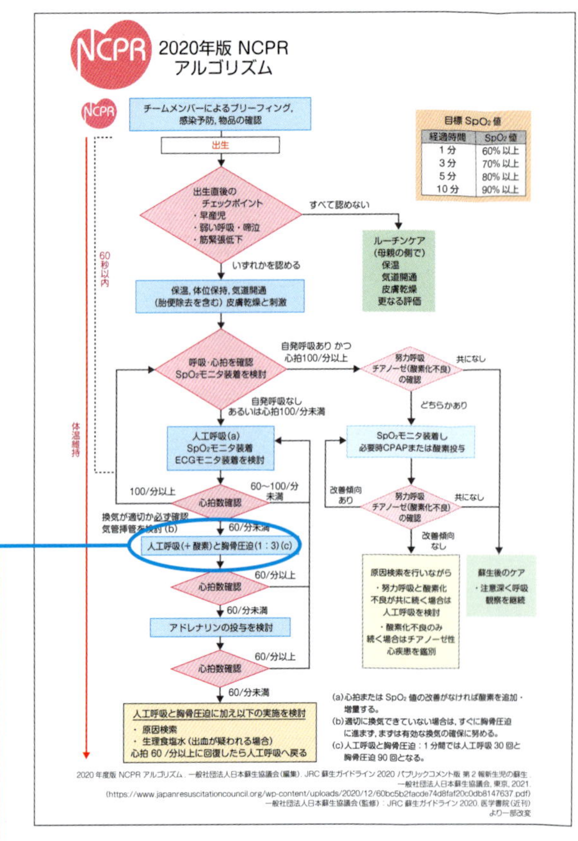

2020 年度版 NCPR アルゴリズム．一般社団法人日本蘇生協議会（編集）．JRC 蘇生ガイドライン 2020 パブリックコメント版 第 2 報新生児の蘇生．一般社団法人日本蘇生協議会，東京，2021．(https://www.japanresuscitationcouncil.org/wp-content/uploads/2020/12/60bc5b2facde74d8faf20c0db8147637.pdf)
一般社団法人日本蘇生協議会（監修）：JRC 蘇生ガイドライン 2020．医学書院（近刊）
より一部改変

※手技実習前に「しっかりと理解している」・「実施できると思う」項目に☑を入れてみましょう。実習後，「しっかりと理解できた」・「実施できた」と思う項目に☑を入れてみましょう。

	チェック項目	実習前	実習後
知識	・胸骨圧迫を開始する基準を述べることができる →有効な人工呼吸を 30 秒行っても心拍が 60/ 分未満の場合	☐	☐
	・胸骨圧迫を開始するときは，酸素を使用することを理解している	☐	☐
	・胸骨圧迫を中止する基準を述べることができる →心拍が 60/ 分以上	☐	☐
実技	・人差し指と中指，もしくは中指と薬指の 2 本の指で圧迫する	☐	☐
	・児の背中にマッサージ板または他方の手を挿入する	☐	☐
	・胸骨の下部 1/3 のところを圧迫する	☐	☐
	・圧迫期は，胸壁の厚さの 1/3 程度がへこむ強さで圧迫する	☐	☐
	・圧迫解除期にも指は胸壁から離さない	☐	☐
	・胸骨圧迫と人工呼吸は 3 対 1（1 サイクル 2 秒）の割合で行う	☐	☐
	・1 分間に 120 回（胸骨圧迫 90 回と人工呼吸 30 回）のペースで圧迫する	☐	☐
	・胸骨圧迫施行者が，声を出してペースメーカーの役割を果たす	☐	☐

6-1 薬物（アドレナリン）静脈内投与

名前

メモ

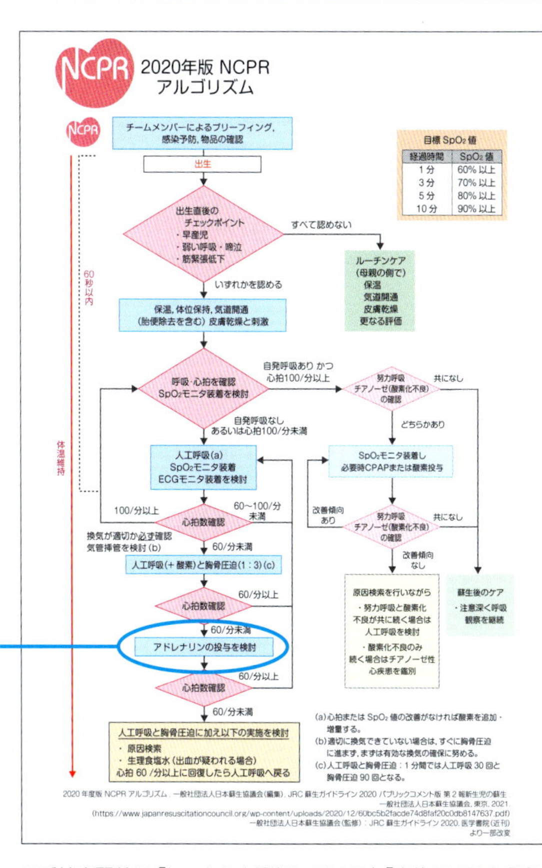

※手技実習前に「しっかりと理解している」・「実施できると思う」項目に☑を入れてみましょう。実習後，「しっかりと理解できた」・「実施できた」と思う項目に☑を入れてみましょう。

	チェック項目	実習前	実習後
知識	・アドレナリンを投与する基準を述べることができる →有効な人工呼吸および胸骨圧迫を行っても，心拍が 60/ 分未満のとき	☐	☐
	・アドレナリンの投与経路は静脈内または骨髄であることを理解している	☐	☐
	・アドレナリン静脈内投与における，体重あたりの投与量を理解している → 10 倍希釈アドレナリン（0.01%）を 0.1 ～ 0.3mL/kg	☐	☐
準備	・0.1%アドレナリン 1mL を生理食塩水 9mL で 10 倍に希釈する	☐	☐
実技	・静脈内に投与する場合は，速やかに注入する	☐	☐
	・投与後は，全量投与するため生理食塩水でフラッシュする	☐	☐
	・アドレナリン投与後は，30 秒ごとに心拍をチェックし，心拍 60/ 分未満の場合は 3 ～ 5 分ごとに追加投与する	☐	☐

6-2 薬物（アドレナリン）気管内投与

名前

メモ

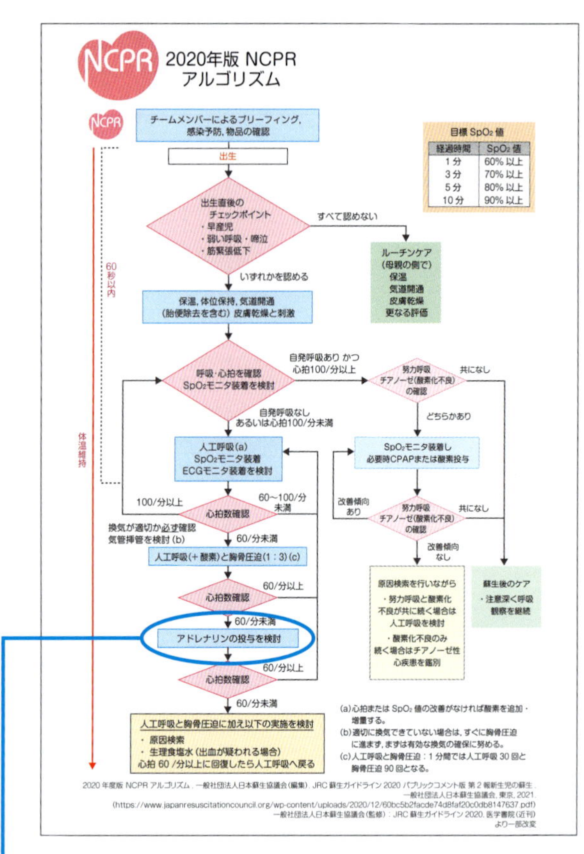

2020 年度版 NCPR アルゴリズム．一般社団法人日本蘇生協議会(編集)．JRC 蘇生ガイドライン 2020 パブリックコメント版 第 2 報新生児の蘇生．一般社団法人日本蘇生協議会，東京，2021．(https://www.japanresuscitationcouncil.org/wp-content/uploads/2020/12/60bc5b2facde74d8faf20c0db8147637.pdf)
一般社団法人日本蘇生協議会(監修)：JRC 蘇生ガイドライン 2020．医学書院(近刊)より一部改変

※手技実習前に「しっかりと理解している」・「実施できると思う」項目に☑を入れてみましょう。実習後，「しっかりと理解できた」・「実施できた」と思う項目に☑を入れてみましょう。

	チェック項目	実習前	実習後
知識	・アドレナリンを投与する基準を述べることができる →有効な人工呼吸および胸骨圧迫を行っても，心拍が 60/ 分未満のとき	☐	☐
	・アドレナリンの気管内投与は第二選択であることを理解している	☐	☐
	・アドレナリン気管内投与における，体重あたりの投与量を理解している → 10 倍希釈アドレナリン（0.01%）を 0.5 ～ 1.0mL/kg	☐	☐
準備	・0.1%アドレナリン 1mL を生理食塩水 9mL で 10 倍に希釈する	☐	☐
実技	・アドレナリン投与後は，全量投与するため挿管チューブ内や接続部に薬液が残らないように注意する	☐	☐
	・アドレナリン投与後は，気管での吸収を促進するために速やかに人工呼吸を行う	☐	☐
	・アドレナリン投与後は，30 秒ごとに心拍をチェックし，心拍 60/ 分未満の場合は 3 ～ 5 分ごとに追加投与する	☐	☐

7-1 薬物（循環血液増量薬）静脈内投与

名前

メモ

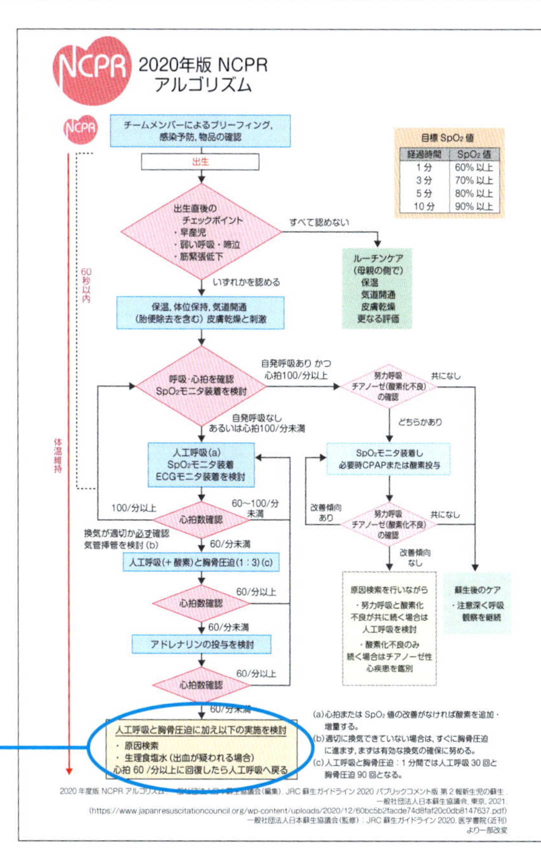

※手技実習前に「しっかりと理解している」･「実施できると思う」項目に☑を入れてみましょう。実習後，「しっかりと理解できた」･「実施できた」と思う項目に☑を入れてみましょう。

	チェック項目	実習前	実習後
知識	・循環血液増量薬を投与する基準を述べることができる →出血による循環血液量減少がある児で，人工呼吸，胸骨圧迫，アドレナリン投与にもかかわらず状態改善がない場合	☐	☐
	・推奨されている循環血液増量薬は生理食塩水であることを理解している	☐	☐
	・循環血液増量薬として使用可能なものは，生理食塩水以外，乳酸リンゲル液，O 型 Rh（−）の濃厚赤血球であることを理解している	☐	☐
	・胎児期から貧血が考えられる場合には，循環血液増量薬として，O 型 Rh（−）の濃厚赤血球が使用可能であることを理解している	☐	☐
	・循環血液増量薬を静脈内に投与する場合の，体重あたりの投与量を理解している（10mL/kg）	☐	☐
実技	・循環血液増量薬を静脈内に投与する場合は，ゆっくり（5 〜 10 分かけて）注入する	☐	☐
	・反応が不良な場合は，再度同量を投与する	☐	☐

7-2 薬物（炭酸水素ナトリウム）静脈内投与

名前

メモ

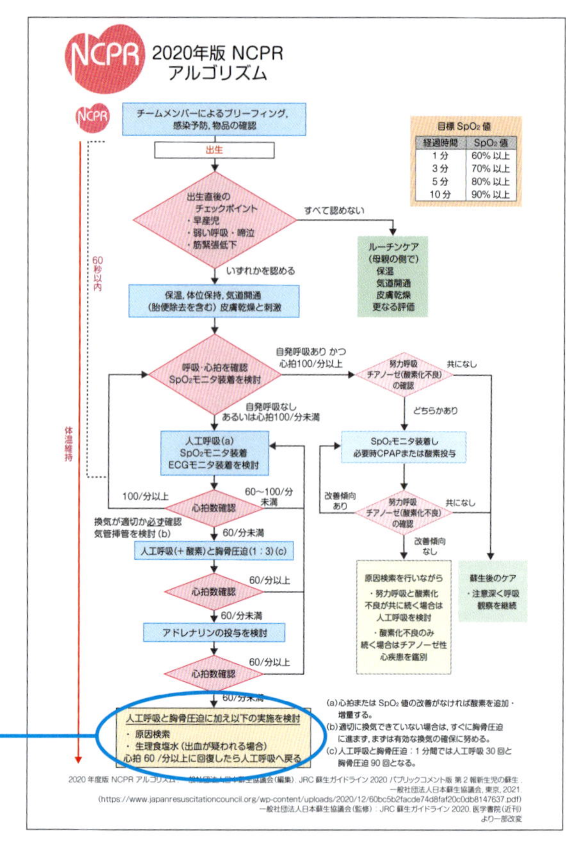

2020 年度版 NCPR アルゴリズム：一般社団法人日本蘇生協議会(編集)．JRC 蘇生ガイドライン 2020 パブリックコメント版 第 2 報新生児の蘇生．一般社団法人日本蘇生協議会，東京，2021.
(https://www.japanresuscitationcouncil.org/wp-content/uploads/2020/12/60bc5b2facde74d8faf20c0db8147637.pdf)
一般社団法人日本蘇生協議会(監修)：JRC 蘇生ガイドライン 2020. 医学書院(近刊)
より一部改変

※手技実習前に「しっかりと理解している」・「実施できると思う」項目に☑を入れてみましょう。実習後，「しっかりと理解できた」・「実施できた」と思う項目に☑を入れてみましょう。

	チェック項目	実習前	実習後
知識	・炭酸水素ナトリウムを投与する基準を述べることができる →十分な人工呼吸管理がなされているにもかかわらず，代謝性アシドーシスが明らかにあって循環動態の改善を妨げていると考えられる場合	☐	☐
	・体重あたりの投与量を理解している →蒸留水で 2 倍に希釈した溶液を 2 ～ 4mL/kg	☐	☐
	・炭酸水素ナトリウムの投与経路は静脈内であることを理解している	☐	☐
準備	・炭酸水素ナトリウムを蒸留水で 2 倍に希釈する	☐	☐
実技	・炭酸水素ナトリウムを静脈内に投与する場合は，ゆっくり注入する (2 ～ 4 分以上かけて)	☐	☐

8-1 CPAP

名前

メモ

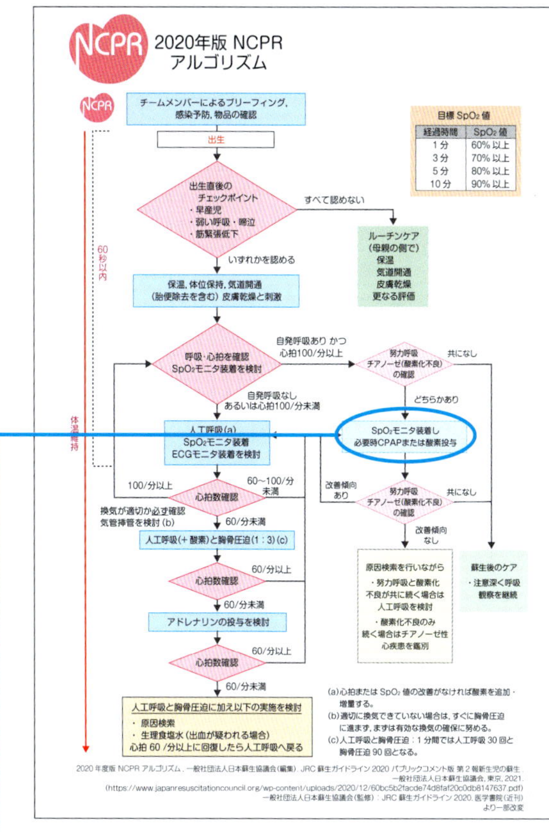

2020年度版 NCPR アルゴリズム．一般社団法人日本蘇生協議会（編集）．JRC 蘇生ガイドライン 2020 パブリックコメント版 第2報新生児の蘇生．一般社団法人日本蘇生協議会，東京，2021．(https://www.japanresuscitationcouncil.org/wp-content/uploads/2020/12/60bc5b2facde74d8faf20c0db8147637.pdf)
一般社団法人日本蘇生協議会（監修）：JRC 蘇生ガイドライン 2020．医学書院（近刊）より一部改変

※手技実習前に「しっかりと理解している」・「実施できると思う」項目に☑を入れてみましょう。実習後，「しっかりと理解できた」・「実施できた」と思う項目に☑を入れてみましょう。

	チェック項目	実習前	実習後
知識	・CPAP を開始する基準を述べることができる →チアノーゼ（酸素化不良）または努力呼吸を認め，パルスオキシメータを装着して観察したうえで，呼吸補助が必要と判断される呼吸障害が存在する場合	☐	☐
	・正期産児の場合，空気を使用して CPAP を開始することを理解している	☐	☐
準備	・流量膨張式バッグまたは T ピース蘇生装置を準備する	☐	☐
	・マスクは，鼻と口を覆うが眼にはかからないサイズを選択する	☐	☐
実技	・肩枕を使用しスニッフィングポジションをとる（気道開通を確認する）	☐	☐
	・IC クランプ法でマスクと児の下顎を保持する	☐	☐
	・マスクを顔に密着させる	☐	☐
	・PEEP は，5 ～ 6cmH_2O で 8cmH_2O を超えない	☐	☐

8-2 フリーフロー酸素

名前

メモ

経過時間	SpO_2 値
1 分	60% 以上
3 分	70% 以上
5 分	80% 以上
10 分	90% 以上

2020 年度版 NCPR アルゴリズム．一般社団法人日本蘇生協議会（編集）．JRC 蘇生ガイドライン 2020 パブリックコメント版 第 2 報新生児の蘇生．一般社団法人日本蘇生協議会，東京，2021．(https://www.japanresuscitationcouncil.org/wp-content/uploads/2020/12/60bc5b2facde74d8faf20c0db8147637.pdf) 一般社団法人日本蘇生協議会（監修）：JRC 蘇生ガイドライン 2020．医学書院（近刊）より一部改変

※手技実習前に「しっかりと理解している」・「実施できると思う」項目に☑を入れてみましょう。実習後，「しっかりと理解できた」・「実施できた」と思う項目に☑を入れてみましょう。

	チェック項目	実習前	実習後
知識	・フリーフロー酸素投与の開始基準を理解している → ① チアノーゼ（酸素化不良）を認めるとき ② 努力呼吸のみを認める場合，CPAP が行えず次善の策として	☐	☐
準備	・酸素チューブ，流量膨張式バッグ，または T ピース蘇生装置を準備する	☐	☐
実技	・酸素チューブを持つ手でカップ状のくぼみをつくる，または流量膨張式バッグ，T ピース蘇生装置等を用い，児の口元に近づける	☐	☐
	・SpO_2 値を評価し，酸素投与量を調節する	☐	☐

9-1 気管挿管

名前

メモ

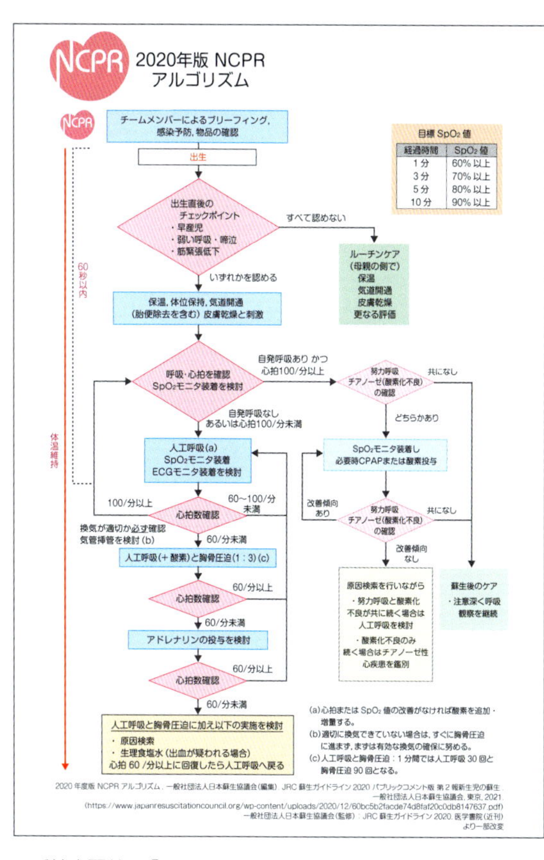

2020年度版 NCPR アルゴリズム．一般社団法人日本蘇生協議会(編集)．JRC 蘇生ガイドライン 2020 パブリックコメント版 第2報新生児の蘇生．一般社団法人日本蘇生協議会，東京，2021．(https://www.japanresuscitationcouncil.org/wp-content/uploads/2020/12/60bc5b2facde74d8faf20c0db8147637.pdf)
一般社団法人日本蘇生協議会(監修)：JRC 蘇生ガイドライン 2020．医学書院(近刊)より一部改変

※手技実習前に「しっかりと理解している」·「実施できると思う」項目に☑を入れてみましょう。実習後，「しっかりと理解できた」·「実施できた」と思う項目に☑を入れてみましょう。

	チェック項目	実習前	実習後
知識	・気管挿管の適応を述べることができる	☐	☐
準備	・必要物品が準備できる	☐	☐
	・適切なサイズの気管チューブを選択できる	☐	☐
実技	・肩枕を外す，または薄いタオルを後頭部に敷き，スニッフィングポジションをとる	☐	☐
	・左手で喉頭鏡を持つ	☐	☐
	・舌の基部の向こうで喉頭蓋を押さえる位置までブレード先端を進める	☐	☐
	・咽頭領域を露出させるために，ブレードで舌を持ちあげる ＊咽頭鏡を動かすときには釘抜き様の動かし方（ロッキング）はしない	☐	☐
	・解剖学的指標を探す	☐	☐
	・右手で気管チューブを保持する	☐	☐
	・気管チューブを右の口角から挿入する	☐	☐
	・声帯指標線を参考に気管チューブを進める	☐	☐
	・気管チューブが抜けないように気をつけて喉頭鏡を取り除く	☐	☐
	・挿管手技は，20秒以内で行う	☐	☐
	・口角で，挿入長が「6cm＋体重（kg）」であることを確認する	☐	☐
	・気管チューブの先端の位置が適切であることを確認する	☐	☐
	・チューブを固定する	☐	☐

9-2 ラリンゲアルマスク（LM）

名前

メモ

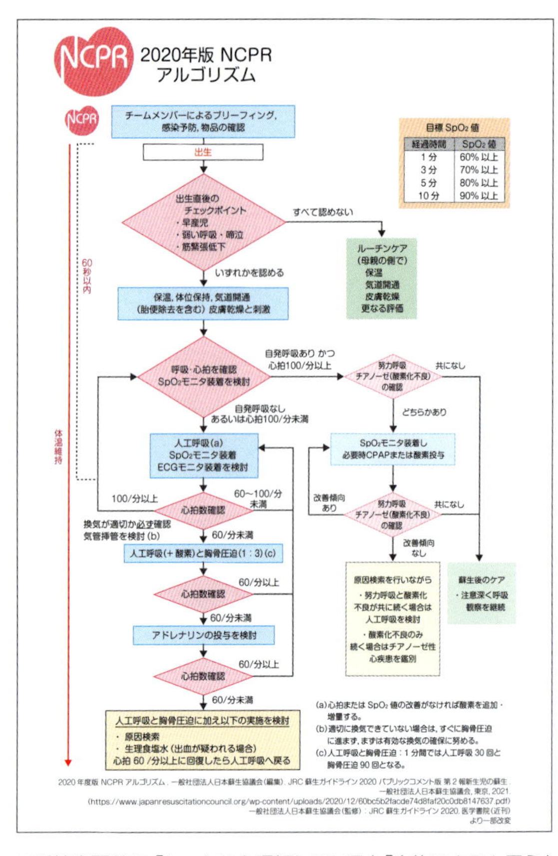

2020 年度版 NCPR アルゴリズム．一般社団法人日本蘇生協議会（編集）．JRC 蘇生ガイドライン 2020 パブリックコメント版 第 2 報新生児の蘇生．一般社団法人日本蘇生協議会，東京，2021.
（https://www.japanresuscitationcouncil.org/wp-content/uploads/2020/12/60bc5b2facde74d8faf20c0db8147637.pdf）
一般社団法人日本蘇生協議会（監修）：JRC 蘇生ガイドライン 2020. 医学書院（近刊）
より一部改変

※手技実習前に「しっかりと理解している」・「実施できると思う」項目に☑を入れてみましょう。実習後，「しっかりと理解できた」・「実施できた」と思う項目に☑を入れてみましょう。

	チェック項目	実習前	実習後
知識	・LM の適応を理解している →在胎 34 週以上の児でフェースマスクによる換気がうまくいかず，気管挿管も困難な場合	☐	☐
準備	・必要物品が準備できる	☐	☐
	・適切なサイズのチューブを準備できる →体重 2 ～ 5kgの児に対して 1 号サイズ	☐	☐
	・（カフのある場合）カフに空気を入れ破損がないことを確認する	☐	☐
	・（カフのある場合）カフ内の空気を抜き虚脱させる	☐	☐
実技	・肩枕を使用しスニッフィングポジションをとる（気道開通を確認する）	☐	☐
	・マスク開口部の端に人差し指を当て，LM を 2 本指で持つ	☐	☐
	・もう片方の手で児の口を開け，硬口蓋に沿って人差し指で抵抗を感じるまで進める	☐	☐
	・片手でチューブを支えながら人差し指を抜く	☐	☐
	・（カフのある場合）カフ内に規定量の空気を入れる	☐	☐
	・LM の先端が適切な位置にあることを確認する（5 点聴診，加圧時の胸郭上昇，呼気 CO_2 の検出）	☐	☐
	・LM を上口唇側にテープで固定する	☐	☐

10 早産児の蘇生

名前

メモ

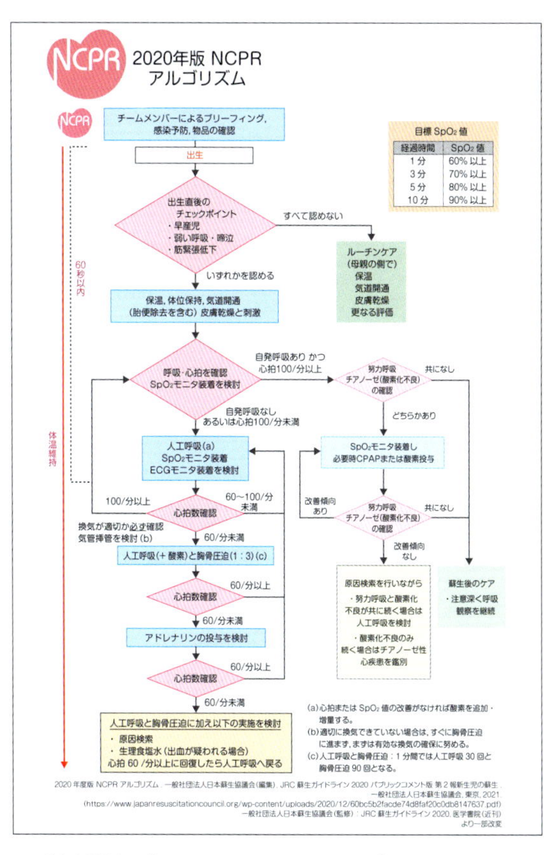

※手技実習前に「しっかりと理解している」・「実施できると思う」項目に☑を入れてみましょう。実習後，「しっかりと理解できた」・「実施できた」と思う項目に☑を入れてみましょう。

	チェック項目	実習前	実習後
知識	・直ちに蘇生を必要としない早産児では，臍帯遅延結紮が提案されている	☐	☐
	・在胎 28 週以下の早産児で蘇生処置を必要とする場合，蘇生処置の妨げにならない臍帯ミルキングで代用する	☐	☐
	・ラジアントウォーマー下で処置を受ける在胎 32 週未満の早産児では，低体温を防止するため 23 ～ 25℃の環境温度，温かいブランケット，プラスチックラッピング，キャップ，温熱マットレスなどを組み合わせる	☐	☐
	・努力呼吸を呈する早産児に対し，挿管・人工呼吸に先立ち CPAP を行う	☐	☐
	・在胎 35 週未満の早産児の場合，21 ～ 30%の酸素濃度で人工呼吸を開始する	☐	☐
	・分娩室で呼吸サポートを必要とする自発呼吸のある早産児に対して，5cmH_2O を超えない程度で PEEP を使用する	☐	☐

（柳　貴英）

3 Sコース

Sコースシナリオ

Sコースシナリオ① 人工呼吸

名前	チーム

*チームとして判断・実施できた項目に☑を入れてみましょう

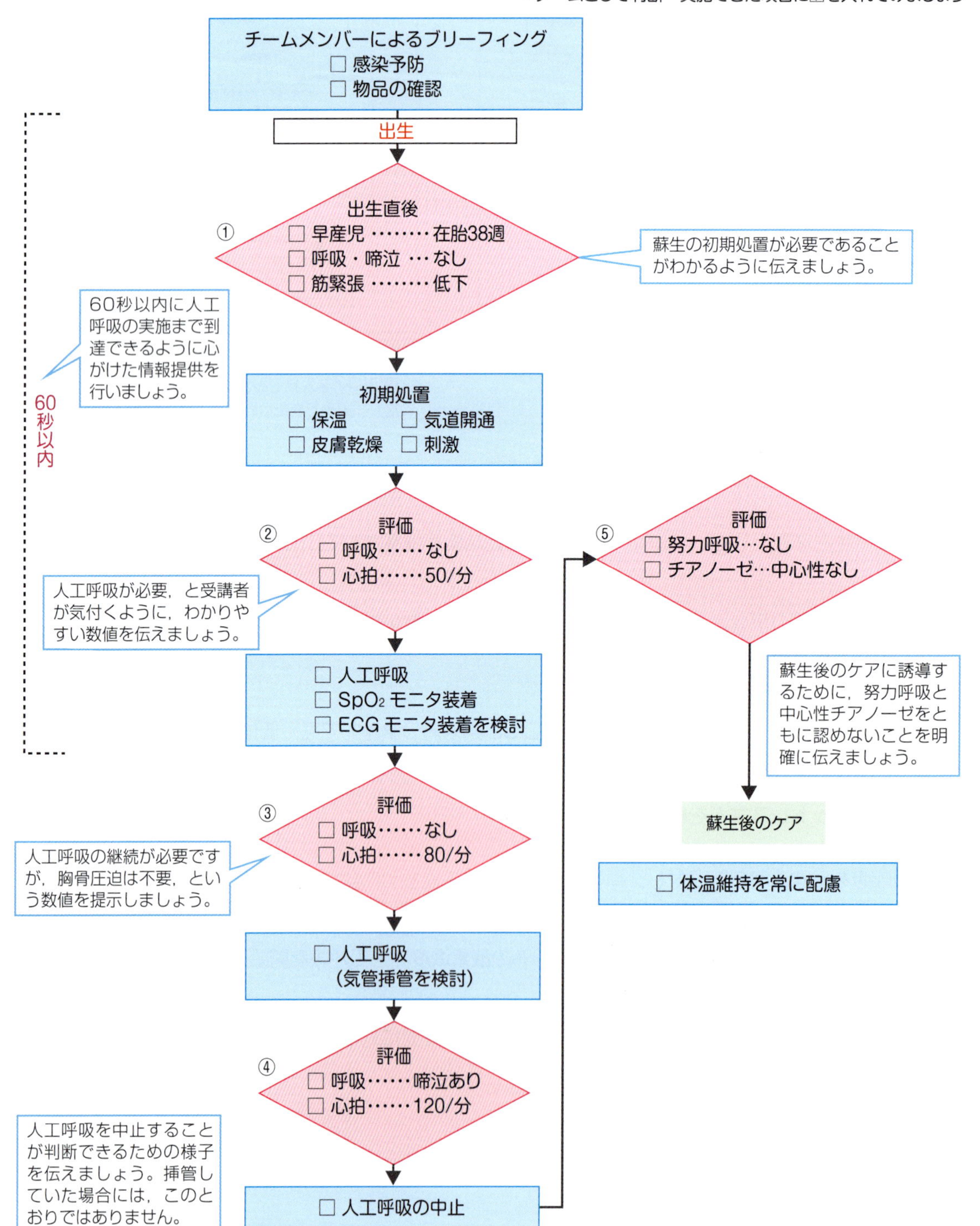

Sコースシナリオ❶　人工呼吸

目的	●初期処置に反応しない無呼吸に対して，生後60秒以内に有効な人工呼吸を開始できる。 ●実施している人工呼吸が有効かどうかを判断できる。不成功の場合に改善することができる。 ●適切なタイミングで人工呼吸を中止できる。
概要	出生時に自発呼吸がなく，筋緊張が低下している。 蘇生の初期処置に反応しないため人工呼吸を要する。 適切な人工呼吸を30秒間行っても回復しないが，さらに30秒間人工呼吸を行い改善を認める。努力呼吸や中心性チアノーゼをともに認めず，蘇生後のケアに移行する。
設定	母32歳，1妊0産。妊娠経過に問題なく，妊娠38週に陣痛発来して来院した。来院後variable decelerationを認めたため吸引分娩が行われることになり，立ち会いの準備を開始する。
ポイント	●「弱い呼吸」と伝えると受講者が有効な呼吸かどうか混乱する。 ●受講者が実施する人工呼吸が有効かどうかを確認する。 ●有効な人工呼吸ができておらず，チームメンバーも気付けていない場合の対応の例 1)気付きを促す質問をする，2)直接指摘する，3)回復しないシナリオとする

時間	伝えること	質問への答え	期待する行動
出生前	設定(上記)		チームメンバーの話し合い。(推定される重症度から必要と推測される物品を準備する。役割分担を明確にする。2回目の場合はチーム目標の確認など)
①0秒	出生しました。 何を確認しますか？ 口の中に分泌物があります。	在胎週数：38週 呼吸：なし 筋緊張：低下	出生直後のチェックを行い，速やかに初期処置を開始する。
②60秒以内	そろそろ生後60秒です。 何を確認しますか？	呼吸：なし 心拍：6秒間に5回	呼吸と心拍を確認し，パルスオキシメータを装着後，生後60秒以内に人工呼吸を開始する。また心電図モニタの装着を検討する。
③30秒後	人工呼吸を開始後，30秒たちました。 何を確認しますか？	呼吸：なし 心拍：6秒間に8回	呼吸と心拍を確認し，人工呼吸を継続する。
④30秒後	人工呼吸を継続して，30秒たちました。 何を確認しますか？	呼吸：元気に啼泣 心拍：6秒間に12回	呼吸と心拍を確認し人工呼吸を中止する。
⑤人工呼吸中止の判断後直ちに	人工呼吸中止しました。 何を確認しますか？	努力呼吸：なし 中心性チアノーゼ：なし	努力呼吸と中心性チアノーゼが共にないことを確認し，蘇生後のケアに移行する。

＊受講者用チェックシートには下記の「よりよい蘇生のヒント」が記載されています。インストラクターは効果的なチームワークを実現するための行動に関連したデブリーフィングも考慮しましょう。

□ チームメンバー全員で建設的に話し合って判断できましたか？
□ リーダーの指示と意見が合わないときに別の提案はできましたか？
□ チームメンバー内でコミュニケーションをとり蘇生ができましたか？
□ メンバー同士が助け合い問題を解決することができましたか？

Sコースシナリオ❷ 胸骨圧迫

名前　　　　　　　　　　　　　　チーム

＊チームとして判断・実施できた項目に☑を入れてみましょう

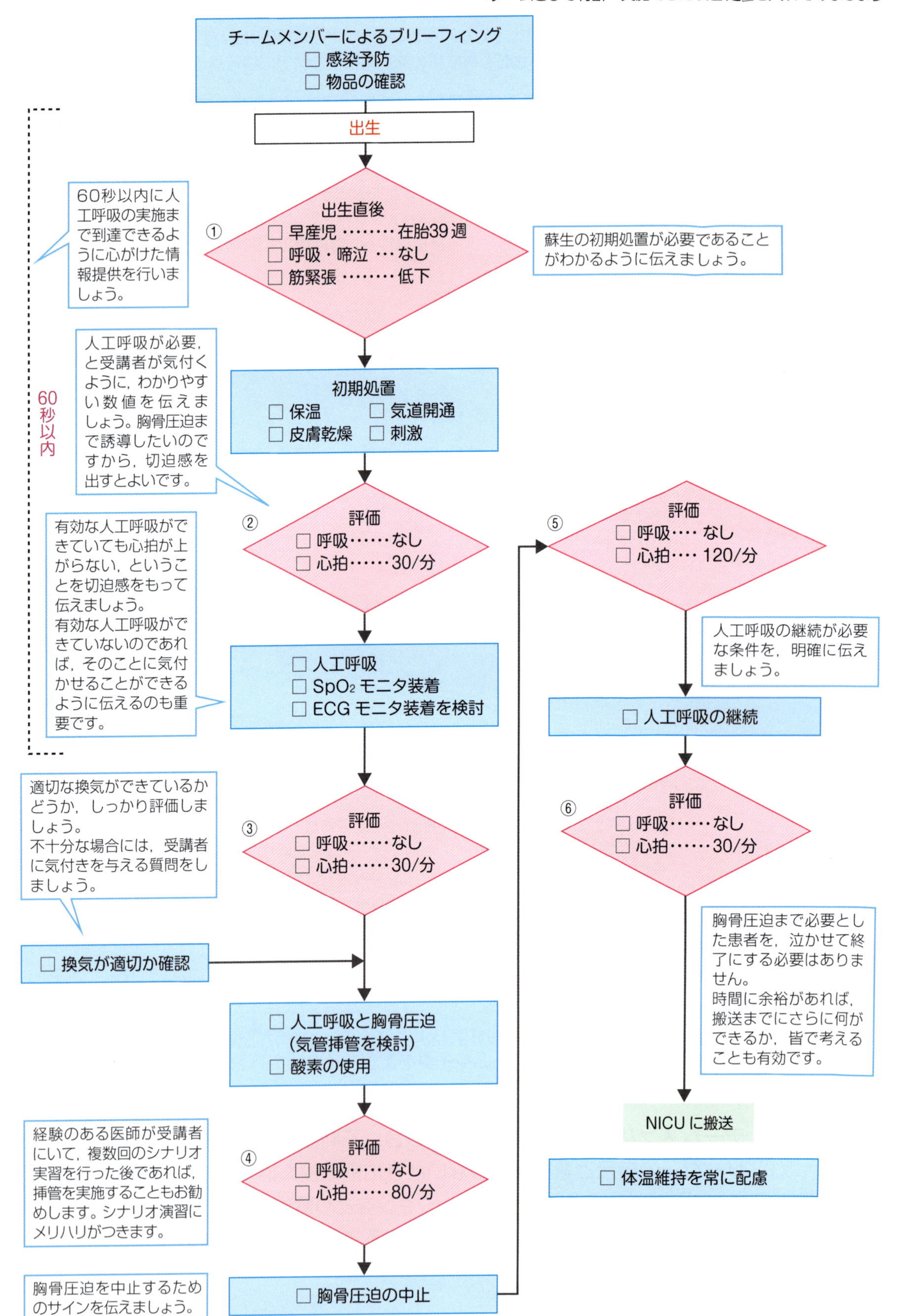

Sコースシナリオ❷　胸骨圧迫

目的	●有効な人工呼吸を実施しても徐脈が改善しない場合に，適切な手技で胸骨圧迫を開始することができる。 ●気管挿管を考慮したり，気管挿管の物品の準備を行ったりすることができる。
概要	出生時に自発呼吸がなく，筋緊張が低下している。 蘇生の初期処置に反応しないため人工呼吸を要する。 適切な人工呼吸を30秒間行っても回復せず，人工呼吸に加えて胸骨圧迫を行う。その後，心拍は改善するが自発呼吸は認められないため人工呼吸を継続したところで初期蘇生としては終了(NICUへ搬送等)する。
設定	母33歳，2妊0産。妊娠経過に問題なく，妊娠39週に陣痛発来して来院。来院後臍帯脱出を認め，緊急帝王切開分娩になった。立ち会いの準備を開始する。
ポイント	●胸骨圧迫開始前に，必ず換気が適切か確認する。 ●胸骨圧迫中は酸素投与を行う。 ●圧迫の部位，深さ，回数，人工呼吸の連動ができているかを評価する。 ●胸骨圧迫中止後の酸素投与はSpO_2の値をみて，調節する。 ●重症仮死の場合，高体温は予後不良因子であるため，体温維持を強調したり，低体温療法について確認したりしてもよい。

時間	伝えること	質問への答え	期待する行動
出生前	設定(上記)		チームメンバーの話し合い。 (推定される重症度から必要と推測される物品を準備する。役割分担を明確にする。2回目の場合はチーム目標の確認など。)
①0秒	出生しました。 何を確認しますか？ 口の中に分泌物があります。	在胎週数：39週 呼吸：なし 筋緊張：低下	出生直後のチェックを行い，速やかに初期処置を開始する。
②60秒以内	そろそろ生後60秒です。 何を確認しますか？	呼吸：なし 心拍：6秒間に3回	呼吸と心拍を確認し，パルスオキシメータを装着後，直ちに人工呼吸を開始する。
③30秒後	人工呼吸を開始後，30秒たちました。 何を確認しますか？	呼吸：なし 心拍：6秒間に3回	呼吸と心拍を確認し，換気が適切か確認後，酸素投与下で人工呼吸と連動した胸骨圧迫を開始する。
④30秒後	人工呼吸と胸骨圧迫を開始後，30秒たちました。 何を確認しますか？	呼吸：なし 心拍：6秒間に8回	呼吸と心拍を確認し，胸骨圧迫を中止するが，人工呼吸を継続する。 酸素濃度は，SpO_2の値をみて調節する。
⑤30秒後	胸骨圧迫を中止後，30秒たちました。 何を確認しますか？	呼吸：なし 心拍：6秒間に12回 努力呼吸：なし 中心性チアノーゼ：なし	呼吸と心拍を確認し，人工呼吸を継続する。
⑥30秒後	人工呼吸を継続して，30秒たちました。 何を確認しますか？ そろそろNICUに搬送の準備をしましょう。	呼吸：なし 心拍：6秒間に12回 努力呼吸：なし 中心性チアノーゼ：なし	呼吸と心拍を確認し，人工呼吸を継続する。 NICUに搬送する準備を開始する。

＊受講者用チェックシートには下記の「よりよい蘇生のヒント」が記載されています。インストラクターは効果的なチームワークを実現するための行動に関連したデブリーフィングも考慮しましょう。

- □ 次の処置の予測をして必要な準備することができましたか？
- □ リーダーシップのもとに適切な行動をとることができましたか？
- □ チーム内で行われている行動について言葉にだせましたか？
- □ メンバー間で蘇生手技の確認をしてお互い評価できましたか？

Sコースシナリオ③ CPAP

名前	チーム

＊チームとして判断・実施できた項目に☑を入れてみましょう

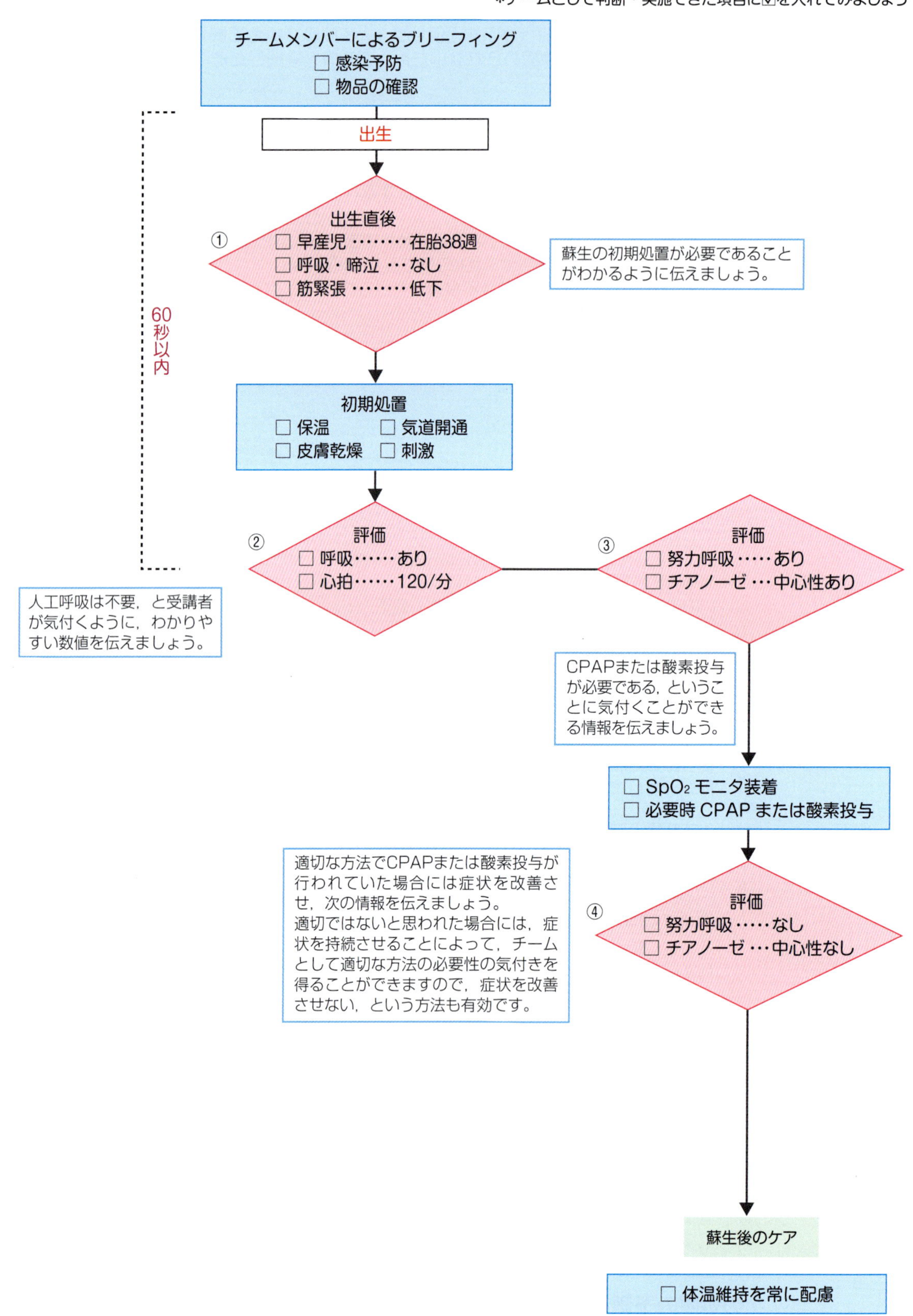

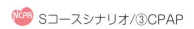

Sコースシナリオ❸ CPAP

目的	●安定化の流れに入る条件を理解し，適切に介入できる。 ●安定化におけるCPAPの手技，酸素投与の使用方法を理解する。
概要	出生時に筋緊張が低下しているため蘇生の初期処置を行う。 その後の評価では自発呼吸を認め，心拍も100／分以上認める。 努力呼吸と中心性チアノーゼを認めるため，パルスオキシメータを装着し，CPAPもしくは酸素投与を行う。その後，努力呼吸は改善し蘇生後のケアを行う。
設定	母31歳，3妊2産。妊娠経過に問題なく，妊娠38週に陣痛発来して来院した。来院後variable decelerationを認め吸引分娩に。立ち会いの準備を開始する。
ポイント	●呼吸と心拍が確立していれば，慌てて酸素投与やCPAPを行う必要はないことを理解する。 ●CPAPもしくは酸素投与を行っても努力呼吸とチアノーゼが持続する場合の対応を確認する。

時間	伝えること	質問への答え	期待する行動
出生前	設定(上記)		チームメンバーの話し合い。(推定される重症度から必要と推測される物品を準備する。役割分担を明確にする。2回目の場合はチーム目標の確認など)
①0秒	出生しました。 何を確認しますか？ 口の中に分泌物があります。	在胎週数：38週 呼吸：なし 筋緊張：低下	出生直後のチェックを行い，速やかに初期処置を開始する。
②60秒以内	そろそろ生後60秒です。 何を確認しますか？	呼吸：あり 心拍：6秒間に12回	呼吸と心拍を確認し，人工呼吸の適応ではないと判断する。
③人工呼吸を実施しないと判断したら直ちに	さらに何を確認しますか？	努力呼吸：あり チアノーゼ：あり	努力呼吸と中心性チアノーゼを確認し，CPAPもしくは酸素投与を開始する。 パルスオキシメータを装着する。
④30秒後	CPAPもしくは酸素投与開始後，30秒たちました。 何を確認しますか？	呼吸：あり 心拍：6秒間に12回 努力呼吸：なし チアノーゼ：なし	呼吸と心拍を確認後，努力呼吸とチアノーゼを確認し，CPAPもしくは酸素投与を中止する。

＊受講者用チェックシートには下記の「よりよい蘇生のヒント」が記載されています。インストラクターは効果的なチームワークを実現するための行動に関連したデブリーフィングも考慮しましょう。

- □ チームメンバー全員で建設的に話し合って判断できましたか？
- □ リーダーの指示と意見が合わないときに別の提案はできましたか？
- □ チームメンバー内でコミュニケーションをとり蘇生ができましたか？
- □ メンバー同士が助け合い問題を解決することができましたか？

Sコースシナリオ❹ 薬物投与

名前　　　　　　　　　　　　　　　　チーム

＊チームとして判断・実施できた項目に☑を入れてみましょう

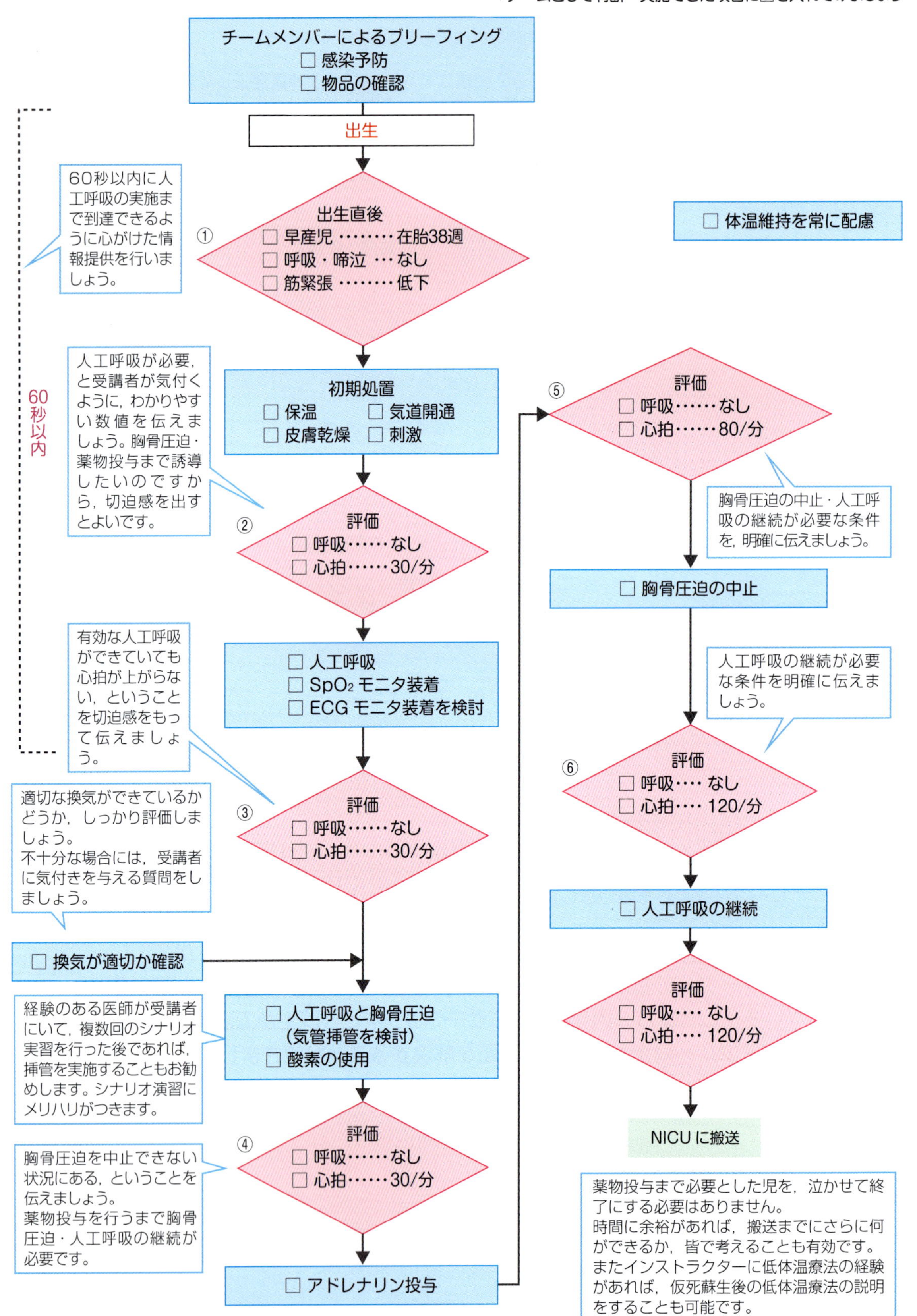

投与経路による薬物投与量の違いを確認しましょう。静脈投与を行うのであれば，静脈路の確保に要する時間を考慮して30秒ごとに病状を伝えましょう。
薬物作成や静脈路確保に要する時間に人工呼吸や胸骨圧迫を行う受講者を交代させることで，それぞれの受講者に手技を再度確認してもらうこともできます。

Sコースシナリオ④ 薬物投与

目的	●有効な人工呼吸と胸骨圧迫を行っても徐脈が改善しない場合に，アドレナリン投与のため気管挿管もしくは臍帯カテーテル留置を行い，適切な量のアドレナリン投与を行うことができる。 ●アドレナリン投与のための気管挿管もしくは臍静脈カテーテル留置のための物品の準備を行うことができる。 ●適切なアドレナリン量を投与することができる。
概要	出生時に自発呼吸がなく，筋緊張が低下している。 蘇生の初期処置に反応しないため人工呼吸を要する。 適切な人工呼吸を30秒間行っても回復せず，人工呼吸に加えて胸骨圧迫を行う。その後も心拍は改善せず，自発呼吸も認められないため薬物投与を行い，心拍が改善したところで初期蘇生としては終了(NICUへ搬送等)する。
設定	母29歳，2妊1産。妊娠経過に問題なく，妊娠38週に強い腹痛を自覚して来院した。来院時，常位胎盤早期剥離を認め，緊急帝王切開分娩に。立ち会いの準備を開始する。
ポイント	●アドレナリン投与は人工呼吸・胸骨圧迫を中断してまで行う行動ではない。 ●アドレナリンの投与経路は，経静脈投与が第一選択とするが，困難な場合は経気管投与を行う。 ●経静脈的にアドレナリンを投与した際には，生理食塩水でフラッシュする。

時間	伝えること	質問への答え	期待する行動
出生前	設定(上記)		チームメンバーの話し合い。 (推定される重症度から必要と推測される物品を準備する。役割分担を明確にする。2回目の場合はチーム目標の確認など)
①0秒	出生しました。 何を確認しますか？ 口の中に分泌物があります。	在胎週数：38週 呼吸：なし 筋緊張：低下	出生直後のチェックを行い，速やかに初期処置を開始する。
②60秒以内	そろそろ生後60秒です。何を確認しますか？	呼吸：なし 心拍：6秒間に3回	呼吸と心拍を確認し，パルスオキシメータを装着後，直ちに人工呼吸を開始する。
③30秒後	人工呼吸開始後，30秒たちました。何を確認しますか？	呼吸：なし 心拍：6秒間に3回	呼吸と心拍を確認し，換気が適切か確認後，酸素投与下で人工呼吸と胸骨圧迫を開始する。
④30秒後	人工呼吸と胸骨圧迫開始後，30秒たちました。 何を確認しますか？	呼吸：なし 心拍：6秒間に3回	呼吸と心拍を確認し，胸骨圧迫を継続する。アドレナリン投与の準備をし，投与を行う。
⑤30秒後	アドレナリン投与後，30秒たちました。 何を確認しますか？	呼吸：なし 心拍：6秒間に8回	呼吸と心拍を確認し，胸骨圧迫を中止し，人工呼吸を継続する。 酸素投与は，SpO_2の値をみて調節する。
⑥30秒後	胸骨圧迫中止後，30秒たちました。何を確認しますか？	呼吸：なし 心拍：6秒間に12回 中心性チアノーゼ：なし	呼吸と心拍を確認し，人工呼吸を継続する。 酸素濃度は，SpO_2の値をみて調節する。
⑦30秒後	人工呼吸を継続して，30秒たちました。 そろそろNICUに搬送の準備をしましょう。	呼吸：なし 心拍：6秒間に12回 中心性チアノーゼ：なし SpO_2値：95％	呼吸と心拍を確認し，人工呼吸を継続する。 NICUに搬送する準備を開始する。

＊受講者用チェックシートには下記の「よりよい蘇生のヒント」が記載されています。インストラクターは効果的なチームワークを実現するための行動に関連したデブリーフィングも考慮しましょう。

- □ 次の処置の予測をして必要な準備することができましたか？
- □ リーダーシップのもとに適切な行動をとることができましたか？
- □ チーム内で行われている行動について言葉にだせましたか？
- □ メンバー間で蘇生手技の確認をしてお互い評価できましたか？

V-3 Sコースシナリオ

Sコースシナリオ⑤（　　　　　　　　　　　）

名前　　　　　　　　　　　　　　　　　　チーム

＊チームとして判断・実施できた項目に☑を入れてみましょう

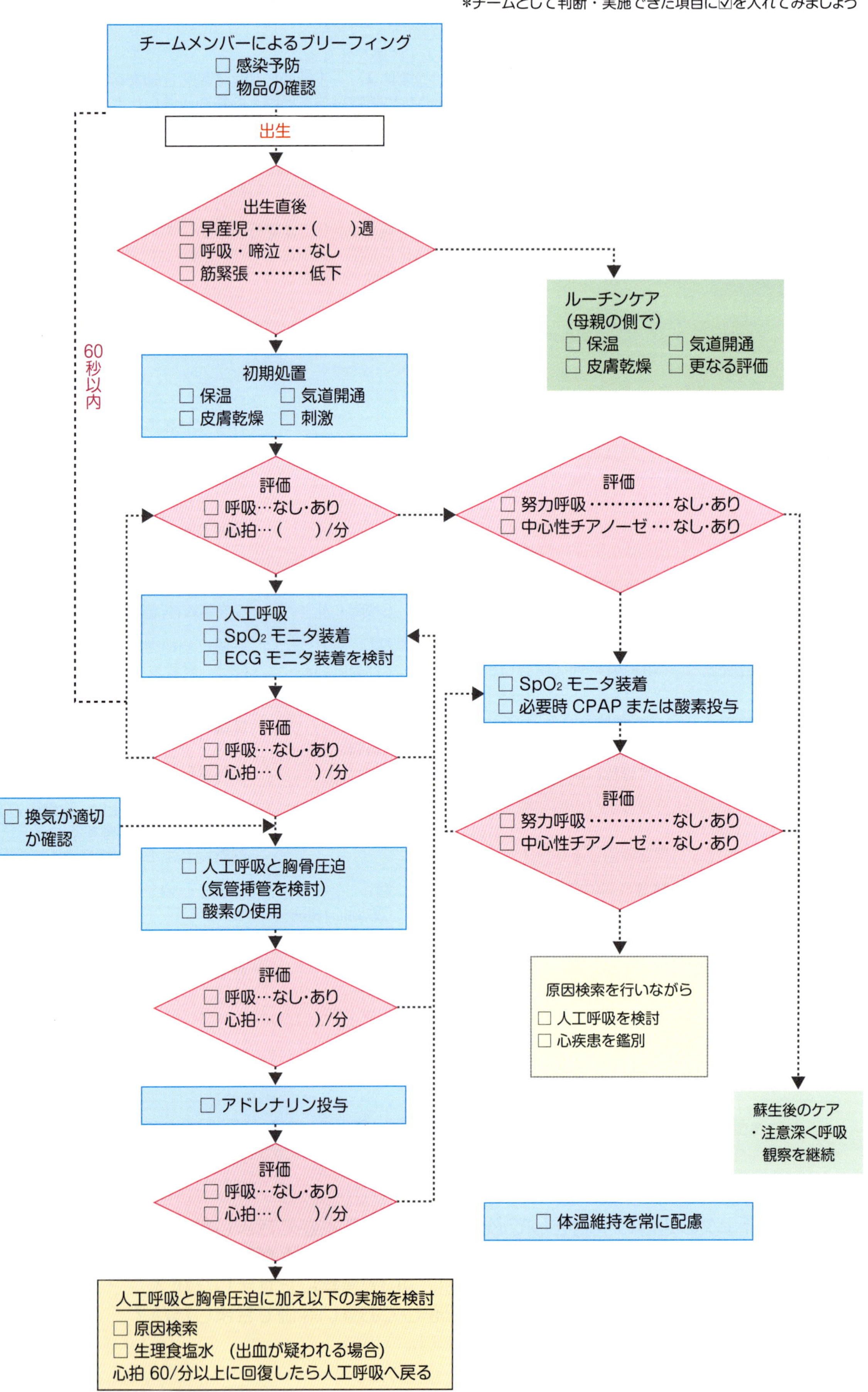

Sコースシナリオ❺　(　　　　　　　　　)

目的	
概要	
設定	
ポイント	

時間	伝えること	質問への答え	期待する行動
出生前			
①0秒			
②60秒以内			
③			
④			
⑤			
⑥			
⑦			

□チームメンバー全員で建設的に話し合って判断できましたか？
□リーダーの指示と意見が合わないときに別の提案はできましたか？
□チームメンバー内でコミュニケーションをとり蘇生ができましたか？
□メンバー同士が助け合い問題を解決することができましたか？
□次の処置の予測をして必要な準備することができましたか？
□リーダーシップのもとに適切な行動をとることができましたか？
□チーム内で行われている行動について言葉にだせましたか？
□メンバー間で蘇生手技の確認をしてお互い評価できましたか？

（加藤丈典）

4 Pコース

Pコースシナリオ

Pコースシナリオ① 蘇生の初期処置・自宅分娩

妊娠40週，児の推定体重3,200g，第2子，破水と同時に陣痛発来し，救急要請。羊水は清明。
現場到着時には母は動けない状態で，「産まれる!」と叫んでいた。

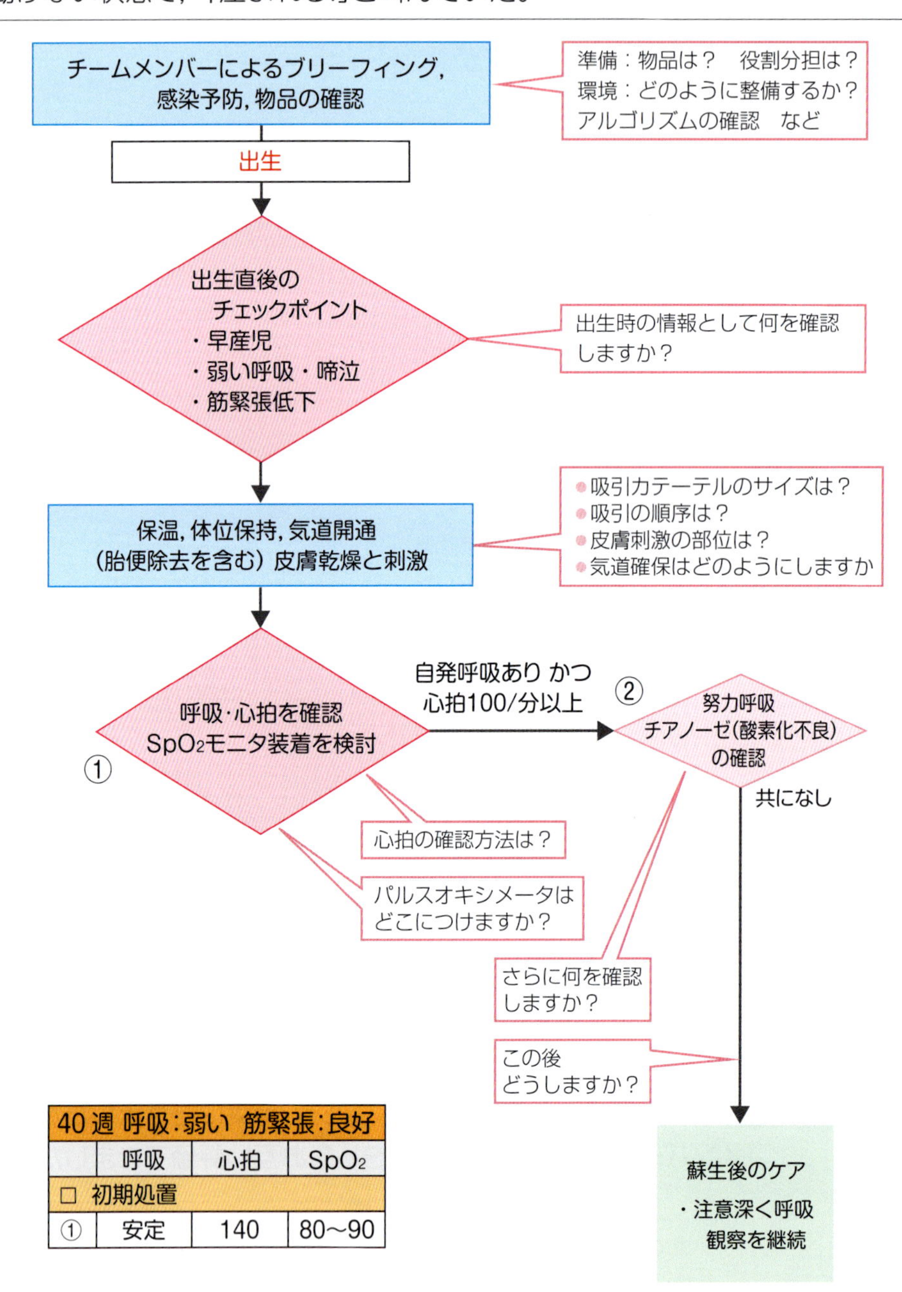

40週 呼吸：弱い 筋緊張：良好			
	呼吸	心拍	SpO_2
□ 初期処置			
①	安定	140	80〜90

Pコースシナリオ❶　蘇生の初期処置・自宅分娩

目的	・出生直後のチェックポイントを理解し，評価できる。 ・蘇生の初期処置を適切に行い，呼吸・心拍，努力呼吸・チアノーゼを評価できる。
概要	出生時にチェックポイントを評価しながら，初期処置を行う。初期処置後の呼吸は安定し，努力呼吸とチアノーゼは認めなかった。注意深く呼吸観察を継続しながら搬送する。
設定	母は妊娠40週，経産婦。児の推定体重は3,200g。妊娠40週に自宅で破水と同時に陣痛発来し，救急要請した。現場到着時には母は動けない状態で，「産まれる！」と叫んでいた。
ポイント	・蘇生の初期処置は，約30秒で行う。 ・心拍は6秒間で評価し，評価時間を長引かせない。

時間	伝えること	質問への答え	期待する行動
ブリーフィング	何を話し合いますか？	物品，役割分担，環境整備，搬送のタイミングなど	出生時の状態を予測し，必要な対策を事前に確認する。
①0秒	出生しました。 何を確認しますか？ 口の中に分泌物があります。	在胎週数：40週 呼吸：弱い 筋緊張：良好	出生直後のチェックを行いながら，速やかに初期処置を開始する。
②60秒以内	そろそろ生後60秒です。 何を確認しますか？ さらに何を確認しますか？ この後どうしますか？	呼吸：力強い啼泣 心拍：6秒間に14回 努力呼吸：なし チアノーゼ：なし	呼吸と心拍を確認し，さらに努力呼吸とチアノーゼを確認する。パルスオキシメータを装着する。 30秒ごとに呼吸観察を継続しながら，搬送の準備をする。

デブリーフィング：

- どのような症例でしたか？
- できたことは？
- 改善点は？
- 医療機関に連絡するタイミングは？
- （Apgar スコアは？）

Pコースシナリオ❷ 蘇生の初期処置・救急車内・分娩立ち会い

妊娠36週，児の推定体重2,500 g，第1子。腹痛があったが胃腸炎かと思っていた。破水し，動けなくなったため自宅から救急要請した。搬送を開始したが，車中で分娩に至った。

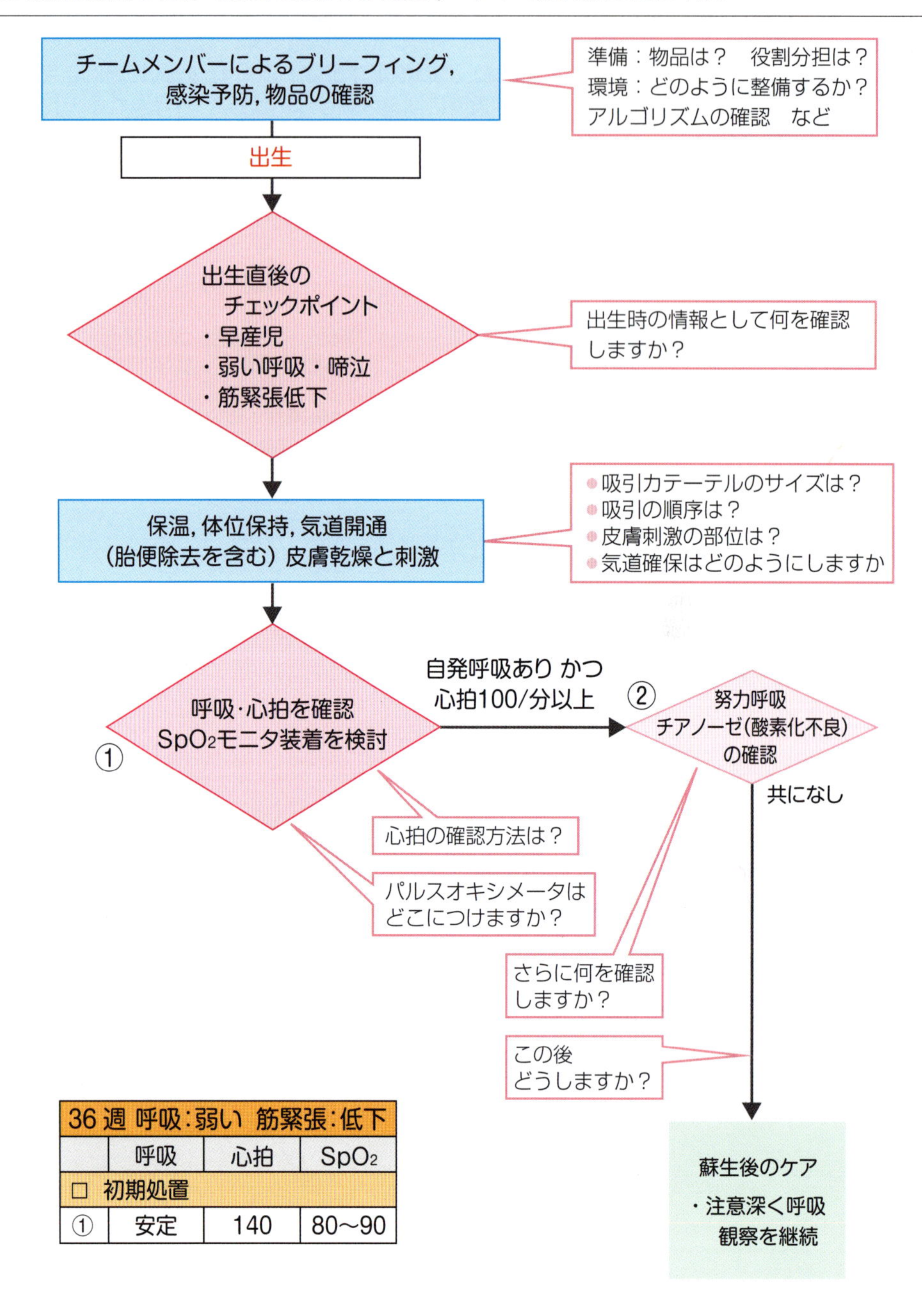

36 週 呼吸：弱い 筋緊張：低下			
	呼吸	心拍	SpO_2
□ 初期処置			
①	安定	140	80～90

Pコースシナリオ❷ 蘇生の初期処置・救急車内・分娩立ち会い

目的	・出生直後のチェックポイントを理解し，評価できる。 ・蘇生の初期処置を適切に行い，呼吸・心拍，努力呼吸・チアノーゼを評価できる。
概要	出生時にチェックポイントを評価しながら初期処置を行う。初期処置後の呼吸は安定し，努力呼吸とチアノーゼは認めなかった。注意深く呼吸観察を継続しながら搬送する。
設定	母は妊娠36週，初産婦。児の推定体重は2,500g。腹痛があったが，胃腸炎かと思っていた。破水し，動けなくなったため自宅から救急要請した。陣痛かどうかわからないとのことで搬送を開始したが，車中で分娩に至った。
ポイント	・蘇生の初期処置は約30秒で行う。 ・心拍は6秒間で評価し，評価時間を長引かせない。

時間	伝えること	質問への答え	期待する行動
ブリーフィング	何を話し合いますか？	物品，役割分担，環境整備，搬送のタイミングなど	出生時の状態を予測し，必要な対策を事前に確認する。
①0秒	出生しました。 何を確認しますか？ 口の中に分泌物があります。	在胎週数：36週 呼吸：弱い 筋緊張：良好	出生直後のチェックを行いながら，速やかに初期処置を開始する。
②60秒以内	そろそろ生後60秒です。 何を確認しますか？ さらに何を確認しますか？	呼吸：力強い啼泣 心拍：6秒間に14回 努力呼吸：なし チアノーゼ：なし	呼吸と心拍を確認し，さらに努力呼吸とチアノーゼを確認する。パルスオキシメータを装着する。
	この後どうしますか？		30秒ごとに呼吸観察を継続しながら，搬送の準備をする。

デブリーフィング：

- どのような症例でしたか？
- できたことは？
- 改善点は？
- 医療機関に連絡するタイミングは？
- （Apgar スコアは？）

Pコースシナリオ❸ 呼吸の安定化・自宅・分娩立ち会い

妊娠37週，児の推定体重3,000g，第1子，シングルマザー，独居。陣痛かもしれないが，どうしていいかわからない，動けないので来てほしいと通報あり。現場到着時，破水し発露していた。

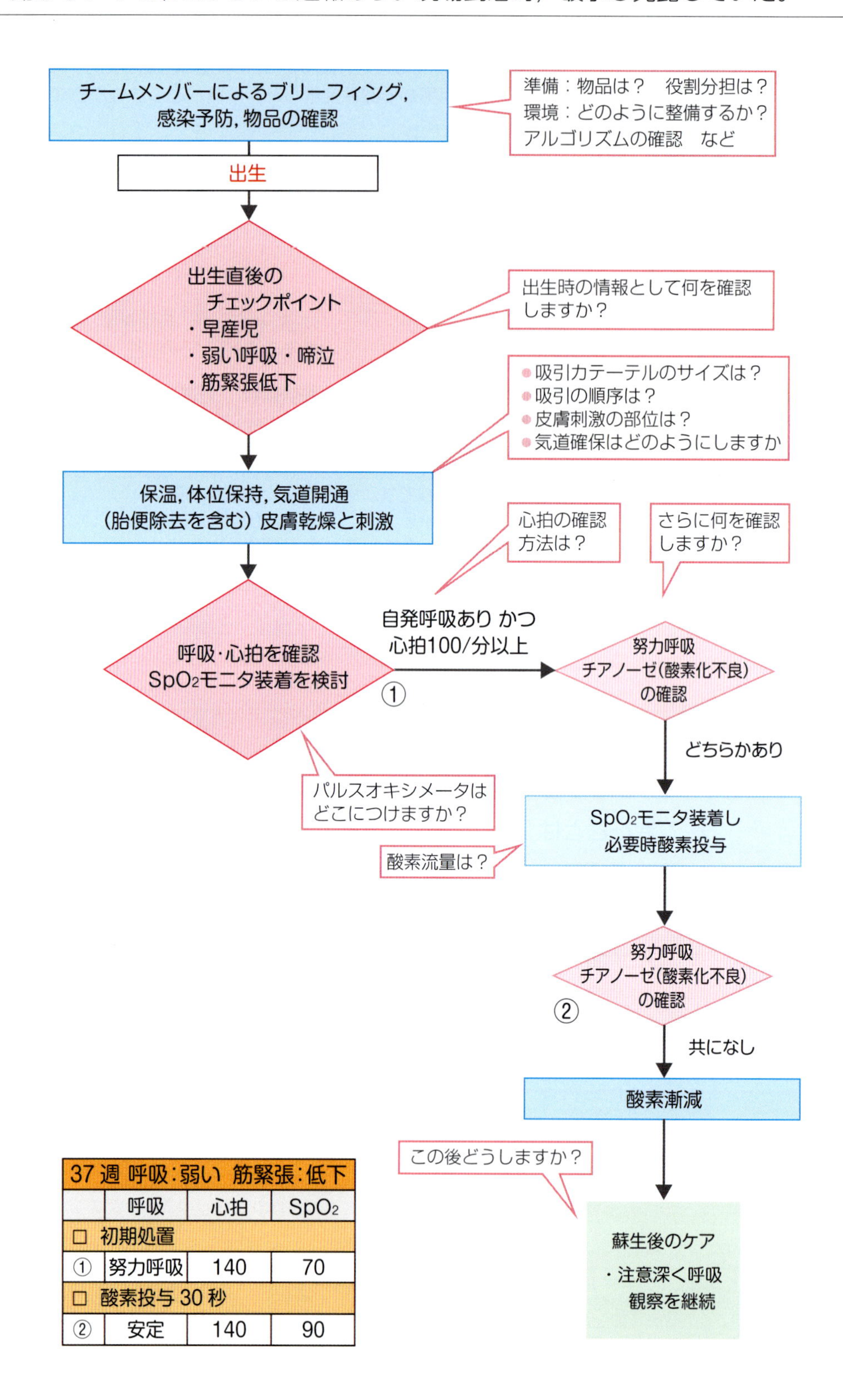

37週 呼吸：弱い 筋緊張：低下			
	呼吸	心拍	SpO2
□ 初期処置			
①	努力呼吸	140	70
□ 酸素投与30秒			
②	安定	140	90

Pコースシナリオ❸ 呼吸の安定化・自宅・分娩立ち会い

目的	・安定化の流れに入る条件を理解し，適切に介入できる。 ・安定化における酸素投与の使用方法を理解する。
概要	出生時にチェックポイントを評価しながら初期処置を行う。呼吸が弱かった。初期処置後は自発呼吸と心拍100/分以上，努力呼吸とチアノーゼを認めたため酸素投与を開始し，努力呼吸とチアノーゼは消失し，蘇生が終了する。
設定	母は妊娠37週，初産婦，シングルマザー，独居。児の推定体重は3,000g。妊娠経過に問題なし。陣痛かもしれないが，どうしていいかわからない，動けないので来てほしいと通報があった。 現場到着時，破水し発露していた。
ポイント	・努力呼吸またはチアノーゼを認めたら，SpO_2が表示されるのを待たずに酸素投与を開始する。 ・酸素投与を行っても努力呼吸とチアノーゼが持続するときには，人工呼吸を検討する。

時間	伝えること	質問への答え	期待する行動
ブリーフィング	何を話し合いますか？	物品，役割分担，環境整備，搬送のタイミングなど	出生時の状態を予測し，必要な対策を事前に確認する。
①0秒	出生しました。 何を確認しますか？ 口の中に分泌物があります。	在胎週数：37週 呼吸：弱い 筋緊張：低下	出生直後のチェックを行いながら，速やかに初期処置を開始する。
②60秒以内	そろそろ生後60秒です。 何を確認しますか？	呼吸：あり 心拍：6秒間に14回 努力呼吸：あり チアノーゼ：あり	呼吸と心拍を確認し，努力呼吸とチアノーゼを確認し，酸素投与を開始する。 パルスオキシメータを装着する。
③30秒後	酸素投与開始後，30秒たちました。何を確認しますか？	呼吸：あり 心拍：6秒間に14回 努力呼吸：なし チアノーゼ：なし	呼吸と心拍を確認後，努力呼吸とチアノーゼを確認し，酸素投与を漸減中止する。

デブリーフィング：

- どのような症例でしたか？
- できたことは？
- 改善点は？
- 医療機関に連絡するタイミングは？
- （Apgar スコアは？）

Pコースシナリオ❹ 呼吸の安定化・救急車内・分娩立ち会い

妊娠39週，児の推定体重3,200g，第3子，破水し陣痛が来たようだと母より救急要請あり。
現場到着時に母が「まだ大丈夫」と言ったため，搬送可能と考えた。搬送中に分娩が急速に進み，出産に至った。

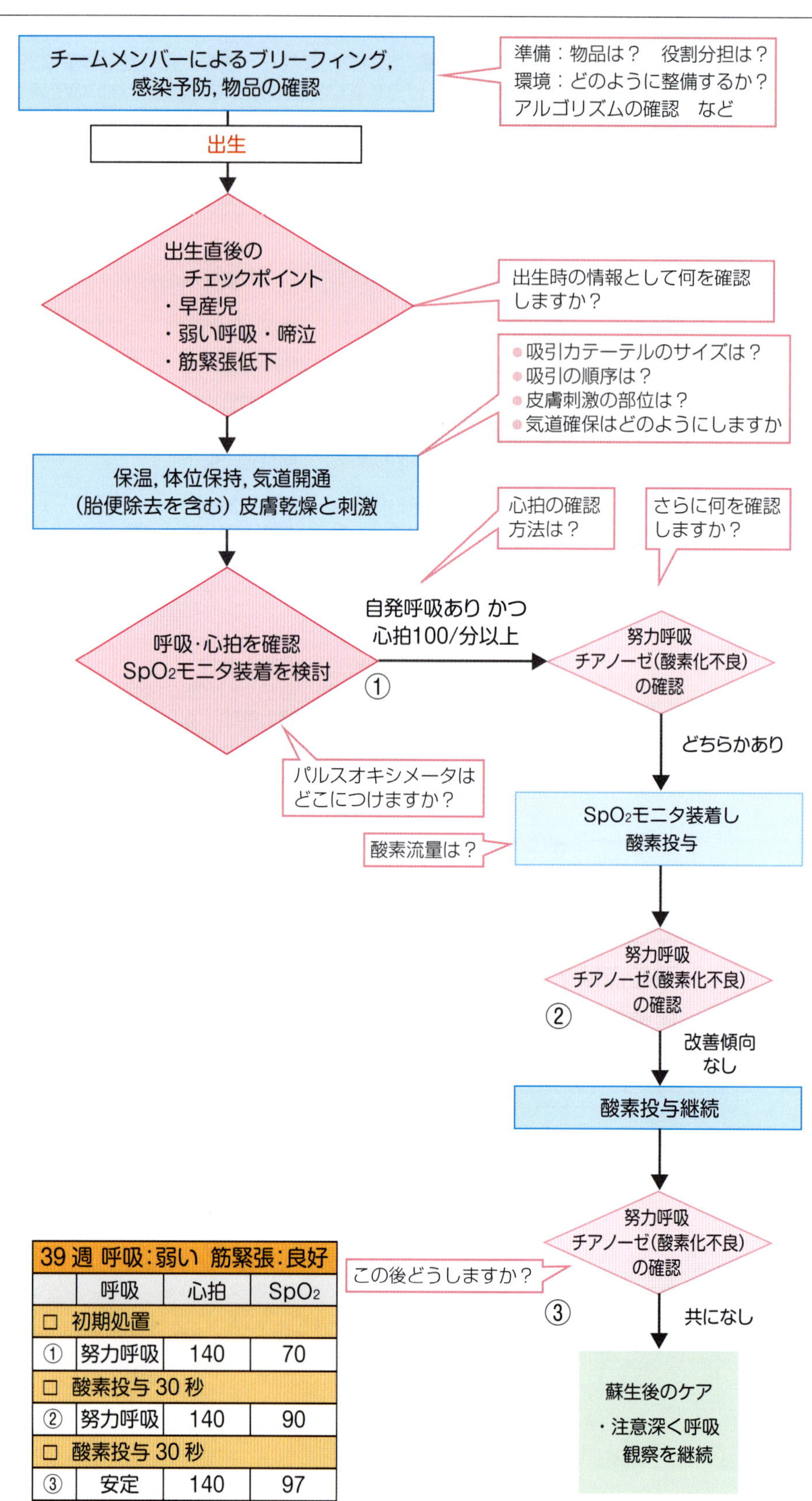

39週 呼吸：弱い 筋緊張：良好			
	呼吸	心拍	SpO_2
□ 初期処置			
①	努力呼吸	140	70
□ 酸素投与30秒			
②	努力呼吸	140	90
□ 酸素投与30秒			
③	安定	140	97

Pコースシナリオ❹　呼吸の安定化・救急車内・分娩立ち会い

目的	・安定化の流れに入る条件を理解し，適切に介入できる。 ・安定化における酸素投与の使用方法を理解する。
概要	出生時に，チェックポイントを評価しながら初期処置を行う。呼吸が弱かった。初期処置後は自発呼吸と心拍100/分以上，努力呼吸とチアノーゼを認めたため酸素投与を開始し，努力呼吸とチアノーゼは消失し，蘇生が終了する。
設定	母は妊娠39週，経産婦。児の推定体重は3,200g。妊娠経過に問題なし。陣痛がきて進んでいる感じがすると通報があった。現場到着時に母が「まだ大丈夫」と言ったため搬送可能と考えた．搬送中に分娩が急速に進み，出産に至った。
ポイント	・努力呼吸またはチアノーゼを認めたら，SpO_2が表示されるのを待たずに酸素投与を開始する。 ・酸素投与を行っても努力呼吸とチアノーゼが持続するときには，人工呼吸を検討する。

時間	伝えること	質問への答え	期待する行動
ブリーフィング	何を話し合いますか？	物品，役割分担，環境整備，搬送のタイミングなど	出生時の状態を予測し，必要な対策を事前に確認する。
①0秒	出生しました。 何を確認しますか？ 口の中に分泌物があります。	在胎週数：39週 呼吸：弱い 筋緊張：良好	出生直後のチェックを行いながら，速やかに初期処置を開始する。
②60秒以内	そろそろ生後60秒です。 何を確認しますか？	呼吸：あり 心拍：6秒間に14回 努力呼吸：あり チアノーゼ：なし	呼吸と心拍を確認し，努力呼吸とチアノーゼを確認し，酸素投与を開始する。 パルスオキシメータを装着する。
③30秒後	酸素投与開始後，30秒たちました。何を確認しますか？	呼吸：あり 心拍：6秒間に14回 努力呼吸：なし チアノーゼ：なし	呼吸と心拍を確認後，努力呼吸とチアノーゼを確認し，酸素投与を漸減中止する。

デブリーフィング：

- どのような症例でしたか？
- できたことは？
- 改善点は？
- 医療機関に連絡するタイミングは？
- （Apgar スコアは？）

Pコースシナリオ⑤ 呼吸の安定化・自宅・娩出後

妊娠週数不明。母は45歳，2経産。最近太ったと話していた。腹痛を訴えてトイレに行った後，様子がおかしいので中学生の娘が通報した。現場に到着したところ，通報者が「母が赤ちゃんを産んだようです」と説明，母はトイレでタオルにくるまれた児を抱いてボーッとしていた。児はまだ濡れており，啼泣は聞こえず動いている様子もない。

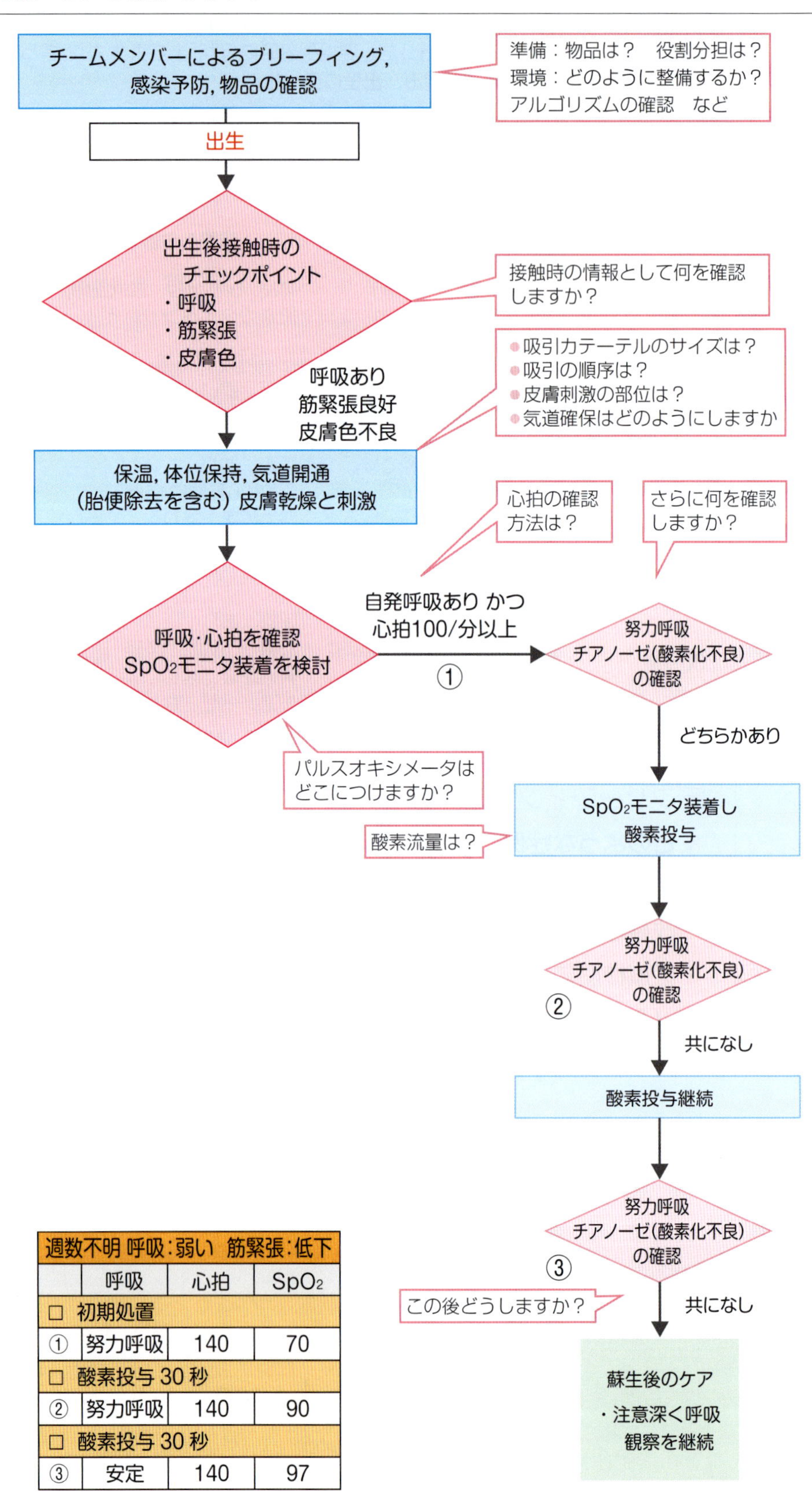

週数不明 呼吸：弱い 筋緊張：低下			
	呼吸	心拍	SpO_2
□ 初期処置			
①	努力呼吸	140	70
□ 酸素投与 30 秒			
②	努力呼吸	140	90
□ 酸素投与 30 秒			
③	安定	140	97

Pコースシナリオ⑤　呼吸の安定化・自宅・娩出後

目的	・安定化の流れに入る条件を理解し，適切に介入できる。 ・安定化における酸素投与の使用方法を理解する。
概要	出生後に，接触する場合のチェックポイントを評価しながら初期処置を行う。呼吸が弱く，筋緊張が低下していた。初期処置後は自発呼吸と心拍100/分以上，努力呼吸とチアノーゼを認めたため酸素投与を開始し，努力呼吸とチアノーゼは消失し，蘇生が終了する。
設定	母は45歳，経産婦，妊娠週数不明。最近太ったと話していた。腹痛を訴えてトイレに行った後，様子がおかしいので中学生の娘が通報した。現場に到着したところ，通報者が「母が赤ちゃんを産んだようです」と説明，母はトイレでタオルにくるまれた児を抱いてボーッとしていた。児はまだ濡れており，啼泣は聞こえず動いている様子もない。
ポイント	・努力呼吸またはチアノーゼを認めたら，SpO_2が表示されるのを待たずに酸素投与を開始する。 ・酸素投与を行っても努力呼吸とチアノーゼが持続するときには，人工呼吸を検討する。

時間	伝えること	質問への答え	期待する行動
ブリーフィング	何を話し合いますか？	物品，役割分担，環境整備，搬送のタイミングなど	接触時の状態を予測し，必要な対策を事前に確認する。
①0秒	児に接触しました。 何を確認しますか？ 口の中に分泌物があります。	在胎週数：不明 呼吸：弱い 筋緊張：低下	出生後の接触時のチェックを行いながら，速やかに初期処置を開始する。
②初期処置終了時	初期処置が終わりました。 何を確認しますか？	呼吸：あり 心拍：6秒間に14回 努力呼吸：あり チアノーゼ：あり	呼吸と心拍を確認し，努力呼吸とチアノーゼを確認し，酸素投与を開始する。 パルスオキシメータを装着する。
③30秒後	酸素投与開始後，30秒たちました。何を確認しますか？	呼吸：規則的な啼泣 心拍：6秒間に14回 努力呼吸：なし チアノーゼ：なし	呼吸と心拍を確認後，努力呼吸とチアノーゼを確認し，酸素投与を漸減中止する。

デブリーフィング：

- どのような症例でしたか？
- できたことは？
- 改善点は？
- 医療機関に連絡するタイミングは？
- （Apgar スコアは？）

Pコースシナリオ⑥ 人工呼吸・自宅・立ち会い

妊娠38週，児の推定体重3,300g，第2子。破水し，陣痛が10分ごとにある。交通手段がなく病院に行けないと通報あり。現場到着時，母は布団に寝ており，「もう産まれそう」と言っている。上の子どもが母の枕もとで泣いている。

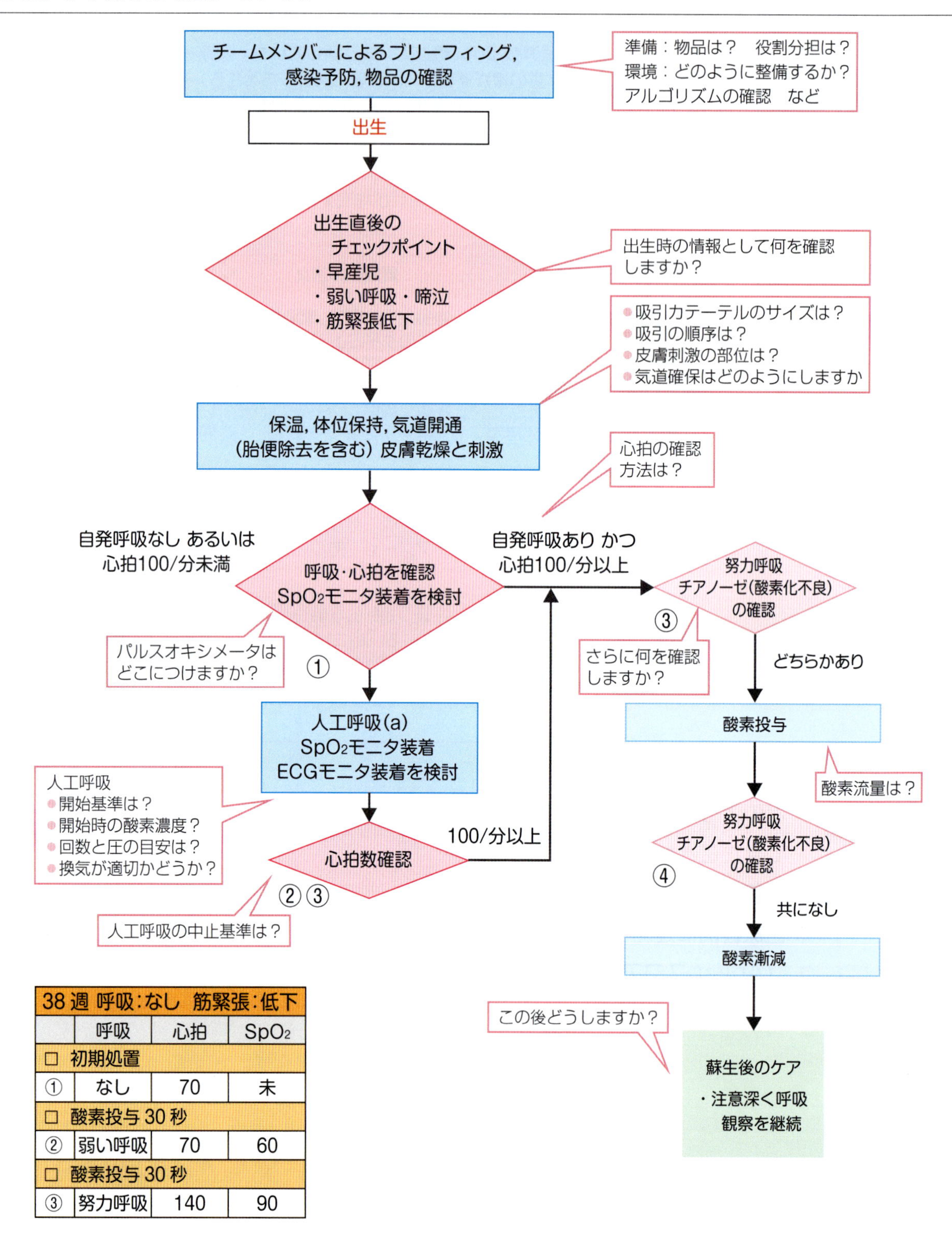

38週 呼吸：なし　筋緊張：低下			
	呼吸	心拍	SpO_2
□ 初期処置			
①	なし	70	未
□ 酸素投与 30 秒			
②	弱い呼吸	70	60
□ 酸素投与 30 秒			
③	努力呼吸	140	90

Pコースシナリオ⑥　人工呼吸・自宅・立ち会い

目的	・初期処置に反応しない無呼吸に対して，生後60秒以内に有効な人工呼吸を開始することができる。 ・有効な人工呼吸の確認ができる。人工呼吸が不成功の場合に，改善させられる。
概要	出生時に自発呼吸がなく徐脈で，生後60秒以内に人工呼吸が必要かどうかを判断して，人工呼吸を開始する。人工呼吸を30秒間行うと，啼泣を認め蘇生が終了する。
設定	母は妊娠38週，経産婦。児の推定体重は3,300g。妊娠経過に問題なし。破水し，陣痛が10分ごとにあるが，交通手段がなく病院に行けないと通報があった。現場到着時，母は布団に寝ており，「もう産まれそう」と言っている。上の子どもが母の枕もとで泣いている。
ポイント	・実際の蘇生の場面では，皮膚乾燥が刺激になることが多い。 ・無呼吸，徐脈に対して胸骨圧迫ではなく，人工呼吸を優先することを強調する。

時間	伝えること	質問への答え	期待する行動
ブリーフィング	何を話し合いますか？	物品，役割分担，環境整備，搬送のタイミングなど	出生時の状態を予測し，必要な対策を事前に確認する。
①0秒	出生しました。 何を確認しますか？ 口の中に分泌物があります。	在胎週数：38週 呼吸：なし 筋緊張：低下	出生直後のチェックを行いながら，速やかに初期処置を開始する。
②60秒以内	そろそろ生後60秒です。 何を確認しますか？	呼吸：なし 心拍：6秒間に7回	呼吸と心拍を確認し，パルスオキシメータを装着後，生後60秒以内に人工呼吸を開始する。
③30秒後	人工呼吸を開始後，30秒たちました。 何を確認しますか？	呼吸：あり 心拍：6秒間に14回 努力呼吸：あり チアノーゼ：あり	呼吸と心拍を確認し，人工呼吸を中止する。 呼吸の安定化に進み，酸素投与を開始する。
④30秒後	酸素投与開始後，30秒たちました。何を確認しますか？	呼吸：元気に啼泣 心拍：6秒間に14回 努力呼吸：なし 中心性チアノーゼ：なし	呼吸と心拍を確認後，努力呼吸とチアノーゼを確認し，酸素投与を漸減中止する。

デブリーフィング：

- どのような症例でしたか？
- できたことは？
- 改善点は？
- 医療機関に連絡するタイミングは？
- 上の子どもをどうするか？
- （Apgar スコアは？）

Pコースシナリオ⑦ 人工呼吸・救急車内・立ち会い

妊娠35週，児の推定体重2,500g，第2子。家族で里帰りの途中に宿泊していた施設で破水したため，救急要請。陣痛間隔が7～8分程度だったため，搬送開始した。救急車内で分娩が進み，出産した。

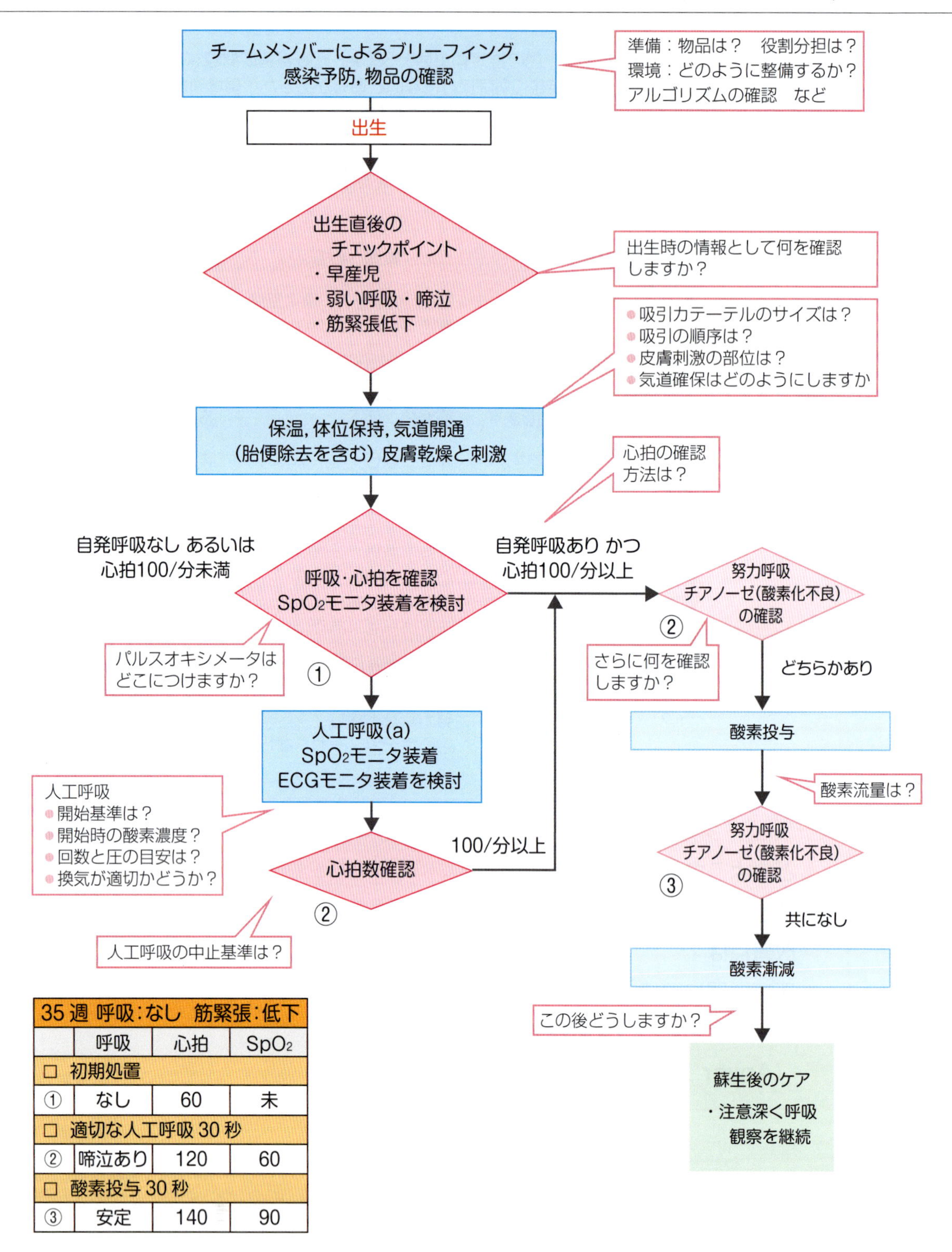

35週 呼吸：なし 筋緊張：低下			
	呼吸	心拍	SpO_2
□ 初期処置			
①	なし	60	未
□ 適切な人工呼吸 30秒			
②	啼泣あり	120	60
□ 酸素投与 30秒			
③	安定	140	90

Pコースシナリオ⑦　人工呼吸・救急車内・立ち会い

目的	・初期処置に反応しない無呼吸に対して，生後60秒以内に有効な人工呼吸を開始することができる。 ・有効な人工呼吸の確認ができる。人工呼吸が不成功の場合に，改善させられる。
概要	出生時に自発呼吸がなく徐脈で，生後60秒以内に人工呼吸が必要かどうかを判断して，人工呼吸を開始する。人工呼吸を30秒間行うと，啼泣を認め蘇生が終了する。
設定	母は妊娠35週，経産婦。児の推定体重は2,500g。家族で里帰りの途中に宿泊していた施設で破水したため救急要請。陣痛間隔が7～8分程度だったため，搬送を開始した。救急車内で分娩が進み，出産した。
ポイント	・実際の蘇生の場面では，皮膚乾燥が刺激になることが多い。 ・無呼吸，徐脈に対して胸骨圧迫ではなく，人工呼吸を優先することを強調する。

時間	伝えること	質問への答え	期待する行動
ブリーフィング	何を話し合いますか？	物品，役割分担，環境整備，搬送のタイミングなど	出生時の状態を予測し，必要な対策を事前に確認する。
①0秒	出生しました。 何を確認しますか？ 口の中に分泌物があります。	在胎週数：35週 呼吸：なし 筋緊張：低下	出生直後のチェックを行いながら，速やかに初期処置を開始する。
②60秒以内	そろそろ生後60秒です。 何を確認しますか？	呼吸：なし 心拍：6秒間に6回	呼吸と心拍を確認し，パルスオキシメータを装着後，生後60秒以内に人工呼吸を開始する。
③30秒後	人工呼吸を開始後，30秒たちました。 何を確認しますか？	呼吸：啼泣あり 心拍：6秒間に12回 努力呼吸：あり チアノーゼ：あり	呼吸と心拍を確認し，人工呼吸を中止する。 呼吸の安定化に進み，酸素投与を開始する。
④30秒後	酸素投与開始後，30秒たちました。何を確認しますか？	呼吸：元気に啼泣 心拍：6秒間に14回 努力呼吸：なし 中心性チアノーゼ：なし	呼吸と心拍を確認後，努力呼吸とチアノーゼを確認し，酸素投与を漸減中止する。

デブリーフィング：

- どのような症例でしたか？
- できたことは？
- 改善点は？
- 医療機関に連絡するタイミングは？
- （Apgar スコアは？）

Pコースシナリオ⑧ 人工呼吸・自宅・娩出後

妊娠40週，児の推定体重3,300g，第4子。今までの分娩も進行が速く，陣発後は早めに来院するよう，かかりつけ医に注意されていた。陣痛には気づいていたが，上の子どもたちの面倒をみているうちに進んできたようだと通報あり。現場到着時，児は娩出されていて母が抱いていたが，泣き声は聞こえず母が背中をさすっていた。

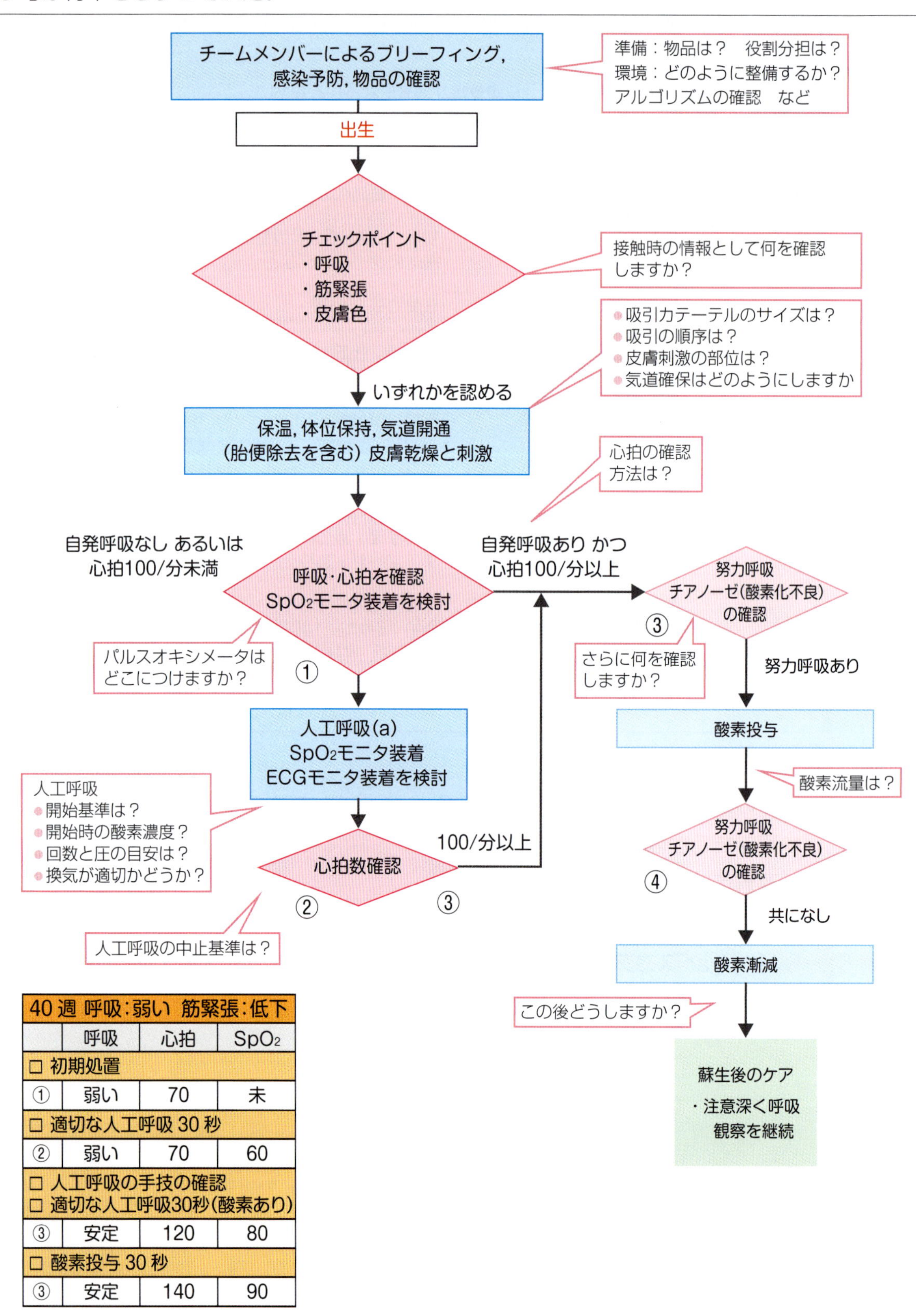

40 週 呼吸：弱い 筋緊張：低下			
	呼吸	心拍	SpO2
□ 初期処置			
①	弱い	70	未
□ 適切な人工呼吸 30 秒			
②	弱い	70	60
□ 人工呼吸の手技の確認 □ 適切な人工呼吸30秒（酸素あり）			
③	安定	120	80
□ 酸素投与 30 秒			
③	安定	140	90

Pコースシナリオ⑧　人工呼吸・自宅・娩出後

目的	●初期処置に反応しない徐脈に対して，接触後60秒以内に有効な人工呼吸を開始することができる。 ●有効な人工呼吸の確認ができる。人工呼吸が不成功の場合に改善させられる。
概要	接触時に徐脈で，60秒以内に人工呼吸が必要かどうかを判断して，人工呼吸を開始する。人工呼吸を30秒間行うと，啼泣を認め蘇生が終了する。
設定	母は妊娠40週，3経産。児の推定体重は3,300g。今までの分娩も進行が速く，陣発後は早めに来院するようかかりつけ医に注意されていた。陣痛には気づいていたが，上の子どもたちの面倒をみているうちに進んできたようだと通報があった。現場到着時，児は娩出されていて母が抱いていたが，泣き声は聞こえず母が背中をさすっていた。
ポイント	●実際の蘇生の場面では，皮膚乾燥が刺激になることが多い。 ●徐脈に対して胸骨圧迫ではなく人工呼吸を優先することを強調する。

時間	伝えること	質問への答え	期待する行動
ブリーフィング	何を話し合いますか？	物品，役割分担，環境整備，搬送のタイミングなど	接触時の状態を予測し，必要な対策を事前に確認する。
①0秒	児に接触しました。 何を確認しますか？ 口の中に分泌物があります。	在胎週数：40週 呼吸：弱々しく不規則 筋緊張：低下	出生後の接触時のチェックを行いながら，速やかに初期処置を開始する。
②60秒以内	初期処置が終わりました。 何を確認しますか？	呼吸：弱々しく不規則 心拍：6秒間に7回	呼吸と心拍を確認し，パルスオキシメータを装着後，接触後60秒以内に人工呼吸を開始する。
③30秒後	人工呼吸を開始後，30秒たちました。 何を確認しますか？	呼吸：弱々しく不規則 心拍：6秒間に7回	人工呼吸の手技を確認し，酸素を用いた人工呼吸を開始する。
④30秒後	人工呼吸を再開後，30秒たちました。 何を確認しますか？	呼吸：啼泣あり 心拍：6秒間に12回 努力呼吸：あり チアノーゼ：あり	呼吸と心拍を確認し，人工呼吸を中止する。 呼吸の安定化に進み，酸素投与を開始する。
⑤30秒後	酸素投与開始後，30秒たちました。何を確認しますか？	呼吸：元気に啼泣 心拍：6秒間に14回 努力呼吸：なし 中心性チアノーゼ：なし	呼吸と心拍を確認後，努力呼吸とチアノーゼを確認し，酸素投与を漸減中止する。

デブリーフィング：

- どのような症例でしたか？
- できたことは？
- 改善点は？
- 医療機関に連絡するタイミングは？
- （Apgar スコアは？）

Pコースシナリオ⑨ 人工呼吸と胸骨圧迫・自宅・立ち会い

妊娠41週，児の推定体重3,500g。予定日超過のため，翌日入院予定だった。破水したため救急要請。現場到着時，胎胞が見えていたため，現場での分娩を選択した。羊水は緑色。

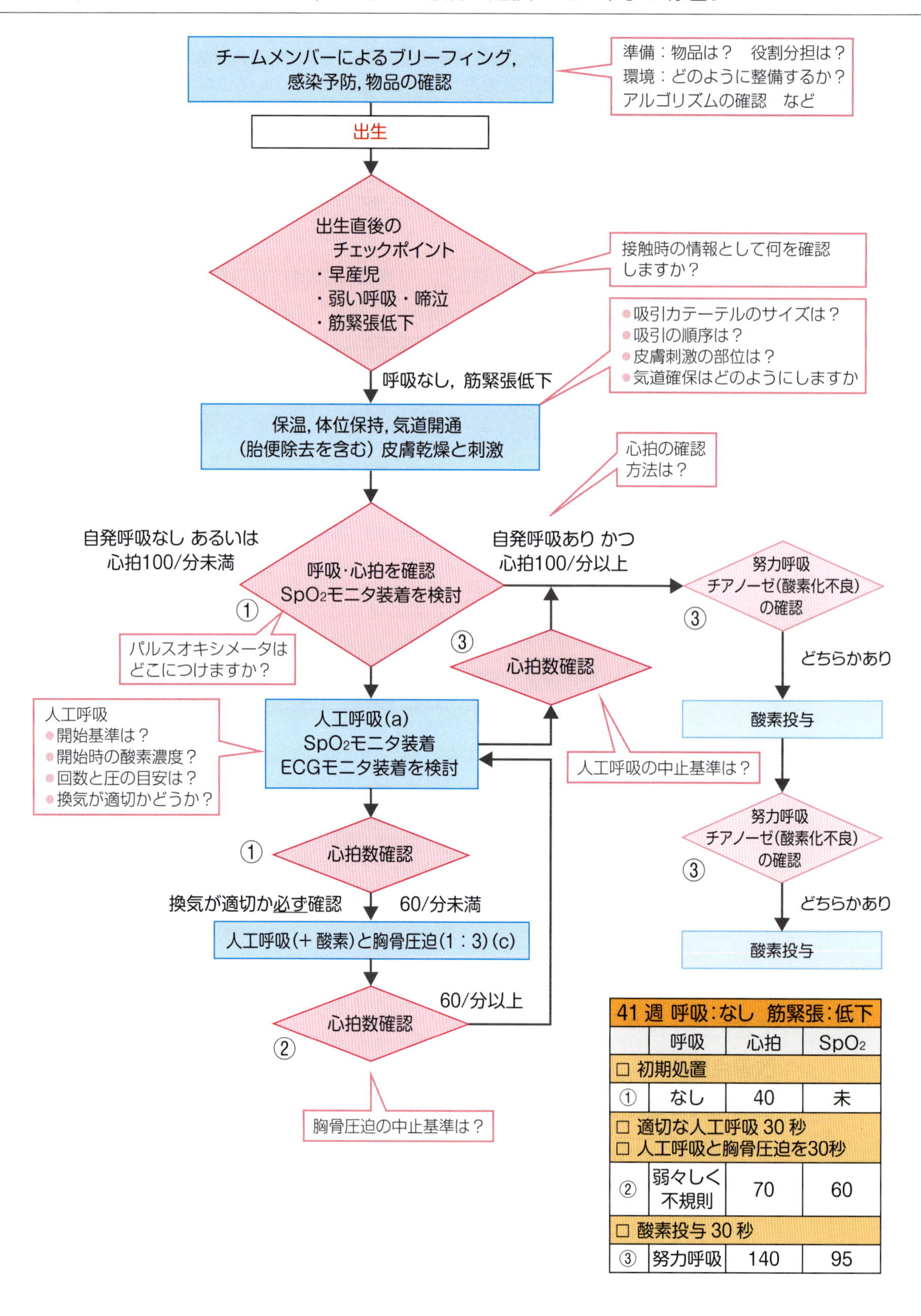

41週 呼吸：なし 筋緊張：低下			
	呼吸	心拍	SpO_2
□ 初期処置			
①	なし	40	未
□ 適切な人工呼吸 30 秒 □ 人工呼吸と胸骨圧迫を30秒			
②	弱々しく不規則	70	60
□ 酸素投与 30 秒			
③	努力呼吸	140	95

Pコースシナリオ⑨ 人工呼吸と胸骨圧迫・自宅・立ち会い

目的	●有効な人工呼吸を実施しても徐脈が改善しない場合に，適切な手技で胸骨圧迫を開始することができる。 ●人工呼吸が適切か，確認し修正できる。
概要	出生時に自発呼吸がなく，生後60秒以内に人工呼吸が必要かどうかを判断して，人工呼吸を開始する。開始後30秒が経過しても徐脈で，換気が適切か確認後，胸骨圧迫も開始する。開始後徐脈は改善，さらに人工呼吸を継続し，啼泣を認め蘇生が終了する。
設定	母は妊娠41週。児の推定体重は3,500g。予定日超過のため，翌日入院予定だった。破水したため，救急要請。現場到着時，胎胞が見えていたため，現場での分娩を選択した。羊水は緑色。
ポイント	●実胸骨圧迫開始前に，必ず換気が適切か確認する。 ●胸骨圧迫中は酸素投与を行う。 ●胸骨圧迫はきちんと圧迫することも重要だが，圧迫をきちんと解除することも重要。 ●胸骨圧迫中止後の酸素投与はSpO_2の値をみて，調節する。

時間	伝えること	質問への答え	期待する行動
ブリーフィング	何を話し合いますか？	物品，役割分担，環境整備，搬送のタイミングなど	出生時の状態を予測し，必要な対策を事前に確認する。
①0秒	出生しました。 何を確認しますか？ 口の中に分泌物があります。	在胎週数：41週 呼吸：なし 筋緊張：低下	出生直後のチェックを行いながら，速やかに初期処置を開始する。
②60秒以内	そろそろ生後60秒です。 何を確認しますか？	呼吸：なし 心拍：6秒間に4回	呼吸と心拍を確認し，パルスオキシメータを装着後，直ちに人工呼吸を開始する。
③30秒後	人工呼吸を開始後，30秒たちました。 何を確認しますか？	呼吸：なし 心拍：6秒間に4回	呼吸と心拍を確認し，換気が適切か確認後，酸素投与下で人工呼吸と胸骨圧迫を開始する。
④30秒後	人工呼吸と胸骨圧迫を開始後，30秒たちました。 何を確認しますか？	呼吸：弱々しく不規則 心拍：6秒間7回	呼吸と心拍を確認し，胸骨圧迫を中止し，人工呼吸を継続する。 酸素投与を継続する。
⑤30秒後	胸骨圧迫を中止後，30秒たちました。 何を確認しますか？	呼吸：あり 心拍：6秒間に14回 努力呼吸：あり 中心性チアノーゼ：なし	呼吸と心拍を確認し，人工呼吸を中止する。 呼吸の安定化に進み，酸素投与を開始する。
⑥30秒後	人工呼吸を中止後，30秒たちました。 何を確認しますか？	呼吸：あり 心拍：6秒間に14回 努力呼吸：あり 中心性チアノーゼ：なし	呼吸と心拍，努力呼吸とチアノーゼを確認し，酸素投与を継続する。 病院に搬送する準備を開始する。

デブリーフィング：

- どのような症例でしたか？
- できたことは？
- 改善点は？
- 医療機関に連絡するタイミングは？
- （Apgar スコアは？）

Pコースシナリオ⑩ 人工呼吸と胸骨圧迫・自宅・娩出後

妊娠週数不明，第1子。「娘が子どもを産んだ」と祖母にあたる女性から通報。
現場到着時，母は布団に横になっており，児は隣に裸で放置されていた。

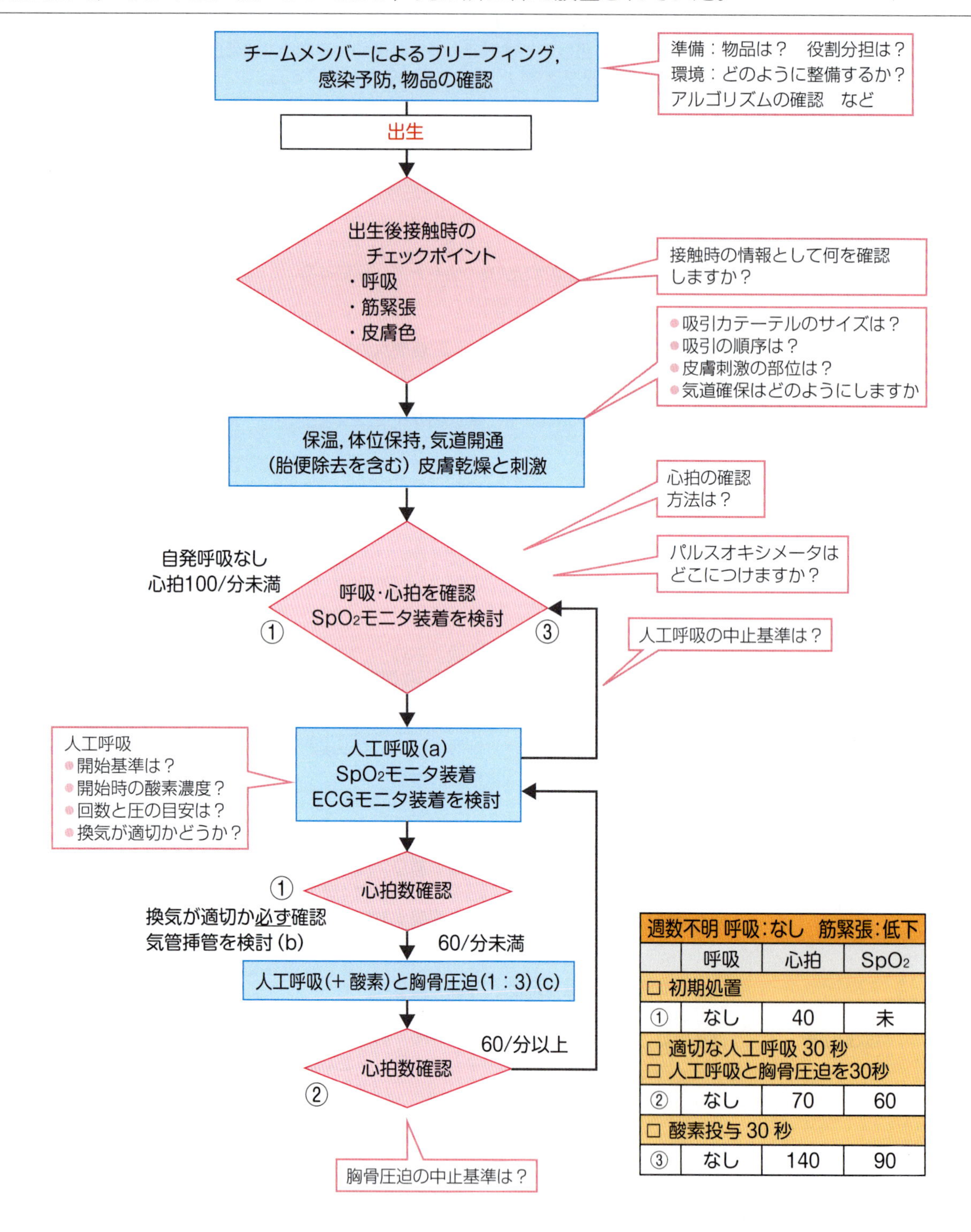

週数不明 呼吸：なし 筋緊張：低下			
	呼吸	心拍	SpO_2
□ 初期処置			
①	なし	40	未
□ 適切な人工呼吸 30 秒 □ 人工呼吸と胸骨圧迫を30秒			
②	なし	70	60
□ 酸素投与 30 秒			
③	なし	140	90

Pコースシナリオ⑩　人工呼吸と胸骨圧迫・自宅・娩出後

目的	・有効な人工呼吸を実施しても徐脈が改善しない場合に，適切な手技で胸骨圧迫を開始することができる。 ・状態が改善しない場合に，搬送を開始するタイミングを判断する。
概要	出生時に自発呼吸がなく，生後60秒以内に人工呼吸が必要かどうかを判断して，人工呼吸を開始する。開始後30秒が経過しても徐脈で，換気が適切か確認後，胸骨圧迫も開始する。開始後徐脈は改善，さらに人工呼吸を継続する。
設定	母は初産婦，妊娠週数不明。「娘が子どもを産んだ」と祖母に当たる女性から通報があった。現場到着時，母は布団に横になっており，児は隣に裸で放置されていた。
ポイント	・実胸骨圧迫開始前に，必ず換気が適切か確認する。 ・胸骨圧迫中は酸素投与を行う。 ・胸骨圧迫はきちんと圧迫することも重要だが，圧迫をきちんと解除することも重要。 ・保温など環境整備に留意する。

時間	伝えること	質問への答え	期待する行動
ブリーフィング	何を話し合いますか？	物品，役割分担，環境整備，搬送のタイミングなど	出生後の接触時の状態を予測し，必要な対策を事前に確認する。
①0秒	児に接触しました。 何を確認しますか？ 口の中に分泌物があります。	在胎週数：不明 呼吸：なし 筋緊張：低下	出生後の接触時のチェックを行いながら，速やかに初期処置を開始する。
②60秒以内	初期処置が終わりました。 何を確認しますか？	呼吸：なし 心拍：6秒間に4回	呼吸と心拍を確認し，パルスオキシメータを装着後，直ちに人工呼吸を開始する。
③30秒後	人工呼吸を開始後，30秒たちました。 何を確認しますか？	呼吸：なし 心拍：6秒間に4回	呼吸と心拍を確認し，換気が適切か確認後，酸素投与下で人工呼吸と胸骨圧迫を開始する。
④30秒後	人工呼吸と胸骨圧迫を開始後，30秒たちました。 何を確認しますか？	呼吸：なし 心拍：6秒間7回	呼吸と心拍を確認し，胸骨圧迫を中止し，人工呼吸を継続する。 酸素投与を継続する。
⑤30秒後	胸骨圧迫を中止後，30秒たちました。 何を確認しますか？	呼吸：なし 心拍：6秒間に14回	呼吸と心拍を確認し，人工呼吸を継続する。 酸素投与を継続する。
⑥30秒後	人工呼吸を継続後，30秒たちました。 何を確認しますか？	呼吸：なし 心拍：6秒間に14回	呼吸と心拍を確認し，酸素を用いた人工呼吸を継続する。 病院に搬送する準備を開始する。

デブリーフィング：

- どのような症例でしたか？
- できたことは？
- 改善点は？
- 医療機関に連絡するタイミングは？
- （Apgar スコアは？）

（小西恵理）

memo

2020年版 NCPR
アルゴリズム

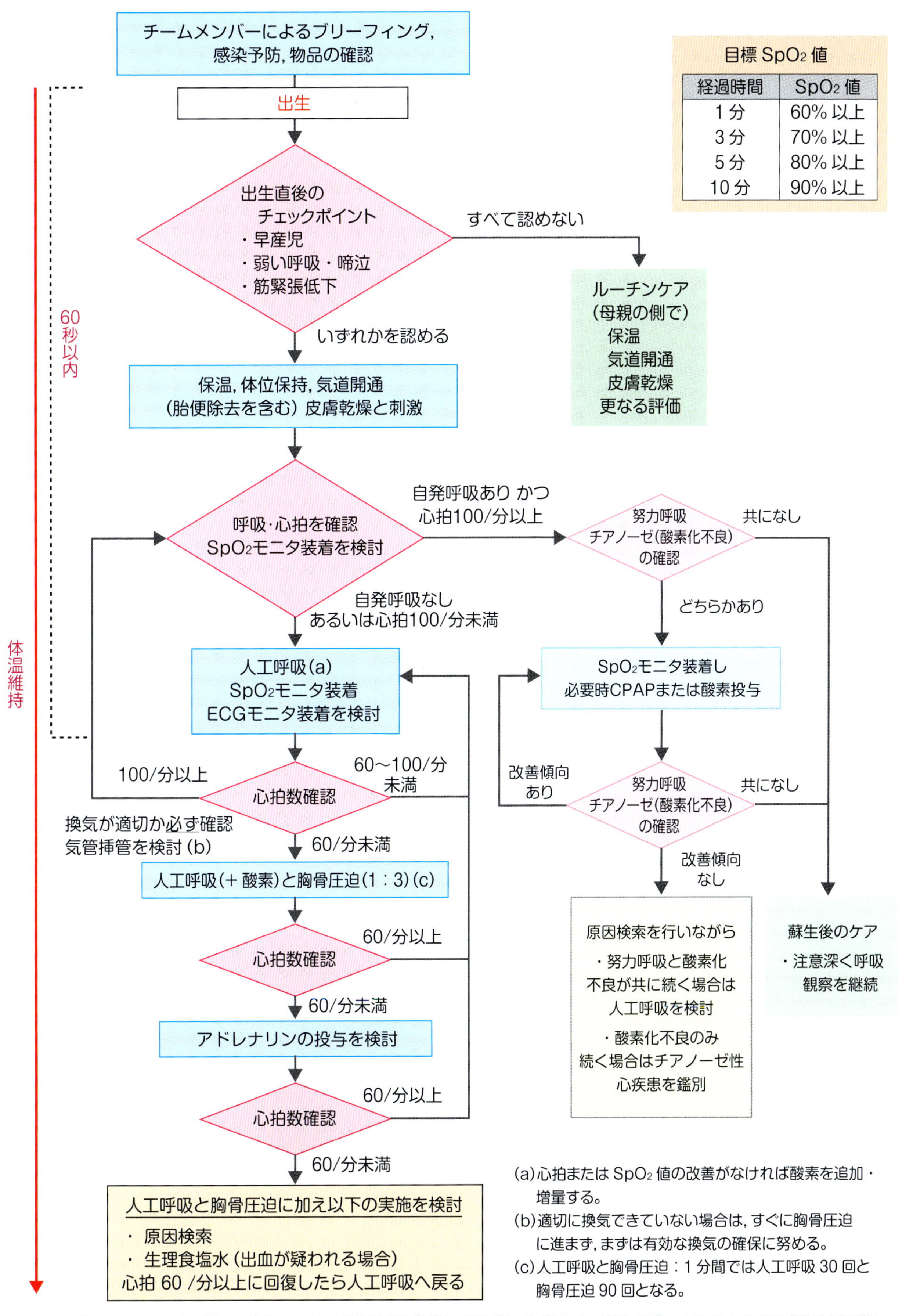

経過時間	SpO_2 値
1分	60% 以上
3分	70% 以上
5分	80% 以上
10分	90% 以上

目標 SpO_2 値

(a) 心拍または SpO_2 値の改善がなければ酸素を追加・増量する。
(b) 適切に換気できていない場合は, すぐに胸骨圧迫に進まず, まずは有効な換気の確保に努める。
(c) 人工呼吸と胸骨圧迫：1分間では人工呼吸30回と胸骨圧迫90回となる。

2020年度版 NCPR アルゴリズム. 一般社団法人日本蘇生協議会(編集). JRC 蘇生ガイドライン 2020 パブリックコメント版 第2報新生児の蘇生. 一般社団法人日本蘇生協議会, 東京, 2021.
(https://www.japanresuscitationcouncil.org/wp-content/uploads/2020/12/60bc5b2facde74d8faf20c0db8147637.pdf)
一般社団法人日本蘇生協議会(監修)：JRC 蘇生ガイドライン 2020. 医学書院(近刊)
より一部改変

日本版救急蘇生ガイドライン2020に基づく

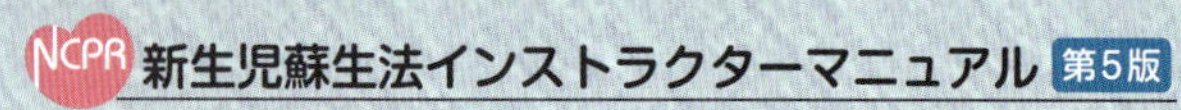

MEDICAL VIEW